RABOLIOT

Né en 1890 à Decize (Nièvre), Maurice Genevoix a passé son enfance à Châteauneuf-sur-Loire, aux confins de la Sologne. Ses brillantes études qui le conduisent à l'Ecole normale supérieure semblent le destiner à une carrière universitaire, mais la guerre éclate. Mobilisé en 1914, il est grièvement blessé en 1915. Réformé, il entreprend de relater ce qu'il a vu de la guerre dans les quatre volumes de *Ceux de 14 : Sous Verdun* (1916), *Nuits de guerre* (1917), *La Boue* (1921), *Les Éparges* (1923).

Avec *Rémi des Rauches* (1922) commence la série des romans qu'il consacre à la campagne, à la forêt et au monde animal dont *Raboliot* (Prix Goncourt en 1925), *Rroû* (1931), *La Dernière Harde* (1938), *La Forêt perdue* (1967) sont les plus représentatifs. La série de ses *Bestiaires*, en même temps qu'elle révélait un grand écrivain « animalier », a permis d'apprécier un mémorialiste plus intime, un moraliste « de plein air » dont les réponses s'accordent singulièrement aux interrogations les plus brûlantes de notre temps.

Grand voyageur, il rapporte du Canada, des livres comme *Laframboise et Bellehumeur* (1942), *Eva Charlebois* (1944), du continent africain un roman *Fatou Cissé* (1954) et un reportage *Afrique blanche Afrique noire* (1949). Il est aussi l'auteur de souvenirs, de récits et de contes pour enfants. Voici ses dernières œuvres : *Un jour* (1976), *Lorelei* (1978), *La Motte rouge* (1979), *30 000 Jours* (1980).

Lauréal du Grand Prix national des Lettres, élu à l'Académie française en 1946, Maurice Genevoix en a été le secrétaire perpétuel de 1958 à 1974.

Maurice Genevoix est décédé en septembre 1980.

MAURICE GENEVOIX
de l'Académie française

Raboliot

ROMAN

Édition définitive établie par l'auteur

COMMENTAIRES DE FRANCINE DANIN

BERNARD GRASSET

PREMIÈRE PARTIE

1

Depuis la veille, l'*œillard* de l'étang, grand ouvert, tirait : cela faisait à la surface de l'eau un entonnoir aux parois luisantes, un tourbillon tranquille et fort, si continûment régulier qu'il apparaissait immobile. Mais, par instants, quelque feuille morte, quelque brindille de jonc flottante, aspirée d'un attrait invincible, accélérait son glissement peu à peu, et, basculant soudain, s'engouffrait en chute vertigineuse.

On entendait sous la digue en chaussée une rumeur de cascade souterraine. Le courant jaillissait au pied du talus gazonné, filait d'une seule coulée bourbeuse dardée raide à travers les prés. Du ruisseau de Bouchebrand débordé, on ne distinguait plus que les hampes des joncs, les quenouilles veloutées des massettes, parcourues toutes au choc des eaux d'une ondulation trémulante et qui se propageait très loin.

Toute la nuit encore, l'œillard avait tiré. Toute la nuit, de sa maison, le garde Tournefier en avait entendu le fracas monotone. Derrière ses volets clos, les ténèbres retentissaient de ce lourd et frais grondement. Il l'entendait du creux de son sommeil, en même temps qu'à son flanc, dans l'épaisseur duveteuse de la couette, il sentait vaguement le poids abandonné et chaud du corps de Tasie, sa femme. Et quelquefois, ce bruit l'éveillant tout à fait, il recouvrait soudain la conscience des choses familières : il distinguait vers le chenil le souffle ronflant de son vieux chien Pillon, le choc mou d'un lapin qui se retournait dans sa caisse, l'ébrouement d'ailes d'une poule au perchoir ou celui d'un faisan dans la volière d'élevage. C'était, sur la maison, l'enveloppement de l'espace familier, la houlée lointaine des pineraies au passage d'un coup de vent, le cri rouillé d'une chevêche en chasse, toute la grande paix vigilante des nuits, où cette nuit s'entendait, infatigable, le grondement de l'œillard au travail.

Tasie, à son côté, remuait. Alors, il lui disait :

— L'eau pousse... Les étangs supérieurs donnent si fort que ça mettra du temps à passer... Écoute ça, bon·Dieu, si ça pousse !

Tasie, sans répondre, bâillait, mussait sa tête au creux de son bras replié. Et Tournefier continuait, pour lui seul :

— Avant-hier, à la *Patte d'oie*, c'est venu tellement gros que la bonde n'a pas pu y suffire : l'eau a passé sur le chemin, aussi large et raide que la Sauldre... Elle a laissé des trous, cent bons dieux, à y loger un troupeau de vaches !

Songeant tout haut, il évoquait la pêche des jours récents, évaluait le rendement des étangs mis à sec : « Buzidan, cette année, avait mieux donné que Malvaux ; à Chanteloup, le frai avait été mangé par les perches d'Amérique : quelle sacrée vermine c'était là !... Tancogne, le fermier général de M. le comte, avait fait grillager la fosse aux brochets, à cause des loutres. Quelle vermine aussi, les loutres, quelle sale graine de dévorants ! Pire que les renards, en un sens ; pire que les bracos à deux pattes !... »

Sa songerie évoluait, hantée d'ennemis sans nombre. La pêche, au fond, il s'en fichait : les perches d'Amérique pouvaient gober jusqu'au dernier tous les alevins du Tancogne ; ça n'était pas l'affaire d'un garde-chasse. Il était garde-chasse ; et fameux garde, il pouvait s'en vanter : Firmin Tournefier, dit « Cent bons dieux », à cause d'une habitude de parler qu'il avait.

Une chevêche passait sur la maison, étirant dans le noir son grincement triste de girouette : encore une malveillante, quêtant un mauvais coup nocturne. Ah! ces nuits! Est-ce qu'on pouvait dormir quand on avait, comme lui, le métier dans le sang? On s'allonge sous les couvertures, on ferme un œil, et l'on écoute. A travers le sommeil les sens guettent, anxieux du glapissement soudain, de l'aboi à deux temps du renard qui mène un gibier; on songe aux pièges tendus dans les sentiers d'assommoir; on devine, sur les talus des fossés, le glissement onduleux d'un putois... Ce tintement de grelot, qu'est-ce que c'est? Voilà deux nuits, sur les Communaux, il y a eu un coup de lanterne... Pas de lune non plus, cette nuit : si quelque équipe de lanterniers, tout de même... Attention si les fusils pètent! Non, rien... Et ça vient de tinter encore : ce n'est que le grelot de Gib, la petite chienne, qui bouge dans le fond de sa niche.

Le jour venait, perceptible seulement au vaste silence des choses. Tournefier appela tout à coup :

— Tasie!

Il était déjà debout, se vêtait à tâtons, avec des gestes machinaux. Sur la table, il retrouva la petite lampe pigeon, l'alluma, emplit un verre de café froid.

— Que je te dise : Tancogne a embauché un homme de plus, pour sa pêche... Tu sais qui?

Et, sans attendre la réponse :

— Le gars Fouques, ton cousin.

— Raboliot? dit Tasie.

— Raboliot, oui.

Assis devant la table, taillant au pain de longues mouillettes, il les plongeait dans le café, les tranchait à coups de dents nets. Dans la clarté du lumignon, sa face blonde et sanguine, d'ordinaire insoucieuse et riante, montrait une gravité anormale, le tourment d'un obscur souci. Ses yeux gris, d'une pâleur limpide, fixaient sans voir la toile cirée. Sa poitrine se gonfla d'une inspiration profonde.

— Écoute, Tasie...

Et soudain, résolument :

— J'ai comme une idée, dit-il, que ça ne lui vaudra rien, au Raboliot, de venir rôder par ici. Tancogne cherchait un homme à embaucher : c'est Volat qui lui a indiqué Raboliot.

— Et après ? dit Tasie.

Elle s'était accoudée sur l'oreiller. Il ne voyait rien d'elle, dans la pénombre, que la pâleur de son visage, écrasée de lourds cheveux noirs.

— Une idée comme ça, répéta Tournefier. Volat, Tancogne : le cousin fera bien de ne pas trop s'y fier. C'est une chenille, Volat... Jaloux de la chasse tel que je le connais, je pense bien qu'il n'attirerait pas Raboliot dans ses guêtres à moins de lui préparer, par en dessous, un sale coup.

— Bah ! fit Tasie. Il est malin aussi, Raboliot.

— Mais pas méchant, pas venimeux comme l'autre. Je te le dis : qu'il prenne garde au Volat.

Silencieuse, la femme réfléchissait. Et tout à coup :

— Qu'est-ce qu'il pourrait lui faire sans toi, Volat ? Est-ce qu'il est garde-chasse ? Est-ce qu'il a prêté serment ? Est-ce qu'il peut dresser un procès ?... Qu'il prenne garde au Volat... Et à toi aussi, je pense ?

— Peut-être bien, acquiesça Tournefier.

Et il expliquait, soucieux :

— Je ne lui veux pas de mal, cent bons dieux non. Tout de même, allons... Qu'est-ce que je pourrai faire, dis voir, si jamais le vieux Tancogne m'oblige à lui tomber dessus ? Et Volat l'y aidera, tu peux croire. Et moi-même, des fois, sans le vouloir... Que je me prenne le pied dans un collet, que j'en découvre toute une bordée, il faudra donc que je me bouche les yeux, crainte de m'apercevoir, par hasard, qu'ils ont été tendus par ton cousin ?

Il hocha la tête à plusieurs reprises, la main déjà sur le loquet de la porte :

— Ce que j'en dis... conclut-il. Enfin oui, c'est pour dire que j'aimerais mieux le voir ailleurs.

Dans l'aube grise et mouillée, il s'achemina vers

l'étang. La Sauvagère était maintenant presque vide : à peine, aux abords de la bonde, restait-il encore une mare triangulaire, bourbeuse, dont l'eau bougeait de vagues et lents remous. Les joncs des berges arrondies montraient leurs pieds grisaillés de vase sèche ; entre les plages de sable tourbeux, pareilles à des amas de cendres colmatées, des filets d'eau sinuaient, mourants ; l'œillard, comme épuisé, ne faisait plus entendre son grondement lourd et continu, plus rien qu'un bruit frais de cascade, d'eau qui tombe et qui claque au lieu de se ruer puissamment.

— Bonjour, Tournefier.

C'était Tancogne, le fermier général, apparu devant lui sans qu'il l'eût entendu venir. Il éprouva comme un malaise.

— Bonjour, monsieur Tancogne, dit-il avec politesse.

Tous deux ils regardèrent, à leurs pieds, la mare d'un jaune brunâtre qui entourait la bonde. Les mêmes remous s'y tourmentaient, tantôt torpides et profonds, tantôt exaspérés, agitant violemment la surface, y déroulant d'épaisses volutes floconneuses.

— Il doit y en avoir, dit Tournefier.

Tancogne continuait d'observer, sans mot dire. Le malaise du garde grandissait ; des questions lui venaient aux lèvres, à propos des hommes de corvée, de Raboliot surtout, et de Volat. Mais quelque chose pesait sur sa langue, un pavé qui la paralysait. Du coin de l'œil, il guettait la silhouette sèche et dure : les houseaux de cuir jadis noirs, presque roux maintenant entre des éclaboussures de boue sèche ; le pardessus d'un étrange vert bouteille qui, lui aussi, tournait au roux, bruissant, à chaque geste du vieux, du froissement des journaux qui le matelassaient ; le cache-nez à carreaux qui rebroussait la barbe raide et pauvre, d'un vilain blanc terni, fumeux. A peine si Tournefier osait lever les yeux vers le visage desséché, aux lèvres mauves entre les durs poils clairsemés, vers les yeux d'un jaune minéral, désagréablement fixes et brillants sous un larmoiement continuel. Sur son crâne qu'on devinait chauve, Tancogne portait un bonnet de loutre, une fourrure peladeuse et qui montrait son cuir ; la lourde toque enfoncée creux rabattait les minces oreilles. Le vieux toussait. D'une petite bonbonnière de métal il tirait des boules de gomme qu'il mâchonnait lentement, comme des chiques.

— Ah ! bien, soupira Tournefier. Voilà la charrette qui s'amène.

Elle venait par l'allée sablonneuse, bordée d'épicéas et de pommiers alternés. Un mulet maigre, entre les brancards, allongeait son pas dégingandé. Un homme le tenait par la bride, courant presque ; deux autres, debout dans la charrette, se tenaient accotés aux ridelles parmi des ustensiles pêle-mêle ; un quatrième suivait, quelques pas en arrière. Dans le petit jour frais, où traînaient des nuées bruineuses, les cahots du tapecul secoué par les ornières, les entre-chocs des bidons de fer-blanc s'engourdissaient en sonorités grêles ; on n'entendit les voix des hommes que lorsqu'ils touchèrent l'étang.

Tout de suite, ils commencèrent la pêche. Bottés de caoutchouc jusqu'au faîte des cuisses, un ciré noir leur collant à l'échine, ils pataugeaient, l'*aveiniau* [1] à la main. Tournefier, lui aussi, s'était botté : il marchait dans le lit de l'étang, foulant le sable moite et ferme, qui çà et là bougeait d'un tremblotement massif, et tout à coup, traîtreusement, fonçait. Des algues, à ses pieds, s'agglutinaient en paquets noirâtres, vite flétries à la morsure de l'air ; il les soulevait, les mains rouges, ramassant les alevins échoués : il y avait de petites carpes-cuir, dont la peau fauve s'ornait de larges écailles d'or plaquées en file au long des flancs, des tanches d'un vert sombre et sonore, dégouttelantes de la vase où elles se tenaient blotties, des goujons ternes, au ventre d'un blanc gras. Tournefier les lavait dans un seau qu'il portait, les secouait un instant, les doigts entre-

1. Courte épuisette.

14

fermés, et les laissait couler dans l'eau avec une douceur délicate. Sous ses pas des odeurs fortes se levaient, une senteur de poissons remués, de vase nue, de fermentations végétales.

— Pas de perches d'Amérique?

Tancogne l'interpellait, de la berge.

— Excusez-moi, monsieur. Il y en a.

— Beaucoup?

— Excusez-moi, répéta Tournefier; je crois que oui.

— Faites voir, dit Tancogne.

Il y en avait beaucoup, en effet : menues et larges, presque rondes, des médailles d'émaux chatoyants, orange et soufre, vert et bleu. Le garde en ramassa quelques-unes, qui tout de suite hérissèrent l'armure épineuse de leurs reins. Tancogne les prit entre ses mains, les considéra un instant; dans ses yeux froids une flamme s'alluma. Il ne dit pas un mot, mais ses doigts se crispèrent; leurs bouts pointus, aux ongles durs, s'enfoncèrent dans un ventre orangé; un à un, avec la même froideur cruelle, il creva les poissons qu'avait apportés Tournefier; on entendait chaque fois un aigre et léger claquement, celui de la poche natatoire qui éclatait sous la pression.

Traversant la chaussée, il gagna la contre-pente de la digue, où l'eau sortait du conduit souterrain. Son approche faisait taire les hommes, les inclinait vers leur besogne. Ils étaient maintenant une dizaine, qui travaillaient avec une lenteur diligente, habitués qu'ils étaient à ces pêches d'automne. Chaque année, octobre finissant, Tancogne vidait ainsi les douze étangs du comte de Remilleret pour récolter les alevins de l'été. Des grillages à mailles fines, entre des contreforts maçonnés, coupaient de place en place le ruisseau d'écoulement sans arrêter le passage des eaux; on en réglait le cours vers des bassins de tri, par un jeu d'empellements de fer qu'on levait ou baissait tour à tour. Les hommes, dans l'eau de plus en plus bourbeuse, plongeaient leurs aveiniaux de soie, les ramenaient pleins d'alevins soubresautants, dont le grouillis emplissait l'air d'un grésillement convulsif et mouillé.

Ils les triaient, très vite, rejetaient sur le pré les perches d'Amérique, distribuaient les poissons dans les grands bidons de fer-blanc ; ils y glissaient sans faire le moindre bruit ; mais quelquefois une panique les bouleversait, les jetait en cohue contre les parois de métal, qui résonnaient de légers chocs multipliés.

— Les goujons, disait Tancogne, les black bass, les ides... Dépêchons !

C'étaient des espèces fragiles, que la vase menaçait d'une asphyxie mortelle. Les blacks aux reins vertnoir s'éclairaient tout à coup, dans l'eau fraîche, de lueurs pâles ; les ides roses qui bâillaient, souillés, se reprenaient à flamber doucement ; les goujons, le ventre en l'air, viraient au bord des larges goulots, oscillaient une hésitante seconde, et, d'un coup de queue vif, les nageoires pectorales vibrantes comme des embryons d'ailes, piquaient du nez vers les ténèbres fraîches.

Les tanches, les carpes, plus résistantes, s'amoncelaient à même l'herbe du pré ; elles y faisaient des tas glissants, des mottes gluantes qui s'étalaient. Les hommes les prenaient à pleines mains et les portaient dans les bidons, plongeant leurs bras dans l'eau pour éviter de blesser les bêtes.

Les mains derrière le dos, le vieux Tancogne allait et venait. Ses yeux avaient des sautes rapides, dardaient de brefs regards auxquels rien n'échappait. Et sa voix rêche, trouée par le catarrhe, lançait des ordres aussitôt obéis :

— Mettez ! disait-il tout à coup.

C'était quelque gardon venu des rivières voisines, du Beuvron ou du canal.

— Jetez !

Et c'étaient des vairons, verts et tigrés de noir, des épinoches hérissées de piquants, négligeable fretin, vermine d'eau douce.

L'eau de l'étang presque tari n'arrivait plus qu'à peine dans le ruisseau. Les joncs, les prêles, depuis deux jours inclinés par sa force, se redressaient avec des froissements insensibles ; de chaque côté du Bouchebrand apaisé, ils reprenaient leur friselis balancé, abandonnés enfin de ce fort tremblement qui les avait secoués au long d'une lutte interminable. Par intervalles, dans le courant, quelque chose débouchait tout à coup. Cela venait du conduit souterrain, gonflait l'eau d'un remous vivant. Alors un homme courait, son épuisette au poing ; il fouillait à tâtons, se redressait soudain, arquant l'échine du geste d'un tâcheron qui soulève une pelletée de terre ; et dans l'épuisette émergeante se débattait une carpe monstrueuse, à soubresauts pesants et mous. Il y avait ainsi, dans chaque étang, tout un troupeau de bêtes énormes vouées à la production des alevins. On les reprenait chaque année en les dénombrant avec soin ; elles attendaient dans des bassins le retour des journées tièdes, l'instant de revenir, pour la ponte et la fécondation, dans les frayères aux fonds herbus.

— A l'étang ! dit Tancogne.

L'équipe des pêcheurs franchit la digue, descendit dans la Sauvagère. L'eau ne coulait même plus entre les plages de sable et de boue ; seules, des ornières sinueuses marquaient encore la trace de son passage. Mais le cours du Bouchebrand apparaissait bien mieux dans cette étendue grise et morne. Il venait de là-bas vers le sud, à travers d'autres étangs ; ceux de Malvaux, le supérieur et l'inférieur, et celui de Bouchebrand, le dernier, derrière les marécages et les friches de bruyères, derrière les grands pins maritimes dont les cimes denses et sombres se pressaient sur le ciel de nuées blanches. Au milieu de l'étang, il contournait une île ovale bordée de petits aulnes en boule, sommée d'épicéas alignés, enfin gagnait la bonde où il disparaissait.

C'était là que les carpes étaient venues se rassembler. L'eau, par endroits, était si peu profonde que les reins des bêtes émergeaient, se pressaient côte à côte dans un moutonnement confus ; et l'on cherchait des yeux le chien de ce troupeau. De temps en temps, l'une d'elles trouvait la tranchée du Bouche-brand ; elle remontait alors d'une nage forcenée, fonçant du nez, ouvrant la vase comme un soc. On ne voyait plus d'elle que son sillage désordonné, et parfois sa nageoire dorsale, sombre et molle, large comme une main.

Les hommes de nouveau barbotaient, fouillant de l'épuisette à même la pesante cohue. Les manches des filets surchargés pliaient. Au choc des queues claquantes comme des battoirs, la boue jaillissait en fusées, projetait sur les visages des taches sombres qui durcissaient en croûtes. La plupart de ces carpes pesaient une dizaine de kilos ; chaque année, malgré l'accoutumance, les pêcheurs s'étonnaient de les revoir, plus épaisses encore qu'ils ne se les rappelaient. Ils les allongeaient dans des caisses de bois, côte à côte ; trois ou quatre d'entre elles en garnissaient le large fond : elles restaient là, le corps inerte, clappant de leurs grosses lèvres rondes, bourrelets de peau blanche et charnue ; les écailles de leurs flancs luisaient comme des plaques de métal ; elles soulevaient leurs joues sur leurs ouïes sanguinolentes, d'un mouvement rythmique et doux.

A force de bouleverser l'eau stagnante, de piétiner dans le même cercle, les hommes faisaient naître autour d'eux un marécage de boue liquide où leurs regards ne distinguaient plus rien. Souvent, leurs filets tâtonnants butaient à faux sur les corps des poissons ; ils les poursuivaient au hasard, les soulevaient quelquefois à demi, basculant sur le cadre de fer, et replongeant d'un bloc au milieu d'une gerbe brune. Souvent aussi ils chancelaient, saisis aux jambes par l'étreinte molle de la boue. L'un d'eux même, tout à coup, heurta en reculant l'un des deux petits murs qui s'écartaient à partir de la bonde, battit l'air de ses bras, tomba dans l'eau à la renverse. Il reparut, gluant, aveuglé par la vase : et il toussait, s'ébrouait, crachait, parmi les rires puissants des autres.

— Eh ben, Berlaisier, l'eau est bonne ?

— T'avais soif, faut croire, vieil ami ?

Bottereau, dit Berlaisier, s'était mis à rire lui aussi : il était de nature débonnaire, de muscles vigoureux et lents. Baucheton [1] dans les bois de Sologne, abatteur de chênes et de pins, il travaillait deçà delà, à l'embauche, suivait les batteries en été, et l'hiver tendait des collets. C'était l'hiver qu'il préférait, ses joies hasardeuses et rudes, mais profitables.

Il n'était pas le seul entre les pêcheurs de Tancogne : Créquine le savait bien, qui tant de fois avait « fait équipe » avec lui, par les nuits noires épaulant le fusil, tandis que Berlaisier agitait le grelot et promenait par chaumes et labours le faisceau clair de la lanterne. Une rude langue il avait, ce Créquine, un battant solidement accroché ! Cela surprenait davantage parmi ces hommes taciturnes et méfiants. On l'avait baptisé Sarcelotte, peut-être à cause de son caquetage aux sonorités nasillardes, plutôt à cause d'un flair particulier à ce chasseur de sauvagine, des colverts et des sarcelles qui hantent les roseaux des étangs.

Tous ces hommes, d'ailleurs, petits pésans, bracos, aricandiers, parmi lesquels se recrutait une main-d'œuvre occasionnelle, avaient ainsi leur sobriquet, leur sornette comme on dit en Sologne. Volat, le grand Volat sec et blafard, aux yeux enfoncés creux sous un front dur comme caillou, on l'appelait par-derrière Malcourtois. Il s'attachait à lui un peu de la peur instinctive qui rendait muet Créquine lui-même à l'approche du fermier général : Volat était un des métayers de Tancogne, et son homme à tout faire, son espion, chacun s'en doutait. Familier, oui, blagueur à l'occasion ; mais plus encore que ses rogues manières, on redoutait la bonhomie pateline dont il s'accoutrait quelquefois : si malin que fût le grand Volat, on reniflait à son entour un relent de traîtrise qui invitait à la prudence ; un putois a beau être fin, il n'est pas libre de ne pas puer.

1. Bûcheron.

Tout en pêchant, il guettait des oreilles et des yeux. C'était quand il tournait le dos, quand il semblait distrait, absent, qu'il épiait avec plus d'acuité : et cela se sentait, étrangement. Plusieurs fois déjà, Sarcelotte l'avait interpellé :

— Hé ! Volat, surveille tes oreilles : elles remuent !

Malcourtois haussait les épaules et ne daignait même pas répondre : le Sarcelotte, malgré son œil finaud, avait plus de gueule que de vice : lui, Volat, le barrerait quand il voudrait. C'était un autre qui l'inquiétait, qu'il surveillait intensément, bien qu'il ne le regardât jamais. Cet autre-là, on ne l'appelait que Raboliot : à tel point qu'on avait oublié le nom de ses père et mère, qui était Fouques ; et jusqu'à son nom de baptême, qui était Pierre. Sa mère elle-même, la vieille Montaine, sa femme Sandrine ne l'appelaient que Raboliot ; une sornette qui était sienne depuis toujours, depuis les premiers mois de sa vie. Déjà futé, remuant, le corps fin, l'œil vif et noir, c'était bien vrai qu'il ressemblait à un lapin de rabolière [1], à un raboliot bien venu, de lignée sauvage et drue : lapereau sauvage, bête des bois, les broussailles étaient son domaine, les « aronces » épineuses où il se coulait à l'aise, les longues friches où foisonnent les bruyères, et les couverts de grands genêts qui le cachaient, debout, tout entier.

Braconnier, parbleu, comme tout le monde l'est en Sologne, comme l'était défunt son père avant de finir tristement, des suites d'un mauvais coup de pied qu'il avait reçu dans le ventre. La vieille Montaine, ulcérée par ce souvenir, s'épouvantait maintenant pour son garçon ; Sandrine aussi pleurait souvent. Les sacrées femmes ! Allez les empêcher de geindre ! Ce n'est qu'une gêne qui pèse sur le cœur, jusqu'à l'angoisse d'abord, et soudain jusqu'à la colère, avec ses mots et ses gestes violents.

Si les femmes ne peuvent pas se tenir de pleurer, est-ce que les hommes sont maîtres de cet instinct

1. Rabouillère, nid de garennes.

qui les pousse vers la chasse, fils d'une terre giboyeuse où craillent le soir les faisans qui se branchent, où rappellent les perdrix dans les chaumes, où les lapins par bandes sortent des bois à l'assaut des récoltes? Et si quelques hommes, plus riches, accaparent le droit à la chasse, s'ils défendent leur droit avec l'appui des lois, des gardes qu'ils paient et qu'ils arment, des gendarmes en uniforme, des policiers habiles à se grimer, est-ce qu'il n'est pas d'autres lois plus anciennes, qu'on chercherait en vain dans les codes, mais que les gars de Sologne connaissent bien puisqu'ils les sentent vivre en eux dès que le poil leur pousse sous le nez, dès qu'ils éprouvent la chaleur de leur sang?

Raboliot lui aussi travaillait à l'embauche. Tout *ch'ti* qu'il était d'apparence, avec ses mains de femme, si menues qu'elles l'humiliaient, sa cognée frappait juste et raide au pied des arbres qu'elle besognait. Avec un art fleuri d'aisance, il prélevait au pied la *débouture*, le tronçon de souche dure que l'usage reconnaît aux bûcherons de Sologne; il l'allongeait, tranquille, à la mesure qu'il s'était fixée, selon sa loi et ses besoins : de quoi chauffer sa maison l'hiver, et celle de la vieille Montaine, et celle de Touraille son beau-père. Tant mieux, n'est-ce pas? s'il en restait encore, assez pour faire quelque monnaie, juste le prix des cartouches nécessaires.

Aujourd'hui, il pêchait pour le compte de Tancogne. C'étaient des journées assez rudes pour que le vieil avare fût obligé de les bien payer, un travail plaisant, une riche occasion de s'instruire. Depuis trois jours qu'il promenait ses guêtres sur les terres de M. le comte, Raboliot n'avait eu garde de tenir ses yeux dans sa poche. Oh! comme cela, sans en avoir l'air... On peut bien repérer les grillages en bonne place, capter d'un sûr regard, comme d'un coup de filet, les renseignements utiles qui viennent à vous de toute part, qui montent des labours et des friches, des étangs, des prés et des bois...

Raboliot, sans fatigue, accroissait sa richesse : ce

n'était pas une richesse consciente d'elle-même, un amas ordonné dont il pût dresser l'inventaire. A sa mémoire toute sensorielle, il aurait demandé vainement des souvenirs décantés et limpides, quelque chose comme un plan des terres qu'il s'était annexées. Ses yeux, son nez, ses mains se rappelleraient pour lui, ses jambes qui par endroits avaient foncé dans le sable cendreux, glissé dans une coulée de glaise, raclé les épines des ronciers, son corps sans cesse vigilant, et la mémoire fidèle de son corps.

— A toi celle-là, Raboliot!

Les autres s'amusaient de son adresse infaillible. Debout au bord du marécage, ils avaient fini par interrompre leur besogne, par reposer leurs bras sur leurs épuisettes inutiles. Et ils regardaient Raboliot.

Lui marchait prudemment, l'aveiniau incliné. Ses yeux, dans la flaque de vase trouble, percevaient le moindre remous, le moindre frisson vivant; ses genoux immergés tâtonnaient, palpaient les frémissements de l'eau; et tout à coup ses mains partaient, décochaient un geste vif, ramenaient une bête captive.

Il n'en manquait jamais une seule. Chaque fois qu'une carpe était prise, il la tendait dans la poche de filet, à bout de manche, vers l'un des hommes qui l'entouraient:

— Empoigne, Berlaisier, gros feignant! Porte celle-là, Sarcelotte! Et cause pas en route avec elle!

Il riait, content de cette adresse dont il donnait le franc spectacle; content surtout d'autres choses cachées, qui rayonnaient au-dedans de lui, pour lui seul, et qui lui dilataient le cœur.

— Hé, Malcourtois! Je t'offre la prochaine!

Il était content, Raboliot. Le coup d'œil en coin de Volat l'avait chatouillé de bien-être: il l'avait appelé Malcourtois droit en face, ce grand cadavre... Hop là! En avant les bras! Une carpe encore, et pas la plus mince! Il la tendait vers le grand Volat, le considérait de bas en haut, avec une lueur dansante au fond des yeux. Et il songeait, plein d'allégresse: « Ne te gêne plus, mon gars; regarde encore, arrœille-toi [1] bien! La récolte est faite, engrangée. Ah! vieille pratique! Ça n'est pas encore toi qui pinceras Raboliot! »

Avec une astuce désinvolte, il attendit que Malcourtois se fût éloigné quelque peu. Ce serait à cette place juste, quand il passerait au droit de ce vieux pommier malade, que Volat se retournerait : une dizaine de pas à compter. Raboliot les comptait, regardant l'échine maigre de l'homme, rétrécie davantage par le geste en avant des bras que raidissait le poids du gros poisson. « Cinq pas encore... Une crapule, Volat, pour sûr; et malgracieux à regarder... Plus que trois pas; deux pas... » Raboliot se tourna vers l'ouest, feignit d'observer, là-bas, le bois de la Sauvagère, la lisière de chênes roux et de bouleaux jaunissants. Un tressaillement de joie subtile lui courut le long des reins : il s'était retourné, Volat! Maître de soi, Raboliot contraignit ses yeux à trahir une gêne soudaine, le malaise d'un homme pris en faute; cela dura moins d'une seconde, jusqu'à ce qu'il inclinât son nez vers l'eau trouble, et recommençât de pousser l'aveiniau.

Il exultait d'une joie gamine : « Bien joué, petit! Malcourtois, lancé, allait suivre le pied, mais de travers; et le vieux Tancogne après lui, naturellement; et sans doute le cousin Tournefier, avec sa plaque de garde-chasse... Volat, Tancogne, Tournefier, et les deux gardes du Bois-Sabot, probable; et peut-être, qui sait, des gars du Saint-Hubert [2]; il y aurait du monde, cette nuit, au bois de la Sauvagère! Cherchez bien, mes braves gens, poussez vos chiens, hardi! C'est là que Raboliot doit avoir tendu ses collets : Malcourtois en est sûr; il a surpris certain regard, tantôt... Mais pendant ce temps-là, Raboliot est ailleurs; pas loin, pas loin. Ah! le bougre! Est-ce qu'il aurait le toupet de faire le grillage que voici, ici

1. S'arrœiller : fixer des yeux.
2. Agents de la brigade des chasses.

même, à toucher l'étang ? Oui bien, il aurait ce toupet : dès cette nuit il amènerait sa chienne, Aïcha la petite noire ; et les lapins tomberaient dans sa musette, à cinquante pas de chez toi, Tournefier. »

Il soulevait les dernières carpes comme il eût soulevé des alevins ; une bonne sueur chaude lui coulait sur la peau. Il riait à tous, gonflé d'une merveilleuse indulgence. Même Tancogne, même Volat — et Dieu sait s'ils le dégoûtaient — il éprouvait pour eux à cette heure une espèce de pitié bienveillante. Des gens venaient, par le chemin qui suit la chaussée de l'étang ; il y avait maintenant sur la digue toute une petite troupe d'hommes qui le regardaient pêcher. Parmi les autres, il reconnaissait les deux gardes du Bois-Sabot, et Malaterre, le métayer de Malvaux, et Boissinot le fermier de Buzidan. Il s'épanouit, à voir de loin Touraille qui approchait en musardant, accueillit son beau-père d'un bonsoir retentissant. Touraille venait à petits pas timides :

— Je passais, expliqua-t-il. On m'a demandé à Chantefin pour un héron à empailler, une belle pièce, un héron pourpré.

Il salua à la ronde, se mêla au groupe des curieux. Il allait de l'un à l'autre, multipliant des questions discrètes : « Bien marché, cette année, l'alevinage ?... Et ces reproducteurs dont il avait entendu parler ? Gros comme des chiens, à ce qu'on lui disait ; mais va-t'en voir : on le prenait pour un berlaud. »

Comme Raboliot soulevait une carpe encore, il resta sidéré, à contempler un pareil monstre. On lui montra les autres, allongées dans les caisses ; et il hochait la tête avec un air de stupeur vertigineuse. Enfin la voix lui revint ; il recommença de semer ses questions :

— Elles allaient crever, hein, si longtemps comme ça hors de l'eau ? Et il y en avait des pareilles dans tous les étangs du comte ? Arrièze ! Ça n'était pas possible... Est-ce qu'il pourrait en empailler une, des fois ? Ça devait pouvoir s'empailler aussi, ces bestiaux-là.

Tasie, qui savonnait du linge près du chenil, abandonna sa selle et vint flâner du côté de l'étang. Et il y eut une autre femme, une brune au teint brûlé qui regardait les hommes en face, et que les hommes aussi regardaient, en se cachant du grand Volat. A vrai dire, elle n'était pas belle, cette Flora, plate du corsage et noire comme une taupe; mais elle avait une souplesse de drageon, et des hanches qui mouvaient sous ses cottes à vous pousser le sang au cœur. Volat n'avait pas tort d'être jaloux : elle le trompait, quasi, avec chaque homme qu'elle regardait, tant il y avait dans ses prunelles d'instinctive provocation, de sensualité complice, brûlante comme braise.

Et c'était Raboliot qu'elle aguichait ce soir. Lui s'en amusait un brin, troublé tout juste à fleur de poil, car il aimait bien Sandrine; troublé pourtant, comme les autres mâles. Et puis, la jalousie évidente de Volat l'excitait, ses regards pâles, froids comme des lames. Sans cette fureur glaciale de l'homme, la Flora en aurait été pour ses agaceries de chatte folle : des sourires, des dents blanches et mouillées sous le retroussis rouge des lèvres, des frôlements en sourdine, avec ces yeux toujours brûlants, à la sûre perdition de cette âme de femelle.

A un moment, Sarcelotte s'approcha :

— As-tu des feuilles? demanda-t-il à Raboliot. Les miennes sont mouillées.

Il prit le papier à cigarettes que lui tendait son camarade; et tout bas, très vite, sans presque remuer les lèvres :

— Méfie-toi, souffla-t-il... Il n'a pas de bons yeux, Malcourtois.

Raboliot eut un geste insouciant, fanfaron un tantinet. Mais, pour la première fois, le sentiment d'un péril véritable, le planement d'une menace assombrit le ciel de sa joie. C'était peut-être, aussi, ce soir d'automne et sa tristesse. Les nuées loqueteuses pendaient plus bas encore, certaines jusqu'à toucher la terre, traînant un lent crachin qui offensait la peau.

Au midi, vers Bouchebrand, les grands pins maritimes étaient noirs ; une mélancolie montait des friches abandonnées, insidieusement s'éployait sur la plaine, où les vieux chênes des plaisses [1], têtiaux sans branches, trognards aux troncs caves et rugueux, dressaient leurs formes mutilées sur le lacis fuligineux des haies. Il y avait dans l'air des tournoiements de feuilles lasses, détachées on ne savait de quels bouleaux, qui venaient se poser une à une dans le lit de la Sauvagère, s'éteindre au toucher de la boue.

Une voix retentit tout à coup :

— Eh bien, Tancogne, nous y sommes ?

Le ton était ensemble cordial et autoritaire. Ils reconnurent la silhouette du comte de Remilleret, ses longues jambes grêles, arquées par l'habitude du cheval.

— Oui, monsieur le comte, dit Tancogne.

On entendait le heurt des caisses que l'on chargeait, le bringuebalement des bidons de fer-blanc.

— Vous ferez préparer un saladier de vin chaud, Tancogne.

Les hommes remercièrent. Derrière la charrette cahotante, ils partirent. Énervé d'une longue attente, le mulet tirait à plein collier, piquant le sable de durs coups de sabot. La petite troupe s'enfonça très vite au lointain de l'allée rectiligne, disparut dans le blême crépuscule.

Il n'y eut plus à la Sauvagère que l'égouttis claquant de l'œillard, le tournoiement muet des feuilles. Sur l'herbe du pré, les perches d'Amérique étaient mortes ; elles jalonnaient le cours du ruisseau de petits tas inertes et déjà pourrissants.

1. Haies buissonneuses, en bordure des champs.

Deux coups furent frappés au volet ; un bref silence suivit, et trois autres coups s'égrenèrent. Trochut, dit Bec-Salé, reposa sur la table l'*Impartial de la Sologne* et traversa la salle de l'auberge. Chaussé d'espadrilles, le pas mou, il était si gras et pesant que les lames du parquet geignaient dès son approche. Dans la pièce ténébreuse et vide, son souffle graillonnait avec de menus sifflements.

— C'est toi, Raboliot ?

— Oui.

Trochut déverrouilla la porte. Raboliot apparut, la tête encore tournée vers le dehors.

— Aïcha ! Là ! Là ! ma belle.

Sa chienne entrait sur ses talons, une petite bête sans race, fille de corniaud [1] : elle était noire comme une nuit de lune nouvelle, avec une seule touffe blanche dans le pelage lustré du poitrail. Ses yeux, au cœur de l'ombre louche, accrochèrent le reflet de la lampe qui brillait dans l'arrière-salle, phosphorèrent une seconde d'une chaude et rousse lumière.

— Il y en a ? dit Trochut.

— Quatorze.

Le receleur alla chercher le lumignon. Ils passèrent en silence dans un réduit qui attenait à la salle d'auberge, bas de plafond, écrasé encore par moitié sous la caisse d'un escalier. Trochut posa la lampe par terre ; ils s'agenouillèrent à côté, et Raboliot, un à un, tira les lapins du sac.

— Pas trop gros, hein ! dénigra Trochut.

Il les soupesait, les tâtait, les flairait avec des grimaces de dégoût.

— Pris ce matin ? demanda-t-il.

— Tous.

Il les allongeait flanc contre flanc, rigides, le ventre immaculé, le bout des pattes jauni par la crotte des terriers.

1. Chien bâtard.

— Je t'en donne trois francs pièce, Raboliot.

— Quatre francs, Bec-Salé ; c'est le prix.

— Et le risque pour moi, dis donc...

Ils discutèrent, nez rapprochés, à répliques basses et rapides. De temps en temps, Aïcha se glissait contre son maître, coulait le museau sous sa main.

— Couche, Aïcha !

Il la repoussait sans la voir, machinalement, tout entier à défendre son dû contre l'âpreté de Trochut.

— Couche là, donc !... Vas-tu coucher !

Il s'interrompit tout à coup, se tourna vers la petite chienne. Elle se tenait raide sur ses pattes, le poil de l'échine soulevé, le mufle droit tendu vers la porte d'entrée. Ses babines, froncées, découvraient ses crocs éclatants, et elle grondait tout bas, avec des spasmes d'abois retenus.

Raboliot, d'un bond, s'était dressé. Il empoigna Trochut aux épaules, lui plongea au fond des yeux un regard anxieux et dur. Le gros homme soutint ce regard ; il chuchota d'une voix pressante :

— Ça n'est pas moi, Raboliot, je te jure.

Et de nouveau, appuyant sur les mots :

— Je te le jure... Ma grand'foi !

— Ouvre derrière... Vite ! jeta Raboliot.

La porte de l'auberge détona sous un choc violent.

— Au nom de la loi ! fit une voix, du dehors.

— Ça n'est pas moi, haletait Trochut. Non, non, ça n'est pas moi.

— Je m'en fous bien ! grogna Raboliot.

Il poussait Bec-Salé vers l'arrière-salle, où il savait qu'une porte bâtarde donnait sur le potager. Ils s'arrêtèrent ensemble, médusés ; derrière cette porte aussi, quelqu'un bougeait, à l'affût ; ils étaient à ce point immobiles qu'ils percevaient à travers le vantail le souffle de l'homme qui attendait. Trochut avait éteint la lampe.

— Au grenier ! murmura-t-il. Tu sauteras par la lucarne.

Ils reculaient déjà, lorsque la porte de l'auberge céda brutalement, grande ouverte. Raboliot eut le temps d'entrevoir, sur le rectangle de nuit pâle, la silhouette d'une tête que coiffait un képi. Au claquement de la porte, ç'avait été en lui comme un effondrement ; mais à peine eut-il vu cette tête et ce képi, il aperçut du même coup le trou béant sur la nuit vaste, la passée libre qui l'appelait. Il s'élança vers elle, s'y engouffra, plié dans sa course, comme un lapin qui force une ligne de rabatteurs. Au passage, il perçut la poussée d'une jambe, et le déplacement d'air, à son visage, d'un coup furieux, lancé à vide. Aïcha, touchée sans doute, avait eu un glapissement étouffé ; mais il se rassurait maintenant de l'entendre trotter près de lui.

Tout en fuyant, il épiait les bruits nocturnes : rien que le vent à ses oreilles, le heurt contre terre de leurs deux courses confondues. Il s'arrêta, écouta davantage : rien vraiment ; les cognes ne l'avaient pas suivi.

Alors il s'appuya contre le mur d'une maison, et laissa s'apaiser les battements de son cœur. Avec le calme, une grande tristesse l'envahissait, humiliée, amère à sa gorge. A peine avait-il savouré l'ivresse d'être hors de péril que cette mauvaise honte poussait en lui son âcre flot, le soulevait d'une nausée presque physique : « Un rude gars, oui, Raboliot ! Et qui avait tôt fait de perdre tout ensemble ses idées et son courage !... Et ça se croyait braconnier ! » Il revenait surtout à cet instant où la porte s'était ouverte, où il avait senti que tout son être se vidait, que son crâne était vide, que son cœur n'avait plus de sang ; où il n'avait gardé conscience que d'une chose : le tremblement de ses genoux. Il s'était ressaisi, c'était vrai ; mais il ne pouvait pas se pardonner cette défaillance totale qui l'avait anéanti, une seconde. « Feignant ! Feignant ! Ah ! Bon à rien ! »

Était-ce contre lui-même qu'il invectivait à mi-voix, contre le gros Trochut, cette canaille qui l'avait vendu ?... Trochut ? Il avait juré sa grand'foi ; il lui avait semblé sincère. Un autre, alors ? Mais quel autre ? Et il revit la face du grand Volat, ses yeux glauques et glacés, leurs mauvais regards.

— Aïcha!... Doucement, petite.

Preste, il avait sorti une cordelette de sa poche, la
passait au collier de sa chienne, la nouait aux lattes
d'une clôture. Un fossé se trouvait là, encombré
d'herbes folles, de broussailles retombantes. Il prit
entre ses mains la tête d'Aïcha, la regarda de près, en
lui parlant :

— A terre! Doucement... Silence!

Sa paume pesait sur le crâne de la chienne avec
une force à la fois rude et tendre. Il la coucha, rasée,
dans le fossé, la maintint un instant, sans la toucher,
sous le geste de son bras tendu :

— A terre! Doucement... Silence!

Et il reprit sa course droit vers la maison de Trochut.

Tout cela n'avait guère duré : il ne s'était pas sauvé
loin, s'étant tôt aperçu qu'on ne l'avait pas poursuivi.
Ses impressions, ses pensées, pour violemment
qu'elles l'eussent secoué, s'étaient précipitées très
vite. Déjà, il atteignait la maison de Trochut.

Il l'avait abordée par le pignon de l'ouest, où justement donnait la lucarne du grenier. Une treille se
cramponnait au mur : il l'empoigna, grimpa, tirant
des bras, pesant sur le crépi du bout de ses espadrilles, avec l'agilité silencieuse d'un chat. Il s'était
maintenant retrouvé : chaque effort de ses muscles
lui rendait davantage la conscience de lui-même ; au
bourdonnement des voix qu'il distinguait dans la
maison, à la lueur de certaine clarté, entr'aperçue de
la lucarne ouverte et qui filtrait à travers le plancher,
il éprouvait la finesse de ses sens, leur docile alacrité.

Dans le grenier, il se coula vers cette raie de clarté
verticale. Il glissait à plat ventre, appuyé sur ses
paumes, sans qu'on entendît un frôlement. Il colla
son œil à la fente lumineuse, et regarda.

Trochut était encore dans la salle de l'auberge. Il
avait rallumé la lampe. Trois gendarmes l'entouraient : il y avait le chef de brigade Dagouret, le vieux
Boussu, et un autre qui était arrivé au pays depuis
peu. C'était celui-ci justement qui avait entrepris

Trochut. Il le tenait par les épaules et le regardait droit aux yeux. Son visage tendu, éclairé d'en bas par la lampe, montrait de durs méplats tout luisants de clarté jaune ; sa petite moustache rousse flambait, troussée en crocs sous les narines.

— Je l'ai vu, disait-il à Trochut. Quand il a passé dans mes jambes... Puisque je l'ai reconnu, je te dis !

Bec-Salé, accoté des reins à la table, détournait à demi la tête sous le regard appuyé du gendarme. A chaque mot, il avait de brefs soubresauts, comme si des coups l'eussent frappé. Rien de cinglant, en effet, comme la voix de cet homme : une voix qui ne s'élevait guère, mais dont le timbre blessait la chair et faisait mal.

— Un traîner, monsieur Bourrel, je vous jure... Quelqu'un qui n'est pas du pays.

Bourrel. Il s'appelait Bourrel, ce merle bleu. Raboliot le voyait mieux maintenant, ne le quittait pas du regard, le contemplait avec avidité. Quelle figure était-ce là, nom de goui ? Qu'est-ce qu'elle avait d'extraordinaire, cette figure ? Raboliot le cherchait vainement, s'étonnait à la fois de trouver ce visage pareil à tant d'autres visages, et de ne point pouvoir se retenir de le scruter, prisonnier d'un pénible attrait. Les yeux ? Ils étaient clairs, d'un gris pâle et bleuté autant qu'il lui semblait de loin : eux aussi, ils étaient pareils à bien d'autres. Le nez, d'un dessin ferme et sec, n'était point laid à regarder. Alors, la moustache rousse ? Mais il ne manquait point de roussiaux par le monde ; Berlaisier était un roussiau, ça ne l'empêchait pas d'être bon gars. Non, c'était autre chose, qui ne tenait à aucun trait visible, qui venait du dedans de l'homme : une expression complexe, intense, presque agressive, d'obstination, de brutalité courageuse, de méchanceté involontaire. Raboliot, s'il ne pouvait l'analyser, sentait tout cela avec une force qui l'émouvait à fond ; toutes sortes de puissances troubles fermentaient dans ses artères, lui battaient aux poignets et aux tempes, se soulevaient, en lui, contre cet homme. Arrièze ! Qu'est-ce qui allait donc se passer ?

Il frotta de la main ses paupières brouillées, pesa sur le plancher, les deux bras étendus, de son ventre et de sa poitrine.

En bas, Bourrel avait lâché Bec-Salé. Il comptait les lapins allongés sur la table, en plein dans la lumière de la lampe. De la poche de son dolman, il tira un calepin, un crayon.

— Ça va, dit-il froidement. C'est Trochut, n'est-ce pas, que tu t'appelles ? Tes prénoms, maintenant... allez ! vite !

Il écrivait, debout, le calepin appuyé sur sa paume. Tout en dictant, Trochut, par intervalles, s'interrompait d'une voix gémissante : « Pauver'-moué !... Heula faut-i' ! » Et il poussait d'énormes soupirs qui faisaient trembler ses épaules.

Brusquement, Bourrel rougit. Raboliot, stupéfait, le vit lancer le calepin sur la table, marcher, les poings serrés, sur le gros homme qui recula.

— Nom de Dieu ! cria-t-il. Qui est-ce ? Qui est-ce ? Tu parleras, cochon, ou je te casse la gueule !

Il y avait eu, dans son élan, tant de rageuse véhémence, que les autres gendarmes s'étaient avancés eux aussi. Le vieux Boussu, de la main, toucha le bras de Bourrel.

— Hé là ! Hé là ! fit-il doucement.

Bourrel tressaillit au contact, secoua son bras avec violence comme si Boussu l'eût empoigné. Et il criait plus fort, la face maintenant toute blanche, secoué de fureur :

— Quoi ! Qu'est-ce que c'est ? Y a-t-il eu délit, oui ou non ? Le braconnage est-il un délit, oui ou non ? Et le recel, hein, nom de Dieu ? Alors, c'est comme ça, Boussu, que tu comprends ton métier ? Pas d'histoires ? Bien vu de tout le monde ? Eh bien ! le monde, je l'ai au cul ! Je fais mon métier, moi, Boussu ! Je suis gendarme, moi, Boussu !...

De nouveau, il marcha sur Bec-Salé :

— Je suis gendarme, tu entends ! Et je te l'apprendrai si tu veux faire le mariolle ! J'ai les tribunaux derrière moi, peut-être ; avec la prison à la clef... la prison, tu entends, salaud !

Trochut montrait un visage de panique, décomposé par la terreur. Il s'écria, suppliant, dans un dernier recours à ses astuces de trafiquant marron :

— Si je vous le disais, hein ? Est-ce que nous serions quittes, si je vous le disais ?

— Dis toujours, fit Bourrel.

Ses yeux brillèrent. Toute sa fureur sembla tomber soudain. Trochut, alors, reprit confiance, et dans l'instant se mit à marchander.

Raboliot frémissait tout entier, de l'effort qu'il faisait pour rester immobile, pour ne point leur crier à travers le plancher les injures qui le suffoquaient ; un méchant froid lui courait sur l'échine ; il ne sentait plus sous ses doigts, au lieu du plancher rêche et dur, qu'une espèce de mollesse cotonneuse.

— Eh bien, oui, là ! disait Bourrel. Donne-le, et je ferme les yeux.

— Sûr, au moins ?

— Sûr !

Trochut lâcha avec tranquillité :

— Raboliot.

Ça y était ; c'était ainsi que de pareilles choses arrivaient. Raboliot, doucement, se souleva sur les poignets. Il était soulagé, il voyait clair, ça faisait du bien de voir clair.

Bec-Salé était un lâche, oui ; et ce Bourrel une brute, un ennemi dangereux qu'il ne ferait pas bon rencontrer sur sa route. Raboliot le saurait désormais. Et il y avait Volat aussi, Volat qui l'avait dénoncé : encore une vérité limpide, une rude et tonique certitude. Peu lui importait de savoir, pour l'heure, comment Volat avait été prévenu de son passage chez Trochut. Dire qu'il y avait eu un moment, dans l'auberge, où il avait soupçonné Trochut lui-même ! Comme si Trochut, qui vivait des bracos, eût risqué pareil jeu pour manger à deux râteliers ! Bec-Salé n'était qu'un capon, une dégoûtante masse de graisse, privée de nerfs, vide de sang. Mais Volat ; mais Bourrel... Allons, c'était temps de partir.

Il ne put s'empêcher, auparavant, de regarder encore à la fente du plancher. Un sourire lui plissa les paupières : parbleu ! Bourrel avait repris son calepin, et, posément, verbalisait contre Trochut. Double aveu, Bec-Salé ! Même quand on est malin, il ne faut pas se dégonfler de peur. Mais ce Bourrel, tout de même, c'était une vache.

Raboliot regagna la lucarne. Suspendu par les mains, ses jambes ballantes cherchèrent la treille, retrouvèrent son appui rugueux. Il se laissa glisser sans bruit, reprit terre, et fila au petit trot vers le fossé où il avait laissé Aïcha.

3

Son allégement avait été précaire. Lorsqu'il retrouva sa chienne, il était de nouveau plein de trouble : le dégoût l'avait secoué trop fort ; l'indignation montait, submergeait toutes ses pensées.

Elle étouffait en lui jusqu'au sentiment du danger qu'il courait ; ou bien, s'il flairait vaguement la menace de ce danger, ce n'était que pour s'indigner davantage contre ceux qui l'avaient attaqué, contre les forces dures auxquelles il s'était heurté et que ces hommes venaient personnifier.

Ah ! ceux-là, par exemple, il les voyait ! Pendant qu'il marchait au hasard, l'escorte était nombreuse qui l'accompagnait dans la nuit ; il y avait les trois gendarmes, leurs dolmans bleus, leurs képis à visière brillante ; un cliquetis sautillait avec eux, de gourmettes ou d'armes, ou de menottes. Les pommettes saillantes du roussiau surgissaient dans les ténèbres, éclairées en dessous par la lampe de Trochut ; il les revoyait s'empourprer tout à coup, et puis pâlir, blanches de fureur ; pour sûr, Bourrel était un homme coléreux... Et Volat paraissait à son tour, avec ces regards qu'il avait, près de la Sauvagère, quand la Flora faisait ses mines. Et le vieux Tancogne encore, surveillant les pêcheurs, allongeait son index pointu, mâchait des boules de gomme, et crachotait.

Assez, donc! Il pressait le pas, comme poursuivi. Est-ce que c'était un acte si monstrueux, de tendre au bois quelques collets, que cela vous jetât dans les chausses pareille horde d'ennemis? Jusqu'à ce jour, Raboliot n'en voulait à personne : s'il tendait des collets, s'il allait la nuit au grillage, ou au perché, ou à la chandelle, ça n'était pas seulement à cause des sous qu'il y gagnait, lui qui avait femme et drôles; n'était-il pas baucheton aussi, et pas manchot? Tantôt dans les pineraies et dans les boulassières, tantôt à la suite des batteuses, il n'était pas en peine d'aligner de bonnes journées, de nourrir toute sa nichée. Mais le plaisir, hein? Mais ce besoin de chasse nocturne qui vous empoignait tout à coup, parce qu'il pleuvinait dans les ténèbres épaisses, parce qu'il faisait clair de lune, parce qu'il avait neigé? Du ciel familier, des terres natales, des appels mystérieux vous arrivent, des voix secrètes et connues, mille présences persuasives qui vous tirent, comme avec des mains, hors du lit.

Voilà : tous ces gens ne savent pas. Comment est-ce qu'il saurait, Bourrel, que le clair de lune est vivant, que son visage se montre à la fenêtre, se glisse à la fente des volets ou brille par terre sur le carreau? Que le zinc d'une gouttière tintant aux gouttes de la pluie égrène une chanson parleuse; et que le vent qui passe à la cime des pineraies, c'est une grande voix autoritaire à laquelle il est vain de vouloir désobéir?

L'hostilité de tous ces gens lui apparaissait dérisoire, leur conjuration imbécile. Pour lui, cela ne changerait rien à ce qu'avait été sa vie; cela serait une gêne peut-être, un harcèlement importun, comme celui d'une nuée de taons dans les bois, par un jour d'été orageux : il secouerait les taons, voilà tout.

Mais le moyen de ne pas s'énerver contre ces bourdonnements qui dansent, contre ces attaques impalpables, et ces piqûres à l'improviste que l'espace même semble darder! Raboliot continuait, en marchant, de secouer les épaules et la tête. Assez! Assez! Son énervement grandissait, et son trouble. Par moments il souhaitait échapper à la poursuite de ces images exaspérantes; et par moments son sang s'échauffait, une ardeur batailleuse le poussait à leur tenir tête, à les provoquer hardiment : approche un peu, Bourrel, que je contemple tout mon saoul tes yeux durs, ces yeux dont le regard faisait trembler Trochut; mais Trochut est un lâche, et je me sens ce soir tout durci de hardiesse courageuse.

Cette hardiesse à la fin prévalait. Quand on est Raboliot, on ne s'embarrasse pas de raisons compliquées, telles qu'en ont les notaires, les juges de paix, les traîne-paillasses [1]. Il y a simplement des choses que l'on ne comprend pas, dont on ne peut pas tenir compte : qu'est-ce que c'est que le droit à la chasse? Il y a l'instinct de la chasse, le besoin de chasser selon le temps et la saison, d'obéir aux conseils éternels qui vous viennent de la terre et des nuages, aux ordres clairs qui montent en vous avec la même lenteur paisible que la lune blanche sur les champs. Le cœur se met à battre; une angoisse légère vous point au creux de la poitrine, pareille, un peu, à celle de l'attente amoureuse. Tant mieux si les hommes s'en mêlent, si l'attrait du danger vient à surgir à cause des hommes! On en avait besoin : les bêtes des sillons et des bois ne vous peuvent donner que leurs ruses craintives. On avait besoin, sans le savoir, de jouissances plus dangereuses et plus âpres : et voici que d'elles-mêmes elles se jetaient vers vous. Tant mieux! On allait s'amuser!

Il avait marché au hasard, tout entier à sa houleuse rêverie. Il s'arrêta, pour maintenant réfléchir et décider de ce qu'il allait faire. Il était descendu vers

1. Les huissiers.

36

la rive de la Sauldre. L'herbe mouillée des prés transperçait ses espadrilles ; la brume étale dans la vallée l'enveloppait jusqu'à la poitrine, il y baignait comme dans un lac frais. Autour de lui, des files de peupliers, des têtes rondes de saules émergeaient de cette blancheur nacrée. Ce lui fut une joie d'y plonger tout son corps, de voir disparaître à ses yeux les lignes d'arbres, et surtout, à sa droite, cette masse de lourds décombres que sommait une flèche aiguë : les maisons du village serrées autour de leur clocher.

Il s'était assis à même l'herbe ruisselante, le dos appuyé à un trognard de saule, puissant et creux ; par intervalles, des chutes imperceptibles glissaient aux profondeurs de l'arbre ; Raboliot le sentait frémir, contre lui, du travail patient des larves.

Qu'est-ce qu'il allait faire, à présent ? « Dis-moi, mon Aïcha, qu'est-ce que nous allons faire ? » La chienne noire, couchée à son côté, se blottissait dans sa chaleur, collait le flanc contre sa hanche ; elle s'abandonnait peu à peu, la tête dans le giron de l'homme, s'y endormait, tiède et doucement pesante.

Si Raboliot eût été bien en peine de plier son esprit au jeu logique des idées, il y trouvait à son service une aisance merveilleuse pour la conduite de ses actes. Cela ne lui coûtait point d'effort. Il se voyait, lui, Raboliot ; et il se disait à lui-même : « Eh bien, va, garçon. Allons, va ! » Et ce double allait, en effet, sous les regards de Raboliot.

S'il le guidait pourtant, avec une ingéniosité subtile, il n'en avait nullement conscience : la démarche de ses combinaisons mentales, pour facile et déliée qu'elle fût, échappait à son investigation.

« Allons, va ! » Il se voyait rentrant en hâte dans sa maison. Il fallait bien prévenir Sandrine, au cas où les gendarmes viendraient avec le jour, pour une enquête : les mots qu'il dirait à Sandrine, il s'entendait déjà les prononcer. Il fallait attacher Aïcha dans sa niche : et déjà la chose était faite... Après ? Il y aurait après une petite lieue à trotter, du village jusqu'à la ferme du Bois-Sabot, où couchaient cette nuit Berlaisier et Sarcelotte. Trois phrases échangées suffiraient : « J'ai couché ici cette nuit, hein ! Je n'ai pas bougé de toute la nuit. » Et ils auraient compris d'avance.

Il se leva, fit le tour du village de crainte que quelqu'un ne le vît, un maraudeur, un vieux sorti pour pisser sur son seuil, un boulanger à son pétrin : il faut compter avec tous les hasards. Heureusement, sa maison n'était pas dans le plein du bourg, non plus que celle de Trochut : pour un braco, pour un marchand de gibier clandestin, c'est plus commode d'avoir l'espace libre à sa porte. Trochut habitait vers le sud, Raboliot juste à l'opposé, sur la route de l'Aubette qui monte vers le canal et qui plonge plus loin dans les bois. Cela lui permettait de regagner son gîte sans traverser les rues dangereuses : il avait ses passages à lui, ses coulées à travers les plaisses, ses clôtures de grillage à la mesure de son enfourchure, et ses repères dans les jardins, pour les nuits noires où les yeux vous trahissent.

Il dépassa les dernières maisons de l'Aubette, un hameau qui prolonge le bourg, longea le jardin de Touraille, son beau-père. Encore deux maisons isolées, deux jardins clos de haies vives : il n'avait plus maintenant qu'à rejoindre la route, en contournant la dernière haie.

— Aïcha ! Hop-là, petite !

La chienne franchit le fossé la première. Elle avait sauté carrément ; il la voyait, debout au milieu du chemin, qui l'attendait en remuant la queue ; rassuré, il sauta à son tour. La lune venait de se lever sur leur droite, atteignant juste, au bout des champs encore enveloppés de ténèbres, la cime d'un bois taillis où quelques chênes surgissaient çà et là : leurs ramures, à contre-clarté, noircissaient sur le ciel laiteux. L'espace s'était dégagé de ses nuées ; il n'y traînait plus que de grandes pannes blanches et molles, entre lesquelles s'approfondissaient des trous sombres, piquetés d'étoiles. Et Raboliot songea : « Encore une demi-heure, il fera bon pour le grillage. »

Il arrivait à sa maison : une demeure ancienne, de briques à pans de bois, couverte de tuiles. La lune brillait assez déjà pour qu'on pût distinguer, dans la blancheur des lits de mortier, la tranche des briques superposées, leurs hachures en diagonale. Raboliot poussa la porte; elle résista, fermée au verrou. Alors il appela :

— Sandrine!

Il y eut aussitôt, de l'autre côté, comme le bruit d'un sursaut, la chute molle d'une chaise chargée de hardes. Et la porte s'ouvrit.

Raboliot entrevit la forme blanche de Sandrine. Il la prit dans ses bras, la serra contre lui, chaude et nue sous la rude chemise. Elle frissonnait.

— C'est toi! murmura-t-elle; c'est toi!... Sainte Vierge, qu'est-ce qui est arrivé?

Il s'efforça de rire, de dissiper avec son rire l'angoisse dont elle frissonnait :

— Mais rien, voyons! Dire que te voilà encore toute à l'envers... Retourne au lit, tu attraperais un chaud-ferdis.

Elle obéit, exhalant des reproches plaintifs :

— Qu'est-ce qu'il y a? Qu'est-ce qu'il a fait? Ah! Raboliot, mauvais diable, c'est sûr que tu me porteras en terre!

Il s'y attendait un peu, mais n'y voulait point penser d'avance. Et maintenant, il y était; il s'enfonçait en plein dans cette tristesse intolérable. Volat, Trochut, Bourrel, tous les autres, ils ne comptaient plus guère à cette heure. C'était la tristesse de Sandrine qui était grave, ses plaintes presque enfantines qu'il lui fallait encore entendre, et qui pesaient lourd sur son cœur. Ah! le mauvais chemin à suivre, les mêmes pierres aux mêmes durs passages, et qui meurtrissent les mêmes blessures!

Il regardait autour de lui, cherchait des yeux dans la pénombre les choses réelles qui étaient là, qui faisaient partie de son destin. La salle tenait toute la maison, sauf un petit cellier où l'on descendait par trois marches, et qui servait aussi de laiterie. Au milieu du carrelage de briques, la table s'allongeait, massive, avec deux ou trois chaises et quelques escabeaux autour; les autres meubles étaient poussés contre les murs chaulés : à gauche la maie de merisier, qu'une horloge dans sa gaine, au cadran fleuri d'enluminures, séparait du bureau[1] à ferrures. En face, dans l'angle de droite, le lit de Raboliot et de Sandrine, un lit à quenouilles encourtiné de cretonne bleue et blanche, bombait sa paillasse et sa couette entre ses quatre pieds massifs. Il y avait du même côté un second lit un peu plus petit, lui aussi demi-clos de courtines, et où dormaient Edmond et Léonard, qui avaient cinq et quatre ans; Sylvie, la dernière-née, une drôline de treize mois, reposait dans sa berce au pied de la couche maternelle.

Les volets étaient mis aux fenêtres; mais par la porte vitrée du jardin le clair de lune pénétrait dans la salle. Un large rayon flou se diffusait à travers les ténèbres, et les choses, une à une, s'animaient d'une existence étrange, d'une réalité douloureuse. Au-dessus du bureau, sur un rayon du vaisselier, Raboliot distingua quelques livres, de vieux bouquins loqueteux d'avoir été souvent feuilletés, des almanachs campagnards, des Clés des Songes, de mauvais romans populaires. Il haussa les épaules : elle lisait beaucoup, Sandrine; et cela ne lui valait rien. Nerveuse, impressionnable, elle croyait à toutes ces histoires, cherchait dans ce maudit fatras l'explication des rêves qui lui venaient, se rongeait de pressentiments. Pauvre Sandrine! De bons sens elle n'avait plus guère, de tranquille jugement, épais et franc comme pain chaud. C'était cela pourtant qu'il aurait fallu à Raboliot, une gaillarde décidée, de poigne assez solide pour le saisir au fond de la culotte s'il lui prenait fantaisie de filer; mais pas cette douceur de Sandrine, ces reproches gémissants, cette faiblesse aimante et qui ne savait que pleurer. Raboliot était seul pour lutter. Les meubles dans la salle mi-obs-

1. Bahut.

cure, le souffle des enfants endormis, même les larmes de Sandrine, ce n'était que les éléments d'un combat qu'il menait seul contre lui-même ; c'était lui, Raboliot, qui avait à compter avec ces formes de sa misère : lui seul, quand il avait tant besoin d'aide !

Et puisqu'il savait bien, d'avance, qu'il ne pouvait point triompher, ces obstacles lui étaient seulement à souffrance ; une hâte le prenait de les franchir plus vite, de les écarter brutalement. Il s'approcha du lit de Sandrine, saisit ses poignets minces et se pencha vers elle :

— Écoute ! chuchota-t-il. Peut-être qu'au matin tu verras les gendarmes... Oh ! ne pleure pas, bon sang ! Il n'y a rien : une affaire de lapins chez Trochut, qui ne me regarde même pas... Il ne faut pas qu'ils sachent que j'étais au bourg cette nuit, voilà tout... J'étais au Bois-Sabot, tu entends ? Tu ne m'as pas vu depuis hier matin.

Son visage était si près de celui de Sandrine qu'il en distinguait la pâleur, les yeux agrandis par l'angoisse, les lèvres qui tremblaient, entrouvertes.

— Sainte Vierge ! gémissait-elle. Qu'est-ce que nous allons devenir ?

Il était navré de détresse à la voir ainsi malheureuse ; mais en même temps une colère le prenait, une rage contre leur impuissance :

— Tais-toi ! dit-il rudement. Ne m'accrassine pas, Sandrine ! Me voilà frais, avec celle-ci qui pleure encore ! C'est bon : quand les habits bleus viendront, tu te jetteras à leurs genoux et tu leur demanderas pitié ! Si je vais jamais en prison, je saurai à qui je le devrai !

Elle se raidit sous l'étreinte de ses mains.

— Oh ! mauvais ! reprocha-t-elle.

Mais il la souleva vers lui, menue, légère, et colla sa bouche à la sienne. Tout de suite elle céda au baiser, offrit son corps, sous les couvertures chaudes, aux mains qui la parcouraient toute. Il respira soudain très fort, les reins fouettés, pris d'une fringale de se dévêtir à son tour, de l'étreindre à pleins bras, chair contre chair, d'oublier leur peine à tous deux dans une caresse qui mêlerait leurs deux êtres. Il se détacha brusquement; Sandrine, vibrante encore, l'implorait avec une tendresse câline :

— Reste ici, mon petit homme.

Elle tendit ses bras nus et les lui noua au cou. De nouveau il leur cédait, laissait tomber sa tête au creux moite de l'épaule; sur son oreille, les lèvres de Sandrine chuchotaient, tièdes et mouillées :

— Ne *le* fais plus [1] mon chéri. Pour les petits, pour moi qui serai tant heureuse, ne le fais plus !

La tête de Raboliot, serrée dans ce collier de chair, tourna doucement de droite et de gauche :

— Je voudrais bien, Sandrine... Ah ! pour sûr, je voudrais bien.

— Alors ? continua-t-elle. Dis, Raboliot, pourquoi le fais-tu ?

La nuque de l'homme pesait de bas en haut, d'une pression lente et continue, et qui toujours appuyait davantage; les bras de Sandrine glissèrent, puis ses mains; ses doigts à la fin furent dénoués, et son épaule sentit le froid de cette tête en allée.

Raboliot se tenait debout près de la couche, la poitrine un peu haletante. Comme ç'avait été facile, ce geste qu'il venait de faire !... Voici qu'il était debout, debout et seul, avec ce poids accru dans la poitrine, ces élancements, au cœur, de meurtrissures douloureuses... « Dis, Raboliot, pourquoi le fais-tu ? » Il ne parlerait pas, non et non ! A quoi bon expliquer ? Les mots ne peuvent servir à rien, qu'à meurtrir davantage encore, à empirer le mal qui existe. Il souffrait bien assez déjà; chaque minute de plus dans cette salle, près de ce lit, serait une mauvaise minute.

Raboliot reculait pas à pas. Derrière les vitres de la petite porte, la nuit était fraîche aux paupières, d'une transparence allègre et bonne; Raboliot regardait les vitres. Dans la salle, l'air confiné s'embarrassait d'une touffeur un peu aigre; les ténèbres pesaient

1. Ne braconne plus.

dans les angles, et les meubles qui s'en dégageaient semblaient peiner, arrêtés à moitié d'une impossible évasion.

— Adieu, Sandrine !

Il s'était évadé d'un seul coup. Il respirait dehors, à longues goulées, un air si abondant et si vif qu'il en suffoquait un peu ; l'air lui entrait au plus profond de l'être, coulait avec son sang, baignait chacune de ses fibres. C'était comme une ivresse, une folie légère qui le soulevait tout entier : l'allégement d'un cauchemar qui vient de passer, qui n'est plus.

La lune haute laissait ruisseler aux pentes du ciel d'amples ondes de clarté huileuse. Les champs moissonnés, les labours ondulaient avec une souplesse retenue, et qui semblait aux yeux une sorte de toucher velouteux. A leur limite les taillis s'étendaient, épaississaient leurs masses profondes, en vagues confondues que l'on sentait déferler très loin. Là-bas étaient le canal de la Sauldre, Buzidan, la Sauvagère... Vite, vite, Raboliot ! Il frémissait de cette griserie subtile ; une fois encore, il atteignait le bout de l'écrasant chemin ; et la chose était là, qui l'appelait sans trêve et qu'il allait enfin saisir.

— En route, petite !

Tandis qu'il détachait sa chienne, il sentait sur ses mains sa langue chaude. Par intervalles, une oppression furtive lui traînait encore sur le cœur, un souvenir sans force, une dernière pierre qui roule derrière celui qui est passé, et tombe avec un faible écho. Qu'est-ce qui te prend, Raboliot, à cette heure ? Voilà que tu détaches ta chienne ? Et pour quoi faire, hein, pour quoi faire ?

Il savait bien, parbleu, que ça n'était pas raisonnable. Et après ? N'être pas raisonnable, c'était de cela, justement, qu'il avait besoin à cette heure ! Il ne se sentait pas encore libre. Il en avait trop lourd à secouer.

— En avant, petite !

Déjà il était sur la route, allongeait dans l'herbe du bas-côté des foulées à demi fléchies, élastiques, rebondissantes. Ses espadrilles ne faisaient aucun bruit, non plus que les pattes d'Aïcha qui filait à son flanc, le nez bas, d'un petit trot coulé et diligent. Pas d'autre bruit que la voix de l'homme, de loin en loin, son chuchotement de joyeuse impatience :

— On y va, dis ? On y va, ma belle ?

4

Ce fut une bonne marche que celle-là, dans la nuit large et fraîche où brillait le soleil des loups. Les bois, très vite, avaient rejoint la route. Raboliot, Aïcha marchaient dans la ligne d'ombre qui ourlait le taillis. A leur gauche, des éclats de silex luisaient parfois sur la chaussée ; à leur droite, à travers les branches dépouillées, des taches de lune tombaient qui par endroits s'élargissaient en flaques, entre de petits chênes encore noirs de leurs feuilles, tenaces au-delà de la mort.

Ils franchirent le pont sur le canal, une large allée d'eau blême où bougeaient des reflets, où les images des bouleaux plongeaient de longs rayons tremblants plus pâles que les rayons de lune.

De grandes clartés étales s'élargissaient à la surface des champs bleuâtres. Elles dormaient, inertes, d'un étrange sommeil éveillé, pareilles à d'immenses yeux par où la terre, vaguement, aurait contemplé le ciel. La route montait, redescendait, sans heurts, suivant les mouvements des glèbes. Les taillis s'éloignaient peu à peu ; des prés ras accueillaient les regards entre les lignes sombres des plaisses ; et des pineraies surgissaient çà et là avec la senteur des résines, les unes toutes proches et laissant voir le ciel entre les troncs noirs clairsemés, d'autres massant au loin de lourds carrés sombrement immobiles.

— Une nuit d'or, mon Aïcha !

Cette nuit-ci était d'or parce qu'il faisait clair de lune. Mais pour un vrai braco, les nuits d'or sont nombreuses l'hiver. Cela dépend du flair de l'homme, de sa souplesse à saisir, en chaque nuit, la complicité qu'elle lui offre : noire et venteuse, la nuit aurait appelé le falot du lanternier ; brumeuse et pâle, bruissante de pluie fine sur la jonchée des feuilles, elle aurait guidé le chasseur vers les grands arbres où les faisans perchés posent des ronds noirs sur les branches ; neigeuse, elle l'aurait conduit à la lisière de quelque bois, en telle place de bon affût d'où l'on voit les lapins et les lièvres boultiner [1], affamés, sur la friche blanche.

Au fil de cette marche légère, les souvenirs de nuits d'or s'égrenaient en la mémoire de Raboliot. L'heure savoureuse s'enrichissait de toutes les jouissances passées : chaque pas, chaque sensation l'exaltaient avec chaque souvenir ; la présence d'Aïcha se mêlait à cette joie, l'attendrissait d'une tiédeur d'amitié.

— On en a fait, tous les deux, ma jolie !

Il se tournait un peu vers elle ; et elle levait la tête sans cesser de trotter, remuant la queue, muette toujours. Ils descendaient avec la route. Au creux des terres, devant eux, une buée pâlissait sous la lune, légère, suspendue, transparente ; des joncs lisses y luisaient faiblement, des roseaux y trempaient leurs panaches. Ils approchaient, pressentant devant eux un gouffre de clarté stagnante, l'une de ces larges lueurs glacées qui dormaient, immobiles, par l'étendue. Tout près, à toucher la route, un rang de saules tendit un entrelacs de branches, s'entr'ouvrit tout à coup, démasqua l'échafaud d'une bonde profilé, raide et noir, sur la plaque fluide de l'eau.

C'était l'étang de Buzidan, cerné de labours inclinés. Au bord des pentes, des pineraies se dressaient sur le ciel ; et l'on voyait aussi dans une large échancrure, sur le faîte d'une butte un peu plus haute, les

1. Trottiner en tous sens, cherchant nourriture.

bâtiments plats d'une ferme et des meules rondes éparses sous leur coiffe, tassées comme d'énormes bolets.

Raboliot prit à travers champs et se mit à monter vers la ferme. Dans les roseaux qu'il frôlait au passage, nulle vie ne s'émouvait que celle des feuilles froissées ; il n'y eut rien qu'un oiseau terne, au vol bas, qui se leva devant eux sans un cri : quelque petit butor sans doute, troublé dans sa solitude. Ils l'entendirent longtemps après pousser sa clameur étrange, son beuglement mélancolique.

De corne en coin, ils traversèrent une pineraie de maritimes. Des coupes anciennes n'avaient laissé là que de beaux arbres espacés, entre lesquels jouait la lumière et flottait un air libre, baigné d'arômes. Raboliot aspirait les odeurs de la nuit, celle des pousses vertes, celle des essences légères que diffusait la sève, et celle des feuilles tombées qui feutraient l'humus gras ; et il sentait passer, aussi, l'odeur des champignons soulevant du chapeau la jonchée des aiguilles, une autre odeur encore, imperceptible, où se mêlaient un relent de suie froide et des fumets vivants d'étable et de porcherie. Il évitait les souches blessantes, parfois heurtait du pied une pigne sèche qui roulait en grelottant, ou bien sentait, sous sa semelle, s'écraser une russule croquante, un lactaire mou qui suintait.

— Doucement, Aïcha !

Ils atteignaient la ferme de Buzidan, ses longs bâtiments aplatis sous leurs toits rongés de lichens ; à une fenêtre de la maison des hommes, une vitre scintillait sous la lune.

— Doucement ! Doucement...

Il y avait des chiens, à la ferme. Il y avait aussi le fermier Boissinot, dont le sommeil était léger : possible qu'il eût mal accepté, pour purger ses champs des lapins, cette aide qu'il n'avait point requise. Tout au faîte de la butte, dans l'ombre propice d'une meule, Raboliot s'arrêta enfin, s'accorda une minute de répit, juste le temps de prendre le vent.

Il découvrait de là une vaste étendue de pays. Devant lui, au bas de la pente inclinée vers le midi, l'étang de Buzidan s'étalait sur le bord de la route. Il la voyait très bien la route, mince, onduleuse, collée aux terres ; au-delà, d'autres étangs luisaient vers l'ouest, semblables à de grands miroirs mats. Raboliot les nommait en lui-même : Hardillat, le Gué de la Guette, Chanteloup... Il fut content : en vérité cette nuit était belle, et cette lumière clémente qui lui livrait ainsi toutes les parcelles de son domaine.

Il se retourna vers le nord. De ce côté encore, la butte de Buzidan dominait de larges espaces, des centaines d'hectares de pays : d'abord une plaine cultivée, qui par des friches de bruyères, des landes chevelues de genêts allait rejoindre le bois de la Sauvagère : par-delà ce bois, invisibles, c'étaient des landes et des bruyères encore, des prés que baigne le Beuvron, et les terres de Chantefin qui viennent toucher celles du Bois-Sabot.

Les regards de Raboliot s'en allaient à travers la campagne, ici, puis là, sans flâner jamais.

Un vif coup d'œil maintenant vers l'est, jusqu'à une butte semblable à celle de Buzidan, et qui était la butte du Bois-Sabot. C'était trop loin pour qu'il pût distinguer les bâtiments pressés là-haut, la ferme où gîtaient cette nuit Berlaisier et Sarcelotte, la maison des gardes, et celle du comte de Remilleret, une ancienne ferme vaste comme une caserne, accommodée en demeure de maître. Le comte ne l'habitait que l'été. Le vieux Tancogne y logeait toute l'année ; célibataire, il avait là une chambre et un bureau ; la femme d'un garde lui servait ses repas sur le coin de sa table de travail, après avoir repoussé un peu les paperasses qui l'encombraient.

Raboliot savait tout cela. Il n'était pas un homme, en cette campagne que ses yeux embrassaient, dont il ne connût la maison, dont il ne pût conjecturer, à telle heure de jour et de nuit, où il était, ce qu'il faisait. Le cœur de son domaine, en cet automne finissant, c'était cette vallée sombre qui se creusait entre les hauts de Buzidan et du Bois-Sabot, du sud au nord, de Malvaux à la Sauvagère. Là-dedans, quelque part, l'étang de Bouchebrand se cachait au creux des bois. Là-dedans aussi se dérobait la chaumine de Volat, une métairie abandonnée où Volat vivait comme un loup, avec sa catin, la Flora, et la fille de Flora, la Delphine, une drôline de dix ans qu'elle avait eue d'un braconnier. Mais celui-là, il y avait cinq ans qu'il était en prison, et il n'était pas près d'en sortir : un nommé Milorioux, dit Bœuf-Gras. Il avait su ce qu'il en coûtait d'avoir le sang un peu trop chaud, et le prix d'un coup de fusil lâché à la figure d'un garde.

Malvaux, Bouchebrand, la Sauvagère... Du sud au nord, d'un étang à l'autre, le ruisseau de Bouchebrand coulait vers le Beuvron parallèlement à la grande allée. Raboliot suivrait le ruisseau : l'allée passait trop près des maisons, trop près surtout du bois de la Sauvagère qui devait être malsain à cette heure. Il eut à cette pensée un rapide sourire, en même temps qu'un frisson lui courait à fleur de peau, le fouettait d'une bonne excitation.

Avant de reprendre sa route, il parcourut des yeux, une dernière fois, la campagne ensommeillée. Sous l'ample ruissellement de la clarté lunaire, les terres reposaient avec leurs étangs et leurs bois. On ne sentait glisser nul souffle ; un silence extraordinaire, léger, serein, flottait par toute l'étendue ; pas un cri de nocturne en chasse, pas un appel de courlis ; Raboliot n'entendit, comme il descendait la pente, qu'un petit choc net sur le sol : un lapin qui tapait de la patte, ayant sans doute éventé sa présence.

Il se sentait maintenant tout à fait libre. Ce qu'il faisait, il le voulait faire ; la joie qui s'émouvait en lui, il l'accueillait de son plein gré, il l'appelait à chaque seconde, résolu à n'en laisser rien perdre. C'était une joie qui jaillissait avec une force généreuse. Il ne s'en étonnait pas ; il ne s'inquiétait pas d'en pénétrer la cause ; il était content, pourvu qu'il pût offrir son visage à l'air vif, qu'il marchât en silence avec Aïcha près de lui, qu'il exerçât ensemble la finesse de ses sens aux aguets, son instinct de chasse et de ruse, qu'il accomplît précisément les actes qu'il accomplissait : la joie naissait, jaillissait d'elle-même ; il était sûr que de cette nuit, de tout ce qu'il ferait cette nuit, ne pourrait naître qu'une joie toujours plus riche et plus grisante.

Dans les prés gorgés d'eau, les mottes de glaise tremblaient avec un petit bruit spongieux ; au bord d'une fontaine qui luisait à travers des touffes d'herbes, il arracha une poignée de cresson, l'écrasa sous ses dents, tiges et feuilles, heureux de cette acidité brûlante qui giclait dans sa bouche et lui râpait la langue. Le Bouchebrand fut franchi sur une passerelle de planches jetée là par le grand Volat ; sa maison était proche, close de toutes parts, sombre et tassée sous un vieux merisier qui de ses branches touchait le toit. Raboliot, tout à coup, songea à la Flora ; il évoqua le mouvement de ses hanches, le feu hardi de ses prunelles : et la pensée lui vint qu'elle était seule puisque Volat, sûrement, rôdait avec les gardes au bois de la Sauvagère. Il ne ralentit point ses pas, mais sa gorge se serra un peu et le sang lui chauffa les joues.

— Doucement, Aïcha !

Il allait du même pas rapide, mais tous ses sens épiaient, en alerte. Dans ce qui, tout à l'heure, n'était rien que silence, il distinguait des frôlements furtifs, un trot léger sur des feuilles sèches, un froissement de plumes dans les branches d'un pin : Aïcha, Raboliot ne s'arrêtaient point pour si peu, pour un putois en maraude, pour une pie troublée dans son sommeil. Au pied d'un chêne isolé dans une lande, la petite chienne huma le vent ; un geste de son maître l'arrêta court, comme déjà elle s'élançait. Raboliot lui cingla le museau, tandis qu'un gros oiseau filait bas sur leurs têtes, le cou tendu, avec un long sifflement d'ailes qui s'enfonça dans la nuit comme un cri.

— Nous n'allons pas aux canards, Aïcha !

Elle avait compris. Elle se tint désormais sur les talons de l'homme, sans s'émouvoir aux tressaillements de l'air, aux odeurs vivantes qui passaient, aux envols de ramiers surpris. Raboliot, à présent, marchait en bordure d'une pineraie, tout droit vers une allée que jalonnaient des arbres alternés, des épicéas, des pommiers. Un claquement d'eau venait à leur rencontre, de plus en plus net et fort : Tancogne n'avait pas fait boucher l'œillard de la Sauvagère.

L'étang vide se creusait à leur gauche ; une fadeur de vase en montait ; l'île ovale, au milieu, paraissait surélevée sur ses berges desséchées. Ils avançaient toujours, cachés dans l'ombre des pins, de petits arbres, mais très serrés. Raboliot, le jour même, avait vu qu'ils étaient très serrés ; il n'oubliait jamais ces choses-là.

Lorsqu'il toucha l'allée, il marqua un bref arrêt : le temps exact, blotti sous un épicéa, d'explorer d'un coup d'œil sa rigide perspective, sa pâleur sablonneuse égratignée d'ornières.

On ne sait pas toujours d'avance ce que peut vous livrer un regard. Presque sans le vouloir, il avait vu aussi la maison de Tournefier, et le chenil clos de grillages où s'alignaient les tonneaux des trois chiens. Il avait même entr'aperçu, près du chenil, deux formes sombres qui bougeaient, deux silhouettes humaines côte à côte.

La main posée sur les reins d'Aïcha, il regarda intensément : les deux hommes, là-bas, ouvraient la porte du chenil, détachaient un chien colossal qui se mit à bondir autour d'eux.

— Paix, là, Dévorant !

Raboliot reconnut la voix de Tournefier. Il l'entendit qui ajoutait :

— N'ayez pas peur.

L'autre homme, grêle et courbé, s'était écarté d'instinct. Tournefier, le buste penché, mettait en laisse le molosse ; l'autre alors se rapprocha.

C'était Tancogne. Raboliot continuait d'écouter, mais rien ne lui parvenait plus, qu'un chuchotement incompréhensible; il distingua pourtant, tout à coup, la voix aigre du régisseur :

— Eh! tant mieux s'il n'est pas commode!

Les deux hommes s'éloignèrent, le dos à l'étang, vers le bois de la Sauvagère.

— A nous deux, Aïcha! dit Raboliot.

Son excitation venait de croître soudain, de s'enfler en un sursaut puissant : il avait du vice, le vieux! C'était bien de lui, arriéze, cette idée de lâcher Dévorant, un policier belge au poil jaune, au mufle charbonneux, une bête féroce qui pouvait étrangler un braco! Tournefier n'aurait jamais fait ça pour une simple histoire de collets. Raboliot, heureux quoi qu'il dût arriver, suivait par la pensée les deux hommes rentrant au bois, y rejoignant les gardes et ce grand carcan de Volat; et ses souhaits les accompagnaient avec une bonhomie sincère : « Bonne chance, petits! Raboliot vous emmerde. »

Il ne gaspilla plus son temps. En quelques pas il traversa l'allée, toucha de la main un grillage. C'était là, juste au-dessus des bassins de tri : un grand champ de mauvaise culture, envahi d'herbes, où l'on avait laissé pourrir quelques fanes de sarrasin. Il enfourcha la clôture et, pour aller plus vite, passa Aïcha dans ses bras; elle frémissait, les narines battantes :

— Allez! Allez!

Il l'avait lâchée; elle était partie à fond de train, galopant le long du grillage. Il y eut aussitôt, en tous sens, des piétinements menus, affolés, et tout à coup un choc grattant de griffes, un cri effilé, suraigu. Raboliot marcha vers sa chienne, noire et boulée contre le treillis, les ongles plantés raides en terre, un lapin pantelant dans la gueule.

— Allez! Allez!

Aïcha desserra les mâchoires. Elle repartait déjà, pendant que Raboliot, pattes d'une main, oreilles de l'autre, disloquait d'une traction appuyée la colonne vertébrale du lapin. Et dans l'instant cela recommença : les fuites désordonnées, le choc sourd de la chienne se ruant contre le grillage, freinant des pattes et labourant le sol, et le cri suraigu du lapin capturé. Raboliot ne courait pas : il avait fort à faire pour soutenir l'allure d'Aïcha ; mais il prévoyait à chaque fois le point juste où elle allait bondir ; dès que les crocs entraient dans le poil, la main de Raboliot était là. Dans sa musette de toile, les petits cadavres chauds s'amoncelaient ; la bretelle commençait à lui tirer fort sur la nuque.

— Allez ! Allez !

Une nuit d'or, une besogne bien faite ! La noire avait le diable dans la peau. Étrangement muette, elle virevoltait, fonçait soudain en flèche vertigineuse, bondissait à travers le champ comme un ténébreux feu follet. De temps en temps, par-dessus l'épaule, Raboliot regardait vers l'ouest, vers la maison du garde et le bois de la Sauvagère. Et cependant ses mains n'arrêtaient pas de travailler, arrachaient à la gueule d'Aïcha les lapins qui gigotaient, empoignaient les oreilles et les pattes, et tiraient : les vertèbres fragiles craquaient, la bête pesait, inerte et molle, comme une loque tiède. Au sac ! Il y en avait déjà sept ou huit, et la noire galopait toujours, et Raboliot l'encourageait toujours, d'une voix basse et pressante, poussée raide entre les dents :

— Allez ! Allez !

Contre sa hanche, le grillage, quelquefois, tremblait. Les petits cris, pointus comme vrille, retentissaient de çà de là. Et Raboliot murmurait, exultant : « Si ça couine, bon d'la, si ça couine ! » Qu'est-ce qu'il y avait, qu'est-ce qu'il pouvait y avoir de meilleur au monde ? Il chassait dans la nuit, avec pour compagnon le halètement chaud d'Aïcha, sa forme ardente et sombre et ses bonds meurtriers. Chaque piaulement de détresse lui pénétrait au fond de l'être, lui faisait basculer le cœur. Au sac ! Au sac ! Il gardait contre ses paumes la sensation de ce poil palpitant, il continuait d'entendre le craquement de ces os grêles, d'éprouver dans sa chair le petit déclenchement qui les disloquait tout à coup, les arrachait les uns des autres. De la joie ? C'était bien autre chose ! Une soûlerie capiteuse, un vertige de bonheur qui lui enflait la poitrine, qui lui montait en rire à la gorge. Et les gaillards, là-bas, qui fouillaient les taillis de la Sauvagère, qui le guettaient à la Sauvagère ! Demain matin, pas plus tard, ils verraient dans ce champ les empreintes d'une vaillante petite chienne, les traces griffues de ses élans — allez donc, allez, Aïcha ! — et des touffes de poils gris collées encore aux mailles du grillage. « Et c'est moi qui suis venu ; c'est bien moi, moi, Raboliot ; mais va-t'en voir demain si je reviens, Volat ! »

Au lointain du bois, vers l'ouest, un jappement rauque éclata tout à coup, se brisa en glapissement de chien battu. Raboliot riait : « Des chiens ! Ils appellent ça des chiens ! » Sa main flattait les longs poils d'Aïcha, ses flancs moites qui haletaient : « Nous en avons pris douze, ma belle ! Nous avons rudement bien travaillé ! » Elle levait vers lui sa tête fine, ses yeux tendres, mouillés d'amitié. Il lui abandonna ses mains, les lui laissa lécher un instant.

— En route !

Il allait à présent, au plus vite, gagner la ferme du Bois-Sabot. Il réveillerait Berlaisier, Sarcelotte, et leur dirait les mots qu'il fallait dire. Pour Aïcha un seul mot suffirait, rien qu'une syllabe, chuchotée en lui montrant la route : « Va ! » Et elle rentrerait seule, poussée par l'ordre du maître : elle avait l'habitude ; dans un quart d'heure, elle serait à sa niche.

Raboliot s'étira, tendit son front au toucher de l'air froid, ouvrant le col lui offrit sa poitrine. Le vertige qui l'étourdissait tomba ; et il sentit en lui, aussitôt, son vrai plaisir, orgueilleux et dur. Il se tourna vers le bois de la Sauvagère ; et des pensées lui venaient une à une qu'il sentait s'échapper de lui, qu'il voyait s'enfoncer aux ténèbres, droit vers le bois, ainsi que des pierres lancées roide : « J'ai chassé ; j'ai bien chassé. Les lapins que j'ai tués font craquer ma musette et pèsent à mon épaule... Et maintenant je m'en vais, parce que je veux m'en aller, parce que j'ai fini ce que je voulais finir. »

DEUXIÈME PARTIE

1

Le vieux Tancogne, sans avoir frappé, poussa la porte de Volat.

— Bonjour, dit-il, tout sec.

Il demeura debout sur le seuil, un peu gêné par l'odeur de crasse qui l'assaillait, et tâtonnant des yeux à travers la pénombre.

— Bonjour, monsieur Tancogne.

La Flora le saluait avec humilité ; mais c'était plus fort qu'elle : tout près du vieux, elle le regardait en dessous, à travers ses cils noirs ; et ses prunelles brûlaient du feu hardi dont elle n'était point maîtresse.

— Vous vous siéserez ben deux minutes ?

— Où est Volat ? dit Tancogne.

— Dans le grenier, à quérir des haricots... Va-t'en le chercher, Delphine.

Rien ne bougeant, elle haussa le ton :

— Eh ben, Delphine, mauvaise gale ! Es-tu sourde, qu'il me faut crailler à tue-tête ? Ou veux-tu une calotte, des fois ?

Vers l'âtre sans feu, noir de suie, une petite forme remua, tandis que s'élevait une voix acide, à la fois craintive et coléreuse :

— J'y vas ! J'y vas !... En voilà un train [1] !

Delphine était déjà dehors, sans qu'ils eussent rien

1. Un bruit.

vu d'elle que sa frêle et furtive silhouette. La Flora s'excusa :

— C'est tout ch'ti, monsieur Tancogne, plus malicieux que ça n'est gros... Mais siésez-vous donc, à la fin !

Tancogne, sans lui répondre, gagna la porte, guetta l'échelle du grenier. Presque aussitôt Volat y apparut, l'air d'un homme que l'on dérange mal à propos : il allongea le cou, promena un regard circonspect ; mais lorsqu'il aperçut Tancogne, il descendit très vite, empressé.

— Si nous allions vers l'étang ? dit le vieux à haute voix. Ces fissures à boucher, vous savez...

Mais à peine eurent-ils fait quelques pas, il baissa la voix tout à coup :

— Vous avez vu ? demanda-t-il.

— Le champ de la Sauvagère ? fit Volat.

Il avait incliné la tête, le front taillé de plis durs. Il l'inclina encore, sans plus rien dire, pour répondre à une question nouvelle de Tancogne :

— C'est lui, hein ?

Ils étaient parvenus au bord de l'étang de Bouchebrand. L'eau sombre n'avait pas un frisson. Sauf du côté où ils se tenaient, les bois pressaient l'étang, l'étouffaient, l'envahissaient. Des paquets d'algues d'un vert boueux, striés de tigelles lie-de-vin, s'étalaient à la surface, figés dans une immobilité molle ; des plaques de nénuphars se touchaient bord à bord, avec une rigidité froide de métal. Entre elles l'eau était noire ; des reflets de bouleaux la sabraient de hachures verticales, d'un blanc crayeux et violent.

— Alors ? dit Tancogne.

Ils se comprenaient à demi-mot. Même, c'étaient leurs silences qu'ils entendaient le mieux. Entre Volat et Tancogne existait un pacte tacite, aux clauses multiples et délicates, mais de celles qu'un acte officiel ne pourra jamais mentionner. Ils se connaissaient bien l'un l'autre : c'était là, pour des hommes de leur trempe, le meilleur contrat, le plus sûr.

— Alors?

Le grand Volat réfléchissait. L'affaire qui l'occupait à cette heure, elle était sienne, il s'y était voué farouchement. Et Tancogne était derrière lui, car son intérêt l'y poussait.

Aux yeux de ces deux hommes, il était naturel et souhaitable qu'il y eût un braco sur les terres de Remilleret; les invités du comte, ses gardes ne suffisaient pas à la tâche. Une destruction bien entendue, efficace, discrète, voilà de bonne besogne, et lucrative à qui se l'adjuge : Volat détruisait les lapins.

Au collet, au furet, au grillage, il les prenait pour le compte de Tancogne, qui les vendait sous main, à son profit. Un Tancogne connaît la vie : à Lamotte-Beuvron, à Romorantin, à Paris, il a des relations utiles, des amis qui agissent plus volontiers qu'ils ne bavardent, ce qu'on appelle des intelligences. Mais il lui faut sur place un braconnier, un gaillard assez fin pour détourner les surveillances à moins qu'il ne passe au travers, assez secret pour travailler seul, assez rude pour qu'on le craigne : un Volat.

Il y avait cinq ans que Tancogne l'avait installé à Bouchebrand. Pour tout le monde, il était métayer, cultivait en effet quelques terres à l'entour de sa bicoque; des canadas [1], du sarrasin, ce qu'il fallait pour attirer et pour retenir le gibier. Il vivait de la dîme qu'il prélevait sur ses captures et que Tancogne, honnête, lui accordait implicitement; car il savait aussi fermer les yeux.

En vérité, c'était Tancogne qui avait la plus belle part : outre les immédiats profits d'argent que lui valaient les talents du braco, il avait trouvé en lui le meilleur de ses gardes-chasse. Volat était un braco ombrageux et jaloux. La retraite même où il vivait, ce site sauvage de Bouchebrand, des histoires qui couraient sur son existence passée, son aspect rêche de malcourtois, ses allures glaciales, inquiétantes, tout cela suffisait à faire le vide autour de lui, à éloi-

1. Topinambours.

gner la concurrence. On ignorait d'où il venait. Quand Milorioux, l'ancien braconnier de Tancogne, s'était fait condamner pour un coup de fusil malheureux, on l'avait vu s'installer à sa place ; il avait pris la maison et la femme. Un étranger, un traînier sans pays ; il avait dû braconner ailleurs, promener ses guêtres ici et là, au hasard des coups à faire ; un ravageur qui détruisait froidement, pour la monnaie et rien que pour elle, qui chassait comme il eût volé : pas un braco.

Depuis cinq ans, l'association durait. Les terres du comte de Remilleret, c'était le lot du vieux Tancogne et de Volat ; de Buzidan au Bois-Sabot, de Malvaux à la Sauvagère, ils exploitaient les plantes et les bêtes, en bon accord, sans partage qu'entre Tancogne et Volat. Bouchebrand était le cœur de leur domaine, le trou au Volat, la niche du dogue. Et voici que, pour la première fois, quelqu'un était venu tendre chez eux, faire un grillage chez eux, à leur nez et à leur barbe ! Malcourtois, de révolte et de rage, se sentait les entrailles crispées. On l'attaquait ? On le volait ? Eh bien, il allait se défendre ! Et raide, et dur, sans pitié pour qui le bravait !

Tancogne le regardait, impressionné par sa pâleur, par les cordes musclées qui se bandaient soudain sous la peau de ses mâchoires, qui tressaillaient péniblement aux bords de son masque impassible. Depuis deux jours, Volat était hanté par l'image de Raboliot, par ses yeux impudents où brillaient des lueurs de moquerie, par ses mains prestes et menues. Dire que c'étaient ces mains-là, bon Dieu ! ces mains-là qui tendaient les collets, qui cassaient les reins des lapins ! En attendant, peut-être, de manier le grelot, la lanterne ou le fusil ! Pourquoi non ? Ce Raboliot qui avait osé le narguer, il était capable de tout ; à cause de lui, tout était désormais possible ; la chasse serait gâchée, perdue ; il n'y aurait plus qu'à mettre la clef sous la porte, à émigrer une fois encore.

Mais ça, non ! Ça, jamais ! Ils étaient deux, par

tous les diables! Contre Raboliot, il y avait Volat; un Volat fiévreux de rancune, gonflé de griefs venimeux, le vrai Volat, le dangereux, le mauvais. Il était, à cet instant, comme un aspic qui se chauffait à l'aise, benoîtement lové au soleil, et à qui, tout à coup, l'on avait marché sur la queue : il balançait sa tête dardée; il sifflait, les yeux rouges de sang. Gare devant! Il allait frapper!

Tancogne le vit soudain faire quelques pas vers la maison, mettre les mains en cornet à sa bouche :

— Eh! la Souris! appela-t-il. Ici tout de suite!

Ce fut la Flora qui apparut au seuil.

— Elle n'est pas avec vous? cria-t-elle.

Volat, immédiatement, courut droit vers l'échelle du grenier, l'escalada, s'engouffra dans la lucarne. Il y reparut aussitôt, tirant derrière lui la fillette; elle résistait, la tête dans son bras replié sous la menace des coups attendus; mais Volat, sans frapper, la poussa vers l'échelle, la fit dégringoler en bas. Elle avait manqué les barreaux; heurtant les montants, rebondissant, elle était tombée sans un cri; et, dans l'instant, elle fut debout, prit sa course vers l'abri touffu d'une plaisse.

— Ici, charogne!

Volat s'élança derrière elle, la rattrapa juste comme elle se coulait sous les ronces, dans le fossé. Et deux gifles énormes la courbèrent, des bourrades la poussèrent devant l'homme, pliée, tremblante, mais toujours muette.

Le vieux Tancogne avait tourné la tête : cela ne le regardait pas. Il attendait que Volat l'eût rejoint.

— Je m'en doutais, pardi, qu'elle était restée là-haut... à nous épier, la malfaisante! Ce que c'est teigne déjà, monsieur Tancogne!

La petite regardait le vieux à travers ses cheveux emmêlés, noirs, luisants, raides comme des crins. Elle avait un visage plein de ruse, audacieux et fin, que rendait pitoyable et qu'avilissait en même temps une expression de haine cafarde, où se voyait le vivace souvenir de tous les coups qui l'avaient meurtrie.

— Et menteuse! continuait Volat; comme père et mère, à rouler un maquignon...

— Est-ce qu'elle sait quelque chose? demanda Tancogne.

— Je le pense. Mais allez la croire!

— Pourtant, pourtant... continua le vieux. Elle n'avait point menti, hier, quand elle a dit que l'autre avait colleté la nuit d'avant. Si Bourrel avait été plus adroit, chez Trochut, il l'aurait bel et bien pincé... Est-ce vrai?

— Mais la nuit dernière, monsieur? Est-ce que nous l'avons vu, au bois de la Sauvagère?

— Ça, dit Tancogne, la drôline n'y est pour rien; ce n'est pas elle, m'est avis, qui avait parlé du bois.

Le grand Volat se mordit les lèvres : il s'était trompé, l'autre l'avait joué comme un gamin. Et il revit la mine de Raboliot, ce regard attentif dont il fixait la lisière de bouleaux et de chênes, cette grimace d'homme surpris qu'il avait eue soudain, quand Volat s'était retourné... Feintise que tout cela, comédie astucieusement jouée. Et lui, grand Nicodème, avait donné dans le panneau! L'autre avait dû bien rire, au grillage, tranquille à sa besogne pendant que l'escouade des gardes battait les taillis, jusqu'à l'aube, sous la conduite de Volat! Mais patience : Raboliot ne rirait pas toujours.

Malcourtois se raidit, réprimant le sursaut de rage qui venait de le bouleverser. Une espèce de sourire rôda sur son visage; il saisit la gamine par ses bras frêles, durs pourtant, bruns de crasse et de hâle sous les loques qui les laissaient demi-nus.

— Tu as fait ce que je t'avais dit?

Elle se taisait, butée, les yeux à terre. Tancogne alors se rapprocha et lui toucha doucement la nuque :

— Il ne faut pas avoir peur, Delphine. Il faut nous dire ce que tu sais... Allons, viens là, je te donnerai dix sous.

Il s'était assis sur un fût de bouleau renversé qui pourrissait dans les broussailles. Il attira la petite près de lui; elle se laissait faire, délivrée enfin du tremblement nerveux qui la secouait en profondeur, qui lui contractait toute la chair.

— Allons, dis; n'aie pas peur.

— Il ne me battra plus? demanda-t-elle.

Deux larmes embuèrent ses yeux étroits et sombres, les troublèrent un instant, sans tomber.

— Tu es allée au Bois-Sabot? continua Tancogne.

— Elle y est allée, interrompit Volat. C'est moi-même qui l'y ai conduite, un peu avant la pique du jour: je l'ai placée où nous avions dit, dans les joncs du petit étang, à la Patte d'Oie.

— Et qu'est-ce que tu as vu? reprit Tancogne. Tu l'as vu sortir de la ferme, hein? Avec les deux autres?

— Oui, dit la Souris.

— Et tu l'as bien suivi, hein, sans te faire voir, comme on t'avait dit?

— Pour sûr que je l'ai suivi!

— Et où est-il allé? Qu'est-ce qu'il a fait? Rappelle-toi bien, allons! Raconte bien tout ce que tu as vu, sans mentir...

— Il a quitté les autres, dit-elle, justement à la Patte d'Oie; les autres sont partis sur Malvaux... Probable qu'ils rentraient au pays; mais je ne les ai point suivis, eux, du moment qu'on ne me l'avait pas dit.

Elle parlait à présent avec une volubile assurance, consciente de l'attention qu'on lui prêtait, un peu fière. Elle poursuivit, sans que Tancogne l'eût interrogée de nouveau:

— Le petit noir, lui, il a coupé dans les sapins, en bordure de l'étang de Bouchebrand. Il a tourné l'étang par la queue, et il a coupé encore, droit sur la grande allée; mais il l'a traversée plus haut que les deux autres, entre Bouchebrand et la Sauvagère; j'ai pensé tout de suite qu'il allait monter vers le bois... Sur la plaine de Buzidan, il a filé dans un fossé de drainage; il filait vite, vite; mais je le suivais bien quand même, je l'ai bien suivi jusqu'au bois. Une fois au bois, par exemple, ça allait tout seul, parce qu'il ne filait plus si vite : il a marché toujours à la lisière, en dedans, là où c'est sale ; et il regardait par terre en marchant, ici, là, aux passées... comme ça, tenez !

Elle se leva d'un geste vif et se mit à marcher devant eux, arpentant le taillis, enjambant les broussailles ; et ses yeux attentifs promenaient leurs regards, cherchant les sentes capricieuses des lapins qu'ils repéraient avec vélocité, sans jamais en manquer une seule. La petite avait pris à ce point l'allure du poseur de collets, du braconnier qui reconnaît son terrain au passage, avant de tendre, qu'aucune parole n'aurait été plus claire : les deux compères, joyeux, échangèrent un clin d'œil.

— Juste comme ça !... Vous avez vu ? dit la Souris.

Son fin visage pointu semblait frétiller de malice.

— Et il ne m'a pas aperçue, pensez... Autrement, il n'aurait pas regardé par terre. Il a donc fait toute la lisière, jusqu'à joindre la route de l'Aubette ; et puis il s'en est allé par la route, droit vers le canal et le bourg.

Volat et Tancogne, désormais, savaient ce qu'ils voulaient savoir. Tancogne, doucement, tapota l'épaule de la gamine :

— C'est bien, Delphine ; tu es une bonne fille. Vois-tu, il faut m'écouter toujours : tu le suivrais bien encore, le petit noir, si je te demandais de le suivre ? Je te donnerai quelque chose, si tu le suis. Qu'est-ce que tu voudrais que je te donne ?

Elle guigna Volat de côté, hésita ; mais aussitôt, mise en confiance par la douceur du vieux :

— Dites-lui seulement de ne plus me battre.

— Mais non, mais non ! Il ne te battra plus, jamais, si tu es bien obéissante.

Le grand Volat, dans un rire muet, montrait des dents espacées et jaunâtres.

— M'est avis, affirma-t-il, qu'elle n'aura plus souventes fois à le suivre !

Il pencha son long corps vers Tancogne ; et, presque familier :

— Le garde que vous emmènerez avec vous, monsieur, j'aimerais bien que ce soit Tournefier.

— Et pourquoi ? dit Tancogne.

— Une idée à moi, voyez-vous. Le Raboliot et lui, ils sont cousins, un peu trop d'accord à mon gré... Quand vous tomberez sur le poil du gars, au bon moment, il faudra bien que Tournefier verbalise : ça les mettra d'accord une bonne fois.

Au soir brun, Raboliot sortit du fourré. Il y avait deux heures qu'il s'y cachait, épiant les bruits épars et le déclin de la lumière. Au mouvement qu'il fit en se levant, un écureuil qui grignotait une faîne, assis sous l'abri de sa queue, le fruit serré dans ses deux petites mains, s'envola vers un pin et grimpa le long du fût, à toutes griffes, en poussant un grognement de porc.

Raboliot, à sa ceinture, assujettit le paquet de minces fils de laiton. Rien ne bougeait plus alentour. Il traînait par le bois une bruine incolore, qui ruisselait le long des rameaux et s'égouttait sur les feuilles mortes à petits heurts multipliés. Il s'approcha de la lisière. Toute la plaine était vide, à travers une poussière d'eau qui délavait les formes proches, les silhouettes d'arbres isolés, et, brouillant les lointains, les dissolvait dans un gris uniforme, triste, où se mêlaient le ciel et la terre.

Raboliot replongea sous bois, et tout de suite se mit à tendre. Il marchait vite, et ses regards le précédaient. Sa main droite, tâtonnante, palpait sous le gilet le dur écheveau qui lui ceignait le ventre, arrachait un fil d'un coup sec. Il ne s'arrêtait pas pour le tordre, il pliait le genou au cours même de sa foulée, et, contre lui faisant couler le fil, le lissait d'un geste appuyé, si vif que le métal sifflait dans le velours de la culotte. Marchant toujours, il nouait l'« œil » où jouerait la boucle ; il ne regardait pas ce que faisaient ses doigts, assez savants pour travailler seuls ; il regardait le sol encombré de broussailles, il déchiffrait sur le terrain, en hâte, un grimoire chargé de sens. Des passées zigzaguaient, capricieuses, où les lapins boultinaient la nuit ; d'autres, s'étirant droit, révélaient les meusses [1] des lièvres ; un pied de fauve marquait le talus d'un fossé ; une plume vibrait, prisonnière d'une ronce ; et partout, mêlés à l'humus végétal, des débris animaux, de menues charognes de rongeurs, des os frêles comme des arêtes, des crottes, des fientes éparpillées, sollicitaient les yeux et la cervelle de Raboliot.

On n'aurait pu dire qu'il cherchait la place où il allait tendre : le fil une fois passé dans l'œil, la boucle du nœud coulant s'arrondissait déjà à la place qui l'appelait ; les doigts de l'homme, déjà, avaient trouvé le baliveau où se nouerait l'engin, et le nouaient. Et Raboliot était ailleurs, un peu plus loin suivant ses pas. Tous ses gestes coulaient, comme le fil arrondi dans l'œil robustement tordu ; qu'il redressât le buste pour mieux voir, qu'il l'inclinât pour poser le collet, une harmonie flexible, jamais rompue, le conduisait à travers le bois.

S'il avait jamais appris à tendre, Raboliot ne se rappelait quand : il savait tendre, voilà tout, il devait savoir de naissance. Il y a des bracos tatillons, qui discutent sur la manière de poser, sur le diamètre des boucles, sur la hauteur où l'on doit les suspendre ; il y en a qui se demandent s'ils tendront pour le lapin seul, ou pour le lièvre seul, ou à deux fins, et qui prennent des mesures avec la largeur de leur main. Raboliot ne se demande rien : il marche à travers bois, arrache les fils de laiton noirs à l'écheveau qui s'amincit, plie le genou, travaille des doigts, se baisse, se relève, et poursuit. A peine est-il passé, des collets sont tendus qui cette nuit serreront des gorges tièdes : là où débouchera un lapin, le collet est à sa mesure ; si c'est un lièvre, il fourrera son museau dans une boucle assez large pour lui. Il y en a partout, dans les « tallées » au milieu de clairières, aux obstacles menus — touffes de bruyères ou branches à ras de terre — qui obligeront les bêtes à sauter vite au lieu de renifler le vent. Et Raboliot,

1. Passées.

tandis qu'il pose, n'oublie pas de cintrer le collet qu'il abandonne, d'un coup de pouce appuyé et glissant, comme d'une goutte d'huile qui lubrifie. Il n'oublie pas, non plus, de se garder : son attention l'environne et le couvre ; elle recueille les frémissements du bois, explore, au trou d'une éclaircie, la plaine brouillée de brume que le soir assombrit peu à peu.

Il n'était pas, ce soir-là, très inquiet. Son audace venait de le trop bien servir ; une fois de plus, il misait sur elle. Jamais Volat, jamais Tancogne ne le croiraient capable, après les récentes alertes, de colleter à la Sauvagère : la preuve, c'est qu'il n'entendait rien, n'apercevait rien de suspect. Les bois, autour de lui, ne bruissaient que de l'égouttis des ramures ; hors de la zone étroite que troublait sa propre présence, Raboliot les sentait respirer, comme ils respirent quand les hommes n'y sont pas.

Et il en profitait, il suivait jusqu'au bout sa chance. A sa ceinture, le lourd paquet avait fini par fondre brin à brin ; quelques fils demeuraient encore, qu'il pouvait compter sans les voir, en les palpant : une dizaine, tout au plus. C'était une fameuse « tente » qu'il laissait derrière lui, au bois de la Sauvagère ! Pas une passée, pas une touffe qui ne dissimulât son piège, de la corne du bois à la route de l'Aubette.

La route apparaissait, déserte, derrière une petite enclave labourée. Raboliot arracha les derniers fils ensemble, un peu tordus, un peu mêlés. Il s'était arrêté, à fin de besogne, pour les débrouiller et les nouer. Pourquoi perdre les fils qui restaient ? Quand on en a posé cent quarante, on peut en poser dix encore. Cent cinquante, ça ferait le compte plus rond.

Juste comme il se disait cela, il sursauta avec violence, bondit comme un chevreuil surpris : devant son nez, à quatre pas, deux hommes s'étaient dressés dans le fossé de lisière, en même temps qu'une voix le heurtait :

— Halte-là, garçon, tu y es !

Il se jeta de côté, volta pour prendre sa course,

s'enfonça vite au cœur du taillis ; mais une autre voix l'atteignit, l'arrêta net, les jambes fauchées :

— Ho, Raboliot !... T'ensauve pas, mon pauv'-vieux : on t'a bien vu.

Il y avait des chances, malheur ! pour qu'on l'eût bien vu en effet. L'imbécile, qui s'était arrêté dans le clair, qui avait offert sa figure comme à la boîte du photographe ! Il attendit, muet, sans même jeter les fils qu'il tenait à la main, que Tournefier et Tancogne l'eussent rejoint.

2

Ni pour l'algarade chez Trochut, ni pour le coup de grillage près de l'étang, l'enquête de police n'avait réussi à prouver la culpabilité de Raboliot : Bourrel y avait perdu sa peine. Interrogés par lui, cuisinés, menacés, ni Berlaisier, ni Sarcelotte ne s'étaient laissé émouvoir. Ce Beauceron de Bourrel avait appris, à ses dépens, qu'un Solognot ne dit jamais que ce qu'il a bien voulu dire : « Raboliot ? Il avait couché près d'eux, dans le foin, à la ferme du Bois-Sabot. Il n'avait pas bougé de toute la nuit. On leur contait de drôles d'affaires, avec ces histoires de grillage et de gibier vendu chez Trochut !... Quoi ? Bec-Salé avait dénoncé Raboliot ? Fallait-il qu'il fût saoul, quand même ! C'est le vin blanc qui lui avait brouillé les yeux. »

Une petite visite, chez Trochut, de Sarcelotte et de Berlaisier, avait comme par miracle éclairci la vue du gros aubergiste. Il se rétractait ; il en revenait à ce qu'il avait dit d'abord et qui était, il le jurait, la vérité : « Un traînier lui avait apporté ces lapins, un trimardeur qu'il ne connaissait pas. Quant à lui, Trochut, il avait refusé le gibier, carrément. Était-ce sa faute, si les gendarmes étaient arrivés trop tôt, avant que l'animal eût remballé sa marchandise ? Un beau cadeau qu'il lui avait fait en passant : la maréchaussée aux trousses, le soupçon sur son établissement, le discrédit, la ruine peut-être... Ah ! pour sûr qu'il le bénissait, le traînier ! Si les gendarmes pouvaient jamais le prendre, il leur devrait un fameux merci ! »

Bourrel, rageur, revenait à la charge : « Boniments, tout cela ! Il tenait un aveu, bel et bien ; le brigadier Dagouret, le vieux Boussu étaient là pour en témoigner... » Alors Trochut levait au ciel ses mains dodues, et larmoyait : « Il était un pauvre homme. Il avait eu si peur, quand Bourrel avait découvert les lapins, que la tête lui avait tourné. Était-ce possible, allons, qu'il eût dénoncé Raboliot ? Il aurait dit n'importe quoi, à ce moment-là ; il était fou, fou perdu... Comment aurait-il dénoncé Raboliot, quand Raboliot avait passé la nuit avec Sarcelotte et Berlaisier, à la ferme du Bois-Sabot ? Ces messieurs gendarmes pouvaient se renseigner : Berlaisier, Sarcelotte leur diraient si Trochut mentait, à présent qu'il avait retrouvé sa tête ! »

Il n'y avait pas moyen d'en sortir. En vain Bourrel avait-il louvoyé, interrogé Boissinot, Malaterre et tous les journaliers, l'un après l'autre, embauchés par Tancogne pour la pêche des étangs : rien que des bouches cousues, des yeux écarquillés d'étonnement. Une conjuration spontanée, goguenarde, méfiante, le bloquait de tous côtés. Depuis longtemps, Boussu et Dagouret en avaient par-dessus la tête ; l'obstination de leur camarade les stupéfiait, les scandalisait un peu. Qu'avait-il besoin de tant chercher, de foncer à hue et à dia, quand il y avait le procès dressé par Tournefier, un bon procès de flagrant délit ? Raboliot serait salé d'une amende, au tarif : il n'en méritait pas davantage.

Il fut salé en effet ; plutôt large, parce qu'il n'avait pas obéi à la citation du juge, parce que le tribunal, à Sancerre, s'était passé de sa présence.

Tout cela était la faute de Bourrel. Il avait suffi que Raboliot le revît pour qu'il se butât à son tour, homme contre homme. Au fond, il était de l'avis de Dagouret et de Boussu ; le procès dressé par Tournefier, il l'acceptait avec fatalisme. « Sauve-qui-peut, malheureux qui est pris », ce sont les risques du métier. Mais dès qu'il eut appris, un soir, par Sarcelotte, que Bourrel avait fait un rapport sur l'aventure de l'auberge, que le procureur avait saisi les gendarmes de la commune, que Bourrel tenait son enquête, il se rappela aussitôt la scène qu'il avait surprise, il éprouva dans leur première violence les sentiments qui l'avaient secoué, dans le grenier de Trochut, alors qu'il regardait par la fente du parquet, à plat ventre et les bras en croix.

Il s'était réfugié chez lui et n'en bougeait plus d'une semelle. Il attendait, dans un silence bourru, que les gendarmes vinssent le trouver. Aux questions inquiètes de Sandrine, il avait répondu si rudement qu'elle n'avait pu que se taire, elle aussi. Une atmosphère d'orage pesait sur la maison et les cœurs.

— Pourquoi ne me dis-tu rien, Raboliot ? Est-ce que je suis cause de ta peine ? Est-ce que je t'en veux, seulement ?

Sandrine n'avait pu y tenir. Elle s'était approchée de la chaise où son homme se tenait immobile, le coude sur la table et le front dans la main, avec des yeux absents, perdus. Il répondit, sans même la regarder :

— Je n'ai rien à te dire, Sandrine.

C'était la vérité. Ces événements dépassaient l'entendement de Raboliot. Bien sûr, quand on est braconnier, il arrive que l'on se fasse prendre. On pose des fils, entre chien et loup ; un garde surgit, et le procès vous tombe sur le nez : ainsi peuvent aller les choses. Et pourtant, pourtant... Si peu qu'il y songeât, il pressentait jusqu'en cette rencontre, en cette présence inattendue de Tournefier et de Tancogne dans le fossé de la Sauvagère, de louches dessous, d'inexplicables machinations. Il avait été surpris, c'était vrai. Mais pourquoi cette surprise, et qui l'avait provoquée ?... Volat ? Bourrel ? L'image de ces deux hommes l'obsédait, tantôt de l'un, tantôt de l'autre. Il n'y avait entre elles aucun lien qu'il pût concevoir ; il était même sûr, à l'évidence, que nulle entente réelle ne coordonnait leurs efforts. Volat, Bourrel, ça faisait deux : n'empêche que lui seul, Raboliot, devrait faire front de deux côtés.

Il s'y perdait. Il attendait, piété, ce qui viendrait. Une seule pensée claire lui restait et l'armait, déjà violente comme une détente de muscles : il ne se laisserait pas faire. Contre Volat, contre Bourrel, il se défendrait à force.

Ce fut Bourrel qu'il affronta d'abord. Il n'y eut rien que quelques phrases échangées devant le seuil de la maison, dehors ; car Raboliot, à la vue des gendarmes, était sorti tout raide, pour éviter que le Bourrel posât seulement un pied chez lui. Et il avait parlé comme avait parlé Trochut, comme avaient parlé Berlaisier, Sarcelotte : « Des lapins colletés et vendus ? Une chasse au grillage ? Où ça ? Chez qui ? Par qui ? Il avait couché au Bois-Sabot tout le temps qu'avait duré la pêche ; il ne comprenait rien de rien à ces arias qu'on lui cherchait. »

Debout devant Bourrel, sur l'accotement herbeux de la route, il se tenait bien droit et tranquille ; mais un frémissement intérieur ne cessait de le parcourir, une petite danse de tous les nerfs qui lui courait jusqu'au bout des doigts. Et il se répétait doucement, il s'entendait chuchoter en lui-même comme une chantonnante litanie : « Bouge pas, Raboliot... Bouge pas, mon gars... Attention, Raboliot, bouge pas... »

Une joie lui était venue soudain, à voir Bourrel rougir, d'un flot de sang poussé au visage, et puis blêmir, les joues décolorées : il marquait le coup, le gendarme ! Il ne pouvait décidément rester plus fort que sa colère ! Cela, dans l'instant même, remettait Raboliot d'aplomb. Il regarda Bourrel lever une main au col de son dolman, l'élargir d'une saccade brutale.

— Vous avez fini avec moi ? demanda-t-il.

— C'est à voir, dit Bourrel.

Il s'était calmé tout à coup. Sa petite moustache de roussiau tressaillait d'une joie bizarre, d'une espèce de concupiscence. Il goguenarda :

— Paraît qu'il y avait du monde dans le fossé, l'autre soir, près de la route de l'Aubette ? Je me suis laissé dire qu'un poseur de collets, un malin pourtant, un subtil... M'est avis qu'on se retrouvera, mon gars !

Ce fut au tour de Raboliot de rougir. La voix qui chuchotait en lui s'enfla soudain, lui cria dans tout l'être une adjuration éperdue : « Bouge pas ! Bouge pas ! » Les poings serrés, les genoux tremblants, il regarda s'éloigner le dos de Bourrel. Il regardait ce dos, boulu de muscles qui tendaient le drap rêche. Et ce qu'il voyait réellement, c'était le visage de l'homme, ses yeux surtout, d'un gris pâle et bleu, où ricanait il ne savait quelle joie hargneuse, quelle dureté secrète dont il avait les sens révoltés.

Eh bien, oui, quoi ! il y avait le procès de Tournefier : « Un procès n'est jamais qu'un procès. » Pour la centième fois, Raboliot se répétait cela, s'efforçait de réduire à une notion très simple cette idée de contravention, aussi nette, aussi aisément préhensible qu'un caillou qu'on serre dans la main. Et, pour la centième fois, il ne pouvait y réussir.

D'abord parce qu'il s'agissait de lui. Que ce procès l'atteignît, lui, Raboliot, et tout était déjà changé. Depuis le temps qu'il braconnait, il ne s'était jamais fait prendre ; le soir où il avait tendu au bois de la Sauvagère était un soir comme tant d'autres : il était anormal, absurde qu'il se fût laissé prendre ce soir-là. Il avait calculé juste, senti juste ; ce soir-là comme tant d'autres, il était sûr de ses conjectures, des précautions qu'il avait prises, de tous les pas qu'il avait faits. Quelque chose était survenu, qui se dérobait à sa quête.

Il revenait toujours buter là contre : Volat ? Bourrel ? C'était plus fort que lui. Une fureur le prenait contre ces hommes, contre cette ténacité qu'ils

72

avaient, même absents, à le traquer. Vainement pressentait-il que sa colère l'égarait, qu'il devait y avoir autre chose, un hasard qui l'avait trahi, une surveillance qu'il ne soupçonnait pas : le mystère même qui le tourmentait, c'était sous l'apparence de Volat, de Bourrel, qu'il se manifestait à lui. C'était Volat qui l'avait vendu, la première fois ; c'était Bourrel qu'il avait vu se diriger vers sa demeure, son uniforme, son baudrier de cuir, sa sale gueule.

Il attendait, chez lui, l'inévitable retour du gendarme. Une stupeur de catastrophe, l'angoisse d'un destin mauvais continuaient d'oppresser la maison. Ni Sandrine, ni les enfants n'osaient plus ouvrir la bouche. Il suffisait d'un rien, d'un soupir de Sandrine, d'une assiette heurtée en mettant le couvert, pour que Raboliot éclatât : « La paix ! La paix ! Il n'avait pas assez d'embêtements, peut-être ? Si la femme et les drôles s'en mêlaient, à présent... » Il attendait, replié sur lui-même, baugé.

Et il y eut d'abord une citation en correctionnelle, apportée par Bobin, le garde champêtre. Raboliot y jeta les yeux et déclara : « Je n'irai pas. » Des jours passèrent, et Bobin frappa de nouveau à la porte, présentant une feuille rose qui notifiait le jugement par défaut : Raboliot avait été condamné : il avait deux cents francs d'amende. Avec les frais, ça allait chercher gros. Il affirma :

— Je ne paierai pas.

— Signe toujours, conseilla Bobin.

Mais Raboliot secoua la tête :

— Je ne signerai pas.

— Comme tu voudras, mon gars. Mais ça pourrait te mener loin.

— Ça m'est égal, dit Raboliot.

Il continua d'attendre les autres feuilles qui allaient venir. Il ne prévoyait rien, il n'essayait même pas de prévoir. Toutes ces questions qu'il s'était vainement posées, tous ces tâtonnements dans le noir, il en avait la tête cassée. Bobin apporterait d'autres feuilles, des assignations, des contraintes, il ne savait; mais il se doutait bien que cela durerait long-temps, lui permettrait de se ressaisir, de se résoudre enfin au parti qu'il fallait prendre.

Cela ne dura pas longtemps. Un soir, on frappa à la porte. Il cria : « Entrez! » croyant voir Bobin appa-raître. Mais au lieu du képi noir de Bobin, ce furent deux képis bleus qui se montrèrent dans le cadre de la porte.

— Pierre Fouques? lança gaillardement Bourrel. Pierre Fouques, dit Raboliot, c'est bien ici?

— Qu'est-ce que vous voulez? dit le braco.

— T'apporter ça.

Bourrel tendait une grande feuille blanche dépliée. Raboliot s'avança, prit la feuille, et se rapprocha de la porte pour mieux voir. Quelques mots, d'abord, accrochèrent ses regards : *Greffe correctionnel... Signalement du condamné.* Et aussitôt les lignes se brouillèrent, s'enchevêtrèrent tandis que, le front penché, il feignait de lire encore et tâchait de garder paisible contenance.

— Alors, on t'emmène? dit la voix de Bourrel.

Il tressaillit, releva les yeux :

— Là voû?

Bourrel riait, la mine brillante de triomphe :

— Là voù? Mais tu as lu, je pense?

Il allongea son doigt sur la feuille, un doigt au bout carré, à l'ongle épais, dont la peau blanche était piquetée de quelques petites taches de son. Raboliot suivit le geste de ce doigt, les lignes dansantes s'immobilisèrent, lui jetèrent aux yeux d'autres mots : *A été écroué le... A subi l'emprisonnement cellu-laire à...*

Il recula de deux ou trois pas, les oreilles pleines d'une lourde rumeur, pareille à celle d'un flux de vent qui traîne sur une pineraie lointaine. Il lui sem-blait, à travers cette rumeur, entendre le brigadier Dagouret qui parlait. Alors il se tourna vers Dagou-ret, regarda son visage placide et se sentit comme délivré d'un sort.

— Qu'est-ce que vous dites? demanda-t-il. Si vous vouliez bien répéter, des fois?

— Tu peux former opposition, expliqua le brigadier. Le jugement a été prononcé par défaut...

— Et si je forme opposition, comme vous dites?

— En ce cas, mon garçon, il faudra que tu te pré-
sentes à une prochaine audience. On ne te convo-
quera même pas. Tu n'as qu'à t'engager toi-même,
par écrit, à faire de bon gré le voyage. Tu vois, c'est
marqué là...

— Et après? coupa rudement Bourrel.

Il s'avança devant Dagouret, tendit son corps vers
Raboliot :

— Est-ce que tu t'imagines que ça ira mieux pour
toi? Qu'on te laissera chanter au tribunal toutes les
menteries qui te passeront par la tête? Je serai là
pour un coup, comprends-tu? Et il y en aura
d'autres...

— Volat? demanda Raboliot.

— Y a des chances, railla Bourrel. Allons, viens,
petit. Sois sage...

Il sursauta, son sourire tout à coup figé : contre
son nez, la porte de la maison avait claqué avec violence, rabattue par Raboliot. Il la heurta furieuse-
ment du poing, hurlant des injures bredouillées.
Dagouret lui disait, tranquille :

— Te voilà rudement avancé.

3

Raboliot n'était pas allé loin : à quelques maisons
de la sienne, à l'Aubette, chez Touraille.

C'était moins isolé que chez lui, et en même temps
d'abords mieux défendus, plus secrets : contre le jardin de Touraille, d'autres jardins, de petits prés se
touchaient frange à frange, entrecroisaient leurs clôtures et leurs plaisses. Des boqueteaux en taillis
s'égaillaient au travers, jusqu'à effleurer les maisons;

s'il le fallait, ils guideraient Raboliot vers les fourrés et les pineraies de la campagne, comme des pierres semées dans un gué.

Le jardin même de Touraille cachait de toute part la maison. Une allée en faisait le tour, pressée de noisetiers, d'aveliniers, de coudriers; des pieds de bambou noir jaillissaient çà et là entre les châssis à légumes, les carrés de salades et les rangées de choux. Chaque planche était bordée d'arbustes et de fleurs rustiques : des saponaires, des gaillardes et des mauves défleuries, des amarantes aux quenouilles pourprées qu'on appelle des « lippes de coqs d'Inde ». En ces jours d'extrême automne, les quenouilles pendaient, assombries, semant leurs fines graines rondes et noires; les feuilles tombées collaient au sol gras des allées; et les mouches à miel, ayant rallié les paillotes du rucher, laissaient le jardin silencieux dans la grisaille des journées froides.

Pourtant, il y avait là tant de plantes, de grandes herbes ensauvagées, que l'enclos à demi dépouillé demeurait touffu à l'œil, foisonnant, vivace et dru. Quand on était dans la maison, la lumière était verte qui bougeait aux croisées, onduleuse et flambante par les soleils du plein été, ruisselante par les jours pluvieux, parfois aussi, quand les hivers bloquaient le couvercle du ciel, immobile et stagnante, d'un glauque aussi glacial et morne que celui d'un abîme marin.

Mais il faisait tiède chez Touraille, tiède et paisible. Les heures qu'y passait Raboliot l'engourdissaient d'une douceur un peu triste. Il continuait de s'y laisser aller, jouissait pauvrement de cette trêve qui lui était donnée, au seuil d'un avenir qu'il prévoyait menaçant.

Aussi longtemps qu'il restait chez Touraille, sa vie de braconnier traqué se réduisait à deux ou trois notions élémentaires, qu'il évitait d'approfondir. Dehors, entre l'Aubette et le canal, il y avait sa propre maison, où vivaient Sandrine et les mioches et que surveillaient les gendarmes. Il songeait à l'angoisse de Sandrine, à l'émoi nerveux qui ne devait guère la quitter ; mais il se rassurait aussitôt, avec la certitude que les gendarmes ne pouvaient rien contre elle. Ici, tout à côté, c'était le jardin de Touraille, l'épaisseur buissonneuse de l'allée qui le ceignait, et les deux portes presque invisibles que Raboliot ouvrait ou fermait à son gré : l'une joignait la route de l'Aubette, par un ponceau de planches enjambant le fossé ; et l'autre, à l'opposé, donnait sur un pré clos de haies, contre un trognard de chêne énorme que l'eau des pluies, à force de stagner sur sa cime, avait creusé comme une grotte.

La présence touffue du jardin, celle des deux portes dont il pourrait jouer tour à tour, suffisaient à Raboliot. Une fois pour toutes, il savait ces présences rassurantes, favorables à la douceur des jours.

Touraille, très vite, s'était rassuré lui aussi. Il avait d'abord gesticulé avec excès, roulé des yeux blancs, attesté ses mœurs pacifiques : « Il ne mettait pas Raboliot à la porte, non ; il n'était pas un beau-père dénaturé. Mais s'il arrivait quelque chose, il s'en lavait les mains d'avance. C'était bien entendu qu'il s'en lavait les mains : il n'y aurait ni surprise, ni reproches. »

Touraille était un homme réfléchi. La première inquiétude passée, il avait pris des événements une conscience plus exacte et plus froide : une amende non payée ? Un extrait de jugement ? La belle affaire ! Le pis qui pouvait arriver, c'était que Raboliot se fît cueillir par les gendarmes. Alors, il tirerait un mois à Sancerre, chauffé, nourri pour rien, fabriquerait des chaussons de lisière, et reviendrait, la mine florissante, avec un pécule dans sa poche. Sandrine et les enfants se débrouilleraient en l'attendant : un mois à la maison centrale, ça n'a jamais été la mort d'un homme, ni d'une famille. S'il le fallait, à la rigueur, il y aurait les choux du jardin, et peut-être, peut-être... allons, un bon mouvement, Touraille ! un billet de dix francs, ou deux, prêtés pour faire prendre patience : Sandrine était sa fille, le seul enfant qu'ils avaient eu, Norine et lui.

Touraille, au bout de quelques jours, se réjouissait sans arrière-pensée d'avoir Raboliot près de lui. Le talent singulier qu'il avait d'empailler les bêtes des champs lui valait une considération à quoi il était fort sensible. S'il aimait son métier, il trouvait juste qu'on l'admirât. A la longue, c'était devenu chez lui un besoin ; il lui plaisait, tandis qu'il travaillait, qu'on le regardât travailler, l'interrogeant, l'écoutant tour à tour. Il avait la langue bien pendue, la réponse facile, et il était enclin aux longs récits.

On ne peut pas toujours conter les mêmes histoires au même auditeur bénévole. Depuis tant d'années qu'elle est là, Norine les connaît par cœur ; ça n'empêche pas son mari de parler ; mais quand il parle devant elle, c'est un peu comme s'il parlait tout seul, ou devant ses bêtes empaillées. Petit à petit, l'admiration fidèle de Norine a perdu, pour Touraille, toute saveur et toute vertu.

— Siése-toi là, mon Raboliot.

Il était plein de sollicitude pour ce compagnon tout neuf, pour ce chasseur qui comprenait les choses, et qui l'écoutait volontiers du matin jusqu'au soir tombant. Raboliot se plaisait dans la maison de son beau-père ; il aimait, autour de lui, ce peuple d'oiseaux immobiles, arrêtés en plein vol par la baguette d'un enchanteur. Il y en avait partout ; dès qu'on pénétrait dans la salle, des yeux de verre brillants et fixes vous regardaient de toute part, des ailes vous frôlaient le front, en même temps qu'une odeur puissante, de poussière et de musc, de colle forte et de tabac vous entrait au fond des narines. Les oiseaux se piétaient sur la tablette de la cheminée, entre des pots à épices, des boîtes d'allumettes, des paquets de *caporal* éventrés. Ils pendaient aux solives du plafond, se balançaient à la maîtresse poutre, si bas que l'on devait courber la tête. Il y en avait sur la maie, et Norine les posait à terre quand elle voulait prendre le pain ou la pitance. Il y en avait d'accrochés du haut jusqu'au pied des cloisons, parmi des enluminures de journaux illustrés : des moineaux effrontés, des passereaux de muraille qui semblaient chercher un trou, et des pics-verts qu'on croyait prêts à travailler du bec, à piquer dans les ais vermoulus les insectes rongeurs de bois. Des armatures de fil de fer, des bandelettes de papier collées maintenaient les ailes éployées ; des bouchons fichés au bout des becs les tenaient étroitement fermés, tandis que des becs de rapaces, tout grands ouverts pour menacer, montraient des tampons d'ouate enfoncés creux dans la gorge.

A gauche de la salle, l'atelier de Touraille était plus encombré encore, comble de l'établi au tour et du plancher au plafond. Des pattes de chevreuils pliées à angle droit, des rognures de cuir, des queues d'écureuils, de tout petits oiseaux en loques traînaient pêle-mêle sur l'établi, parmi des fioles poudreuses, des pots de colle, des tapons de blanc d'Espagne, des fils de fer tordus, et des boîtes de carton où brillaient les boules de verre dont Touraille ferait des yeux. Au pied du tour, dans l'amoncellement des copeaux, bruissant comme feuilles mortes au soleil, on soulevait du soulier des peaux raides et velues, de taupes, de fouines ou de putois. Et, quand on franchissait la porte, on faisait osciller au passage une peau de renard efflanquée, qui vous lançait en plein visage sa puanteur violente et fauve.

A droite de la salle, dans la « belle chambre » plus secrète et plus froide, les pièces terminées attendaient que les clients vinssent les chercher ; des étiquettes portaient leurs noms calligraphiés. Il régnait là une pénombre recueillie derrière les persiennes entrecloses. C'était comme si l'on fût entré dans un musée, dans une église. Instinctivement, on baissait la voix.

Touraille, lui, parlait tout haut. Il était le génie de ce capharnaüm. Petit, menu, un peu voûté, il avait une bonne face circulaire, aux joues roses, et des yeux bleus, d'un bleu de fleur de lin, qui brillaient d'une fraîcheur enfantine ; mais, parfois, ils clignaient à l'abri des lunettes, et leurs prunelles dardaient un scintillement soudain, pétillaient de narquoise roublardise. Il était fier de ses moustaches, et il y avait de quoi : candides, très longues et très souples, elles contournaient les commissures des lèvres, s'infléchissaient en deux volutes harmonieuses, pour enfin prendre leur essor, flotter dans l'air comme des fils de la Vierge.

Touraille trottinait à travers la belle chambre, effleurant de la main ses créatures, qui semblaient s'animer au toucher de ses doigts. Il les nommait, chacune par un nom bien à elle, et qui était rarement le nom qu'aurait prononcé Raboliot : c'était comme un appel ou une incantation.

— Celle-là, disait-il, c'est l'effraie. D'aucuns disent la chouette religieuse. Mais c'est l'effraie, pour dire la vérité.

Il soulevait, du bout de l'ongle, le duvet neigeux et doux qui se gonflait à la gorge de l'oiseau, qui lui ouatait le ventre et les cuisses.

— Et celle-là, hein, qu'est-ce que c'est ?

— Une chavoche, donc ! répondit Raboliot.

Le vieux corrigeait, épanoui :

— C'est une chevêche. Et c'est la grande. Tu ne vas pas l'appeler chevêche tout court, puisque c'est la grande. La petite chevêche, la voilà.

Raboliot suivait Touraille parmi le peuple des oiseaux. Chaque fois qu'il pénétrait dans la belle chambre, il en découvrait de nouveaux. De chaque solive s'envolait un rapace, des buses pêcheuses, des buses des bois, des bondrées, des corbeaux, des freux, des pies, des geais. Des passereaux s'accrochaient aux courtines du lit clos : des sansonnets, des merles, tous ceux qui sifflent ; et tous ceux qui roucoulent, des ramiers bleu d'ardoise, des tourterelles au bec écarlate, grasses du jabot comme de petits pâtons. Et il y avait encore les oiseaux du marais, toutes les pattes fines qui font des étoiles sur la vase : des vanneaux huppés de noir, dont les ailes noires, sous la coulée de la lumière, brillaient de reflets chatoyants, tantôt violets et tantôt verts ; tous les palmés qui se dandinent en marchant : les judelles tristes, les sarcelles délicates, les colverts gemmés d'émeraude. Au milieu de la chambre, debout sur une table ronde, huit grands hérons tenaient conseil, gourmés dans leurs jaquettes gris clair. Touraille, même, y tenait captifs de puissants et fiers voyageurs : des oies sauvages à l'ample poitrail, tendu comme une proue magnifique, et deux géants, des cygnes sauvages que déshonorait la poussière.

Encore n'était-ce rien tant qu'on n'avait pas vu ce qu'il appelait ses « scènes de genre ». Des écureuils en étaient les acteurs. Il y avait surtout, célèbre à des lieues à la ronde, le grand bal chez Coubaillon : quel entrain, mes amis, quelle liesse ! Les valseurs tournent, enlacés. Juchés sur une tonne, les deux ménétriers moulent la vielle et raclent le crin-crin. Et en avant, messieurs ! Et balancez vos dames ! Les panaches roux ondulent et valsent, on a envie de valser à son tour, ou bien, comme celui-ci qui se cache dans un coin d'ombre, d'entraîner sa galante à l'écart, de l'amignouter gentiment.

Sacré Touraille ! C'était un homme bien capable. Ménétrier, lui aussi, il violonait aux noces, et volontiers pour son plaisir. On n'imaginait pas tout ce qu'il pouvait faire de ses doigts : il avait fabriqué un baromètre, une maisonnette qu'on aurait crue en pierres, avec un toit d'ardoises auquel rien ne manquait, ni les cheminées rouges, ni la girouette de tôle. Dans l'axe des deux portes jouait une planchette à deux personnages, que faisait pivoter une corde à boyau dissimulée dans le montant. Et tantôt le monsieur — pardessus jaune et chapeau haut de forme, — mettait le nez dehors : et c'était signe de pluie ; tantôt la dame risquait sa jolie robe vert de salade : et c'était signe de beau temps.

— Au travail, feignants que nous sommes !

Ils s'en allaient dans l'atelier, s'asseyaient sur des escabeaux. Le vieux, tout en besognant, n'oubliait point de faire aller sa langue. Quand il ne parlait pas sur les secrets de son travail, il contait des histoires sur les bestioles qu'il maniait. Aux serres jaunes d'une buse, un geai laissait pendre ses pattes ; sa tête pendait aussi, qui venait de clore les yeux, et ses ailes abandonnaient, glissantes, leurs rémiges teintées de bleu céruléen.

— C'est bougrement joli, ce bleu, disait Touraille. C'est un bleu surnaturel, un bleu magique.

Et il contait :

— Tous les ans, au 13 de mai, les coleuvres, les anvots [1], les aspics, tous les serpents de la Sologne s'en vont rampant vers *une* étang des bois : une étang noire, sauvage, quasi celle de Bouchebrand ; mais l'étang aux serpents, elle est entre Jouy et Ardon. Au bord de l'iau, ils se rencontrent, s'entortillent les uns autour des autres, et font un nœud plus gros qu'un poinçon. Alors ils bavent tertous, une bave brillante comme la rosée, qui se forme en dessous de leur langue. Et il y en a deux, les plus malins, les plus subtils, qui prennent toute cette bave à mesure, et la pétrissent, la roulent et la façonnent, tant qu'elle durcit, durcit, de plus en plus serrée et brillante. Et elle devient à la fin un diamant, un diamant bleu.

— Oui da ? s'étonnait Raboliot.

— Oui da, garçon, un diamant bleu. Et les serpents, l'un après l'autre, coulent leur ventre dessus, tout du long, pour le faire briller davantage. Et ils plongent au fond de l'étang... Mais le dernier serpent, avant de plonger comme les autres, jette le diamant dans l'iau, de crainte qu'un geai ne le trouve et l'emporte.

— Un geai ?

— Un geai, oui bien, garçon. Car sans ce diamant des serpents, le geai ne pourrait point teinter ses ailes. Tu chercheras dans les vieux nids, dans le nid du premier geai : tu y trouveras sûrement le diamant bleu des serpents.

Il souriait finement, le vieux. On avait beau ne pas

1. Orvets.

82

le croire, on en venait à se demander si on ne le croyait pas quand même : ah ! il en avait dans la tête !

Touraille ainsi devisant, Raboliot l'écoutant, les heures passaient sans qu'on s'en aperçût. Par la porte de la salle toujours ouverte, ils pouvaient voir la vieille Norine qui tricotait. Assise près du petit fourneau, elle surveillait par-dessus ses lunettes le manger qui cuisait sur le feu et ses aiguilles d'acier cliquetaient à petit bruit. Elle se levait, massive, la tête auréolée par sa coiffe paysanne plaquée derrière sur l'occiput, ronde et blanche comme un fromage frais.

— Allons, les hommes ! C'est temps de venir à la soupe.

L'omelette grésillait dans la poêle, le lapin mijotait dans le fait-tout de terre vernissée. Ils s'attablaient, tous les trois, et Touraille continuait de parler. C'était un bon moment encore : sur l'omelette onctueuse, ils secouaient la bouteille de vinaigre au bouchon percé d'un trou. Le vieux, allongeant le bras, coupait au plat de petites bouchées successives. Il se plaignait :

— L'estomac ne va plus. J'ai la fressure ben délicate.

Mais sa fourchette d'étain piquait toujours, et il avait bonne mine, en somme. Norine mangeait silencieusement, les yeux fixés sur son mari, sur ses lèvres moustachues et bavardes. De temps en temps, elle l'approuvait : « C'est ben vrai. Il a ben raison. »

— Vent solaire, disait Touraille, en piquant des bouchées d'omelette, vent solaire rend tous les œufs clairs, vent haut produit des côs, vent bas produit des poules.

— C'est ben vrai, disait Norine.

Elle se levait et jetait sur le feu quelques brindilles crépitantes. Il n'en fallait pas davantage pour que le bonhomme repartît. A chaque geste familier, à chaque mouche qui bourdonnait, il accrochait une histoire nouvelle, un dicton, un conte d'autrefois :

— Ça me rappelle les brandons, disait-il, quand

on allait au soir, le dimanche des Rameaux, promener autour des blés des torches de paille qui flam-
baient.

Le lapin était sur la table, dans une sauce blonde
épaisse de farine où les petits oignons embaumaient.

— Allons, mange, mon Raboliot! Je suis content
de t'avoir là. Comme on dit, pas vrai? N'a pas bonne
fête qui met quelqu'un dehors.

Raboliot souriait, un peu triste. Il y avait des
moments, tout à coup, où le bavardage de Touraille
avait fini de le distraire, n'était plus qu'un murmure
importun. Il songeait à Sandrine. Il se disait : « Ça
n'est pas étonnant qu'à vivre auprès de celui-là, elle
ait fini par avoir la cervelle trop bourrée. » Le vieux,
lui, avait bonne tête. Tous ces dictons, toutes ces
croyances qui troublaient nos anciens le laissaient
au fond bien tranquille, car il avait la peau du cœur
épaisse. Mais Sandrine... Elle s'émouvait d'un rien,
et elle croyait à tout, aux fables, aux propos des
commères, aux mots imprimés dans les livres, bien
plus crédule encore quand ce qu'on lui donnait à
croire la remuait toute, lui faisait peur. Qu'est-ce
qu'elle fourbançait dans sa tête, toute seule, pendant
que Raboliot se nourrissait, à la table de Touraille, se
faisait du lard de feignant?

Une grande claque sur l'épaule l'éveillait :

— Hé là! garçon! En voilà une figure! C'est à ta
prison que tu penses? Fais donc comme moi, bon
d'la! Est-ce que j'y pense, à ta prison?

Et il criait, de belle humeur pour trois :

— Allons, Norine, fais-nous frire des beignets! Et
va qu'ri une bouteille de vin!

Raboliot finissait par céder. Le vin coulait frais
dans la gorge, vous laissait au palais une rustique et
bonne âpreté. Sous leur croûte dorée, les beignets
vous brûlaient la langue, s'amollissaient de farine
onctueuse, de pomme fondante, pesaient à l'estomac
comme du pain sans levain.

— Encore un! C'est toujours autant de pris... Et
fais-nous du café, Norine!

Une vraie noce en famille, entre quatre murs et la porte fermée, de celles qui ne doivent rien aux voisins. Touraille décrochait son violon et, raclant de l'archet, battant la mesure du sabot, tout le buste balancé en cadence, attaquait *La fille aux dragons* :

> *La pauvrette est partie,*
> *Son paquet sous le bras.*
> *Sa mère tant pleura,*
> *Trépassa,*
> *Sa mère en trépassa.*

> *Les dragons, ils l'ont prise.*
> *Du soir jusqu'au matin*
> *L'ont fait gagner son pain*
> *Sans chagrin,*
> *L'ont fait gagner son pain.*

Est-ce que la vie est déjà si joyeuse qu'il faille encore, en son par-dedans, se forger d'autres soucis ? Comme si les embêtements n'étaient pas assez vite arrivés ! On se combat, arriéze ! On joue du violon, un moment, avant de retourner au travail : voilà comment agit un homme sage, et le contentement de soi lui rayonne par toute la poitrine, le récompense légitimement.

Ils retournaient s'asseoir dans l'atelier, devant l'établi. Raboliot, sur ses genoux, regardait ses mains inutiles, qui pourtant savaient faire tant de choses : nouer les collets, par exemple, ou promener dans la nuit le long rayon de la lanterne, ou encore abattre les pins. Il demandait avec humilité :

— Qu'est-ce que je peux pour votre service ?

— Essaye voir de me trier les yeux.

Il essayait, fourrant ses doigts dans les boîtes de carton, parmi les petites boules brillantes. Il apprenait à les connaître, depuis les grains de jais qu'on pique dans la tête des passereaux, jusqu'aux pièces travaillées et très chères, les gros yeux à pupille allongée, dont l'iris est semé de paillettes d'or bruni (et ce sont des yeux de chevreuils) ou mélangé de stries violettes (et ces yeux-là sont pour les sangliers).

Certains jours, les meilleurs, Touraille parlait du braconnage d'autrefois :

— Moi aussi, je l'ai fait, puisque je suis Solognot de Sologne. Je n'avais pas huit ans qu'on disait déjà de moi : « Il est plus roué, ce drôle, que les fesses d'un postillon. » Une fois plus vieux, quand j'ai été bouère [1], j'en ai tendu des sauterelles dans les blés ! On enfonçait une tige flexible en terre, par le gros bout, et on pliait le petit bout vers le sillon, avec un collet en crin. La perdrix se prenait par les pattes, la tige faisait regippe [2] et te l'enlevait en l'air, cré bon sang ! Et les trabuchets qu'on tendait en haut des buissons de houx ! Et les tire-pieds ! Et les gluaux !

Touraille secouait sa tête, et l'on voyait qu'elle était lourde de souvenirs :

— Un bon temps, disait-il. Possible qu'on avait plus de mal, qu'on vivait moins gras qu'aujourd'hui, le ventre plat et les joues creuses. Mais quoi, on vivait tout de même. Quand les fièvres vous faisaient guerlotter, on se couchait par terre en attendant que ça vous quitte. Et puis après ? On était jeune, ou je l'étais, ça revient au même. Et tellement plus libre, allons ! sans tous ces gardes, sans tous ces hommes du Saint Hubert que font venir les proprios, et qui traînent déguisés à travers le pays. Les étangs ? Elles étaient à tout le monde. Les landes itou, et les taillis, où un chacun pouvait faire passer ses vaches à sa guise...

Le vieux, jusqu'à la noirté de la nuit, laissait couler ses souvenirs. Et c'était, avec eux, toute la Sologne d'autrefois, celle d'avant les pineraies, d'avant les routes et les chemins de fer, qui se reprenait à vivre. Et il semblait à Raboliot qu'il avait connu, comme Touraille, les longues friches où daillait [3] le bétail,

1. Pâtre.
2. Ressort.
3. Errait.

les pentes couvertes de broussailles et d'ajoncs avec des marais dans les creux, où de maigres brebis pressaient leurs dos laineux autour du berger immobile, un taciturne qui connaissait toutes les étoiles et savait la prière aux loups.

Norine allumait deux bougies, fichées dans des litres vides. La tombée du soir floconnait aux rives de la clarté tremblante, pénétrait lentement le bonhomme, l'inclinait à la mélancolie : « Maintenant, on ne savait plus vivre ; on avait des bougies, des lampes à pétrole, une société parlait d'installer l'électricité au bourg. Et après ? Autrefois, on avait les *oribus*, les longues chandelles de résine que l'épicier vendait en paquets, et qu'on appelait aussi des pétrelles à cause du bruit qu'elles faisaient en brûlant. On les serrait dans la fente d'une baguette qu'on enfonçait entre deux briques, sous la hotte de la cheminée ; et la mèche de ficelle pétillait, postillonnait des gouttelettes chaudes, et sa chanson vous tenait compagnie... »

— C'est ben vrai, approuvait Norine.

— Aujourd'hui, reprenait Touraille, on n'ose seulement plus bouger, tellement on risque. Va-t'en braconner, pour voir, à l'hallier ou au billonnier ! Essaye un peu, si tu aimes les coups de poing, les crosses de revolver assenées sur le crâne. Et tu as tort quand même, et il y a toujours au bout de l'amende et de la prison. Les sauterelles que je te parlais tout à l'heure, les trabuchets dans les buissons, il n'y avait pas un pésan aux champs, pas un vacher, pas un gamin qui ne connaissait la musique. Même les drôlines s'y employaient, en surveillant leur troupe de dindes ! Et, aujourd'hui, c'est « amendable », il faut bien se tenir tranquille.

Il finissait, Touraille, par agacer Raboliot. Tant mieux donc, si l'on risquait ! Tous ces regrets, ces jérémiades, est-ce que ça pouvait changer quelque chose à ce qui existait maintenant ? Hier est mort, puisque c'était hier. Et c'est aujourd'hui que je vis. Au lieu des lanternes de jadis — voici que Touraille les regrette — des caisses en bois vitrées sur un côté où vacillaient deux flammes de chandelles, j'ai les phares à acétylène, leur rayon cru et violent que darde au loin le projecteur; j'ai mon fusil à percussion centrale, et des cartouches à pleine charge dont la poudre blanche claque raide, autrement sec et gai que la poudre noire des anciens et son gros tonnerre enfumé!

Il regardait le cadran du réveil, sur la tablette de la cheminée.

— Sept heures cinq. Je peux m'en aller.

Il était libre, jusqu'au lendemain matin six heures. Il ne redoutait plus Bourrel ni personne, nulle part. Il s'en allait par le fond du jardin, pour ne pas révéler sa retraite, observait un instant, caché dans le trognard de chêne, et regagnait la route par les prés et les boqueteaux, bien au-dessus de sa maison, en faisant un grand détour.

4

Il n'avait pas tardé à recouvrer toute sa confiance. La hardiesse en même temps lui était revenue. Peu à peu, il avait pris ses habitudes, des habitudes nouvelles, embellies d'imprévu, et qui étaient pourtant des habitudes. Il avait rencontré Berlaisier, Sarcelotte. Ils avaient causé, tous les trois; et maintenant Raboliot savait, sans une faute, ce qu'il pouvait oser et ce qu'il ne pouvait pas.

A condition qu'il observât une maîtrise de soi vigilante, il était libre de vivre sans tristesse, et même, s'il le méritait, avec joie. Car c'est une joie, se possédant pleinement, d'aventurer sa vie aux frontières du péril, ou bien, d'un vif élan calculé juste, de bondir soudain au travers, comme on franchit d'un saut, à la Saint-Jean d'été, les braises rouges des feux de joie.

Il savait aujourd'hui que Bourrel n'avait pas le droit de l'arrêter dans sa maison, que sa maison était inviolable. Une fois le soir, la nuit venue et sept heures sonnées, les routes mêmes lui étaient permises. Il pouvait, si ça lui chantait, entendre la messe à l'église ; et il ne s'en faisait pas faute, glorieux qu'on le vît et qu'on admirât sa crânerie. Sa bicyclette l'attendait à la porte, et il avait de bons jarrets.

Il savait bien, surtout, que les gens étaient avec lui dans cette joute qu'il menait contre la loi et les gendarmes. Presque toutes les maisons du village s'ouvriraient devant ses pas, au bon moment ; et la porte des fermes s'ouvrirait, ici ou là, dans les cantons de chasse où il recommencerait de travailler.

Il y avait eu des alertes : elles n'avaient fait que l'exciter, que l'affermir dans sa confiance et dans sa force. Un matin qu'il était dans sa maison, on avait frappé à l'huis. Et il avait dit à Sandrine : « Va voir qui c'est. » Elle n'osait pas, peu brave comme elle était. C'est justement pourquoi il lui avait répété : « Va voir. »

Elle avait tiré le vantail, doucement, et aussitôt pâli de crainte, avec un ou deux pas en arrière. Seigneur Dieu, c'était Bourrel ! Raboliot s'en était bien douté.

Il s'était approché sans bruit, pendant que Sandrine allait ouvrir. Il se tenait derrière la porte. Et la tête du gendarme apparut, joviale ; et il disait avec une feinte bonhomie :

— Je passais comme ça, la patronne... Ayez pas peur... Je suis venu pour causer un brin, en bon accord.

Mais ses regards fouinaient partout, et il avançait déjà la jambe.

— Qu'est-ce que tu veux ?

Oui, c'était Raboliot, tout à coup surgi devant lui, les bras croisés, ses yeux noirs plantés droit dans les yeux pâles du roussiau.

— Je suis chez moi, peut-être !

— J'y suis aussi, défia Bourrel, avec un geste de l'épaule, en biais, pour se couler entre Raboliot et Sandrine.

Mais Raboliot, d'une voix très calme :

— N'approche pas : je te refuse l'entrée.

Il avait bien dit ça, avec une dignité si merveilleusement jouée qu'elle ne prêtait pas à rire. Il ne claquait plus la porte, à présent. Il était trop maître de lui, et même, à dire vrai, s'amusait trop pour se laisser aller à la colère.

— A la prochaine fois, Bourrel ; sans rancune !

Dans le fond, il était resté gamin : quand on n'a guère plus de trente ans, malgré les cahots de la vie, malgré la guerre que l'on a faite, on sent monter en soi, certains jours, des poussées de jeunesse, des élans de gaîté plus vifs que des cabrioles. On ne cabriole pas, bien sûr, mais la gaîté vous brille aux yeux, y fait danser des étincelles. Et quand Bourrel s'en aperçoit, c'est lui qui frémit de colère. Et il serre les dents sans rien dire. Et il s'en va, montrant son dos boulu de muscles, qu'on devine sous le drap rêche contracté de mauvaise rancune.

— Tu as vu ? Tu as vu, Sandrine ?

Il faut qu'elle ne soit plus dolente, qu'elle prenne sa part de cette gaîté.

— Ils ne peuvent rien, je te dis, aussi longtemps que je me garde !

Mais Sandrine continue de voir les yeux pâles et méchants de Bourrel, son uniforme, son dos carré.

— Ah ! gémit-elle, combien de temps ça pourra-t-il durer ? Un jour ou l'autre, il faudra bien que tu y passes... Et moi, et les petits, qu'est-ce qu'on deviendra, je te demande ?

— Laisse donc, laisse donc, répond Raboliot. Ça durera longtemps, aussi longtemps que je voudrai. Je ne suis pas tout seul, Sandrine. J'ai des amis partout entre Sauldre et Beuvron : la place est grande pour travailler !

— Mais ceux-là qui t'en veulent, Raboliot ? Il y en a aussi, je pense.

Voilà comme est Sandrine, toujours tourmentée d'inquiétude, l'esprit toujours porté au noir. Même quand elle se tait, ses silences vous serrent la poitrine. Raboliot parle, pour tâcher d'échapper à cette étreinte obscure, et qui fait mal. Jamais Sandrine ne parle la première. Elle se contente de lui répondre, et toujours avec douceur, et toujours des choses qui découragent : alors pourquoi a-t-il parlé ? Il regrette à présent le silence de Sandrine. Et voici qu'elle se tait, et il voudrait l'entendre encore.

L'Edmond, le Léonard étaient à la « petite école », Sylvie, la dernière-née, presque toujours dormait dans sa berce. C'était trop *ch'ti*, ce monde, pour vous venir en aide. Et même le sommeil de Sylvie, ou ses sourires jaseurs sur les genoux de sa mère, ou son geste goulu vers le sein veiné de bleu — car elle tétait encore, la mâtine, à son âge ! — c'étaient des choses qui faisaient mal, qui serraient la poitrine comme les silences de Sandrine.

Il n'y a qu'un recours, qui est de s'en aller ailleurs, d'aller chercher ailleurs des raisons d'être joyeux, de réchauffer en soi cette ardeur qu'y éveille la lutte, cette fierté de beau joueur en quête d'applaudissements. C'était malheureux à dire : le seul endroit au monde où Raboliot se sentait mal à l'aise, c'était sa propre maison, c'était l'air où respiraient les créatures qu'il aimait le mieux. Encore des choses difficiles à comprendre, et pourtant vraies, comme la souffrance qu'elles apportaient.

— A la tienne, Berlaisier ! A la tienne, Sarcelotte !

On peut s'attabler chez Trochut, crânement, et choisir le jour du marché : ainsi toute la campagne vous voit et s'ébahit de votre audace.

— Une manille ? Un truc ?

— Une manille !

La salle de l'auberge était pleine. Les gros souliers, les sabots-bottes traînaient sur le parquet de sapin. Il pleuvinait, derrière les vitres voilées de rideaux blancs. Des flaques de boue rampaient sous les tables, où s'éteignaient les mégots, où giclaient les crachats des fumeurs de pipes.

— Héha! Boissinot! Malaterre!

Ils étaient venus aussi, ceux-là, de Malvaux et de Buzidan. Ils s'approchèrent de la table; la pluie dégoulinait aux bords de leurs grands feutres noirs.

— C'est toi? C'est toi? s'étonnèrent-ils.

— Comme tu vois, triompha Raboliot. On fait une manille, comme tu vois.

Il abattait ses cartes sur le tapis, cognant du poing, à chaque coup, entre les verres pleins de vin rouge. Un frémissement léger lui courait à fleur de peau. Il s'écria, avec un rire :

— Tu diras à Volat que tu m'as vu, hein? Que ça ne va pas trop mal... Comment qu'i'va, lui, Malcourtois?

Boissinot, Malaterre se penchèrent : il y avait bien du monde, dans l'auberge.

— Il est arrivé des choses... commença Boissinot.

— Les faisans d'élevage... continua Malaterre.

— Ben quoi? Ben quoi? Vous pouvez y aller, bon Dieu! On n'est que des amis, dans la cambuse!

Et il appela, en cognant plus fort sur la table :

— Ho! Bec-Salé! Un litre encore, avec deux verres! Et siésez-vous là, vous deux!

Boissinot, Malaterre s'assirent. Ils racontèrent :

— On a volé des faisans en volière, au Bois-Sabot, une bonne douzaine de poules, moitié autant de côs... Les poules n'étaient point trop vaillantes, des jeunes, et malades du bâille-bec. Mais les côs, vingt dieux les belles bêtes! Demande donc à Trochut, pour voir.

Le gros homme écarta les bras, pressa son cœur de ses deux mains :

— Moué? Moué? bredouilla-t-il.

— Ah! vieille ficelle!

Raboliot lui tapa sur le ventre : il ne lui en voulait plus, à Trochut. C'était un homme qui faisait son métier.

— Mais voilà, reprit Malaterre. Ça a fait du vilain, au Bois-Sabot! Quand le comte a su la nouvelle, il en a raconté long! Et il a demandé, au télégraphe, qu'on lui envoye des gars du Saint-Hubert.

92

— Ça s'pourrait même, dit Boissinot, qu'ils soyent déjà dans le pays.

— S'ils n'y sont pas, ils sont pas loin.

— On en a vu deux hier soir, à la gare. Ils sont descendus du traindevay, habillés en électriciens.

— Chez moi, dret le matin, j'ai eu deux gars à la maison. Ils m'ont demandé pour des mouches à miel, si j'avais pas des fois à leur en vendre : ça n'était pas les mêmes que d'habitude.

— Quand je m'en suis venu au bourg, sur les neuf heures, j'ai dépeint sur la route deux traîniers qui n'avaient pas bon air. Ils m'ont arœillé en passant... C'était au-dessus de l'Aubette, pas bien loin de chez toi, Raboliot.

Les voix se pressaient, les visages se rapprochaient. A la table où buvait Raboliot, ils étaient maintenant une dizaine. Ils surveillaient les autres tables avec des coups d'yeux en coin, et chuchotaient, tout affriandés de mystère :

— Regarde çui-là un peu, à gauche de la porte.

— Le vieux hottu [1] ?

— Çui-là, oui. Sûr et certain, sa barbe est fausse.

— Non da, je le connais ! C'est un homme de Tremblevif, un nommé Molland.

— Et çui qui entre... Taisez-vous, bon sang !

— C'est Boutonnet, allons ! fermier de Chantefin.

Peut-être l'avaient-ils reconnu tout de suite. Mais ils s'étaient plu, un instant, à le laisser dans le lointain étrange où sa silhouette se fondait, brouillée par la fumée des pipes, par la buée d'eau qui s'exhalait de toutes ces épaules humides.

« Les gars du Saint-Hubert sont au pays » : ces mots-là résonnaient dans la tête de Raboliot, ils y faisaient comme un bourdon de cloches. « Les gars du Saint-Hubert »... Qui donc ? Des inconnus, des gars qui passent, déguisés en pésans, en ouvriers, en travailleurs des bois. On ne sait pas quand ils sont arrivés, ni s'ils sont là, ni quand ils arriveront : ce sera la

1. Voûté.

nuit, en secret. Mais comment seront-ils camouflés ?
Et où se cacheront-ils le jour ? Dans quel château,
dans quel pailler de ferme, dans quel cul-de-loup,
dans quel taillis ? Les gars du Saint-Hubert... Cré bon
d'la, ça n'était guère drôle !

Raboliot eut conscience que toute son ardeur
s'éteignait, qu'il avait froid. Il avala son verre de vin
rouge, et se mit à crier à tue-tête :

— Je m'en fous ! Je m'en fous ! Et encore je m'en
fous ! C'est à moi qu'ils en ont, hein ? C'est bien moi
qu'ils veulent chauffer, pas vrai ?

— Dame, reconnut Boissinot. Ils ont dit que le
gars qui avait volé les faisans, tu devais le connaître
de près.

— Qui a dit ça ?

— Volat, donc.

— Et on l'a cru, dis, on l'a cru ?

Raboliot s'était dressé, soudain blême et les yeux
agrandis.

— Moi ? Moi ? balbutia-t-il.

Et sourdement, secouant la tête :

— J'ai point fait ça ! Ma grand'foi devant tous, j'ai
point fait ça.

Et il cracha, le bras tendu.

— Allons, garçon... intervint Malaterre.

Ils le regardaient, sans sourire. Mais on voyait
bien à leur air que tout au fond d'eux-mêmes ils
avaient prêté foi à ce qu'on leur avait dit.

— Tancogne l'a cru, toujours, fit Boissinot. Et le
comte aussi, je pense. Et ils t'ont donné aux Saint-
Hubert... Et on a vu Bourrel au Bois-Sabot, c'est sûr.
Il est déchaîné après toi : tu feras bien de te garder,
petit.

Raboliot, de ses deux mains, serrait le bord de la
table. Toujours très pâle, il ne faisait pas un mouvement ; mais deux des verres, qui se touchaient bord à
bord, tintaient sans trêve à grelottement léger.

— Ma grand'foi... recommença-t-il.

Il comprit brusquement que toutes ses protesta-
tions seraient vaines, encore heureux si elles ne lui

faisaient point de tort. Une grande lassitude l'accabla, la sensation d'être écrasé sous le poids d'un sort méchant. On le vit allonger le cou, à droite, à gauche, pousser du front ainsi qu'une bête qui va foncer. Et sa colère creva, roula son flot comme à la brèche d'une digue rompue.

— Ah! le menteur! Ah! le puant! Il a dit ça! Il m'a sali! J'en aurai ma vengeance, les hommes! Il regrettera de m'avoir barré, je vous le dis, il s'en mordra les poings, le mauvais! Et l'autre, le Bourrel, qu'il y vienne aussi, celui-là! La prison, les tribunaux, il en est tout glorieux, tout raidi! Qu'il y vienne, avec sa prison! Je ne les crains ni l'un ni l'autre, je me fous d'eux, je les rejette!... Et je m'en vas, tiens! Dret au-devant d'eux, le premier qui voudra s'y frotter! Ah! j'ai volé des faisans en volière? Ah! je suis un voleur? Est-ce qu'il est au pays, Malcourtois, aujourd'hui? Est-ce qu'il viendrait répéter ça ici?... Laissez-moi passer, vous autres, je vas le qu'ri! Laissez-moi, je vous dis! Je veux passer!

Ils le maintenaient, inquiets de sa colère, des éclats violents de sa voix. Dans la salle comble, on se levait, des visages se tendaient par-dessus des épaules. Le gros Trochut se précipita, la bouche ruisselante d'adjurations :

— Tais-toué, mon gars! Par bonne amitié, Raboliot... Par respect pour ma maison... Mais t'es pas fou? Mais tais-toué donc!

Et Boissinot, et Malaterre le rasseyaient presque de force. Et ils disaient, comme le gros Trochut :

— T'es pas fou, Raboliot? C'est-i' que tu es fou perdu?

C'était la vérité : il venait d'être fou perdu. Il se connaissait bien pour avoir le sang chaud, la crête rouge, tout de suite enclin aux « promptitudes ». Ça tombait vite, par exemple; et, quand c'était tombé, il en gardait un peu de honte. A quoi ça rimait-il, ces menaces dans le vide, ces coups de gueule contre des absents? Pareil train de paroles, c'est preuve de faiblesse bien souvent, et de crainte. Qu'est-ce que les autres allaient penser de lui ?... Humilié, mécontent de soi, il se raidit immédiatement, s'efforça de ne plus entendre ces chocs sifflants qui lui battaient aux tempes.

— Faut la justice, déclara-t-il enfin. On est ce qu'on est, mais faut la justice.

Ils prirent les cartes et recommencèrent la partie. Raboliot n'était guère au jeu. Entre chaque manche il se reprenait à parler, d'une voix qu'il voulait paisible, mais qui tremblait encore un peu.

— Ça n'est pas que je les craigne, disait-il. Depuis quinze jours qu'ils sont après moi, je leur en ai fait voir, du pays ! Avant-hier encore, le Bourrel a bien cassé son nez. Est-ce qu'il s'est vanté de l'affaire, au Bois-Sabot ?

Il en revenait à sourire, réconcilié avec lui-même :

— Comment, vous n'savez pas ? Tout le bourg en a rigolé. Il m'avait guetté des heures, dans la carrière en côté de chez nous. Il tombait de l'iau tel qu'à présent, il avait de la glaise fondue jusqu'aux fesses. Je l'ai bien vu quand j'ai rentré de chez le beau-père, sept heures passées, en fumant ma cigarette... Qu'est-ce qu'il a fait ? Il a couru prévenir M. Bergeron, le maire, de s'amener le lendemain au jour. Et tantôt lui, tantôt Boussu ou Dagouret, ils ont surveillé ma maison la nuit durant ; il y serait resté tout seul, acharné comme je le connais. Et toujours de l'iau, les gars, vous vous rappelez si ça tombait ! Ils avaient dressé un baquet en travers, et ils prenaient faction là-dedans, boulés comme un chien dans sa niche... Seulement moi, je ne me doutais pas qu'ils avaient prévenu le maire. Et quand M. Bergeron s'est amené, j'étais encore au lit, en bourgeois... Bon. Voilà qu'à l'habitude on cogne un coup contre la porte : c'était alentour de sept heures. Sandrine se lève, en chemise, et elle demande derrière le vantail : « Qui c'est qu'est là ? » Vingt dieux ! Voilà M. Bergeron qui répond : « C'est moi, Sandrine. Faut ouvrir. J'ai droit d'entrée. » Et c'était vrai. Et le Bourrel qui allonge ses histoires : « Au nom de la Loi... Réquisi-

96

tion... Force publique... » Le sang ne m'avait fait qu'un tour, j'étais debout. Sandrine s'était ensauvée près du lit, tremblante comme feuille. Je lui souffle : « Faut gagner ren qu'une minute. Réponds que tu vas leur ouvrir, le temps de passer un jupon... » Et elle leur dit. Pendant ce temps-là, j'empoigne mes drôles, tous les trois, et je les couche dans le grand lit. « Écoute, Sandrine, quand tu leur auras ouvri, tu retourneras près du lit des garçons, comme si tu y avais couché. » Et je me glisse sous la couette et la paillasse du grand lit, avec les trois drôles par-dessus. Ils sont entrés, M. Bergeron, les gendarmes. Ils ont fouiné partout, ouvert la maie, le bureau, regardé sous les lits, même retourné celui qui était vide. Quand ils sont arrivés au mien, ils n'ont même pas eu une doutance, devant les trois gamins mussés nez contre dos... Moi, j'avais chaud, mais j'étais bien tranquille, j'avais seulement peur que Sandrine se trahisse. Mais elle avait repris assurance. Elle les a conduits au grenier, dans la laiterie, partout... J'entendais le Bourrel qui répétait : « Il est icite, j'en suis sûr et certain. Il ne peut pas être ailleurs qu'icite. » Et je te fouine encore, reniflant comme un chien sur le pied. « Vous voyez bien que non, Bourrel, disait M. Bergeron. Faut vous rendre à l'évidence : il aura trouvé moyen de s'ensauver. » Combien de temps ça-t-i'duré ? Une bonne demi-heure pour le moins. Bon Dieu que j'avais chaud, les amis ! A moitié étouffé, mais content. Et quand ils sont partis, le Bourrel ben camaud, tu parles d'une séance de rire ! Sandrine elle-même ne pouvait pas s'en empêcher... A ta santé, mon vieux Bourrel ! Une fois qu'il a été sorti, je lui ai filé sous le nez pour le plaisir, aussitôt sauté sur mon vélo, à toutes pédales du côté du Beuvron. Et je me retournais de loin, en lui faisant au revoir avec la main. Ah ! mes gars, la gueule qu'il faisait !

Il se rengorgeait, Raboliot, sous les bourrades qui lui secouaient l'épaule, dans le tonnerre des rires qui roulaient autour de la table. Un orgueil lui était venu, une admiration de lui-même, du personnage qu'il jouait et que les autres admiraient. Mais il ne s'apercevait pas qu'il se guindait un peu plus chaque jour à l'image de ce héros factice, qu'il en était déjà le prisonnier.

Il se montrait dans le village. La nuit tombée, on le voyait traîner par les rues. Et il disait à qui le rencontrait : « Je m'en vas rendre sa politesse à Bourrel. » Il faisait les cent pas devant la gendarmerie, fumait sa cigarette en attendant le retour des gendarmes, et, quand ils revenaient, achevée leur tournée du jour, il leur tirait courtoisement sa casquette, en se plaçant exprès dans la lumière d'une boutique.

— Allons, Aïcha ! Fais ton salut.

Il avait bien dressé la noire. Chaque fois maintenant qu'elle apercevait un gendarme, elle levait une patte à la façon des mâles : il y avait des gens qui suivaient Raboliot pour voir ça.

Il se montrait aussi sur les routes, poussant son vélo à la main. Et toujours Aïcha marchait sur ses talons. Et elle prenait le trot dans sa roue, sans un ordre, si Raboliot sautait en selle à la vue d'un képi bleu. Cette petite bête, bonnes gens, elle était espritée autant qu'une personne naturelle.

Et Raboliot, encore, retourna vers la Sauvagère, rôda par les bois de Bouchebrand. Entre tous les cantons de chasse, celui-là l'appelait d'un attrait invincible. Il souhaitait et craignait à la fois de rencontrer le grand Volat. Souvent, tapi dans un buisson de ronces, il regardait la masure affaissée, et le vieux merisier dont les branches éraflaient le toit. Et des envies l'empoignaient tout à coup de se lever, de crier à découvert : « Hé ! Malcourtois ! Je suis là ! Si on causait un peu, tous les deux... »

A la Sauvagère, il avait vu Tasie sur le bord de l'étang, et il s'était montré, de loin, en agitant le bras au-dessus de sa tête. Elle l'avait bien reconnu, Tasie. Raboliot avait distingué ses dents blanches, découvertes dans un rire d'amitié... Et la Flora ? Qu'est-ce qu'elle devenait, celle-là ? Elle en avait des yeux, la coquine! Est-ce que Sandrine avait cette gaîté, ce feu au corps qui vous brûlait à l'approcher?

Raboliot revenait chaque jour, ne sachant trop ce qu'il cherchait, mais audacieux à se montrer, menant sa ronde autour d'un péril imprécis, de plus en plus serrant sa ronde comme une phalène autour de la lanterne, une nuit de chasse. Tant à la fin qu'un soir, dans les bois de la Sauvagère, Tournefier le joignit au tournant d'un sentier d'agrainage. Il avait son fusil à l'épaule, et dans la main un sac de jute où soubresautait quelque chose, probablement une poule faisane trouvée captive en visitant ses mues. Raboliot s'était arrêté court avec Aïcha dans ses jambes, un pied en l'air, prêt à la fuite. Mais il n'éprouva point de surprise, au signe que Tournefier lui fit tout à coup d'approcher.

Le garde semblait mal à l'aise. Des deux hommes, c'était lui qu'on aurait cru fugitif et traqué.

— Salut, Firmin! dit Raboliot.

Mais Tournefier, très vite, avec des regards en tous sens :

— Fous le camp, Raboliot! Et ne reviens pas de longtemps. Je voulais te le dire une fois, en bon accord, avant qu'il soit trop tard : va-t'en traîner tes guêtres loin d'ici, le plus loin que tu pourras...

Il était rouge, Tournefier. Il parlait d'une voix essoufflée, pressante, avec toujours ses regards tourmentés.

— Je ne devrais pas te le dire, allons... C'est un coup à perdre ma place... Si des fois on nous avait vus... Et tu amènes ta chienne, encore!

Raboliot eut un rire fanfaron, un de ces rires qu'il avait à présent :

— Ici? Qui donc pourrait nous voir? La caillasse qui craille là-haut? Méfie-toi! Elle s'envole vers le Bois-Sabot. Elle va rapporter à Tancogne qu'elle nous a vus frayer ensemble.

Mais Tournefier devint plus grave, et sa voix baissa davantage :

— Garde-toi, Raboliot, je te le dis... Il y en a qui sont après ta peau, il y en a...

Et Raboliot, haussant les épaules :

— Je te les nommerai bien, ceux-là, toute la liste sans une faute : Malcourtois, Bourrel, Tancogne... C'est-i ça ? Les gars du Saint-Hubert, que tu dis ? Je sais leurs noms, en attendant d'apprendre leurs figures : Lépinglard, Piteveau, qu'ils s'appellent... C'est-i ça ?

Tournefier regardait Raboliot avec des yeux tout drôles, où se devinaient sa stupeur à le voir ainsi changé, et sa réprobation, et peut-être sa pitié. Il allongea le bras vers lui, le poussa en arrière, sans violence :

— Fous le camp, je te dis ! C'est trop causé déjà.

Et, tandis qu'il poussait Raboliot, ses yeux se faisaient suppliants, et sa voix toujours basse prenait une troublante puissance :

— L'air est malsaine ici, dangereuse à respirer. Il y a ceux que tu as dit. Et autre chose. Je ne sais pas moi-même, c'est à croire que les arbres ont des yeux... Ah ! va-t'en, Raboliot, va-t'en vite ! Il y en a lourd sur ta tête ! Si j'étais à ta place, cent bons dieux ! Je ne la lèverais pas si haut.

Tournefier fit soudain demi-tour et fila raide par le sentier. Au bout de quelques pas, Raboliot le vit prendre sa course : pas possible ? C'était lui qui se sauvait !

Il essaya de rire encore. Mais personne n'était là pour le voir et le cœur soudain lui manqua. Une gêne s'insinuait dans son être, une espèce de clarté glacée. Il lui semblait que s'en allaient de lui, une à une, les guenilles éclatantes qu'il exhibait aux yeux des gens, qu'il était nu, chétif et malheureux.

— Aïcha !

Il se pencha vers la petite chienne, d'un geste tendre et familier lui prit la tête dans ses mains. Et il plongeait ses yeux au fond des prunelles rousses, transparentes de tiède amitié, comme pour leur demander un conseil et un recours.

— Qu'est-ce qu'il a voulu dire, Firmin ?

Ça n'était pas une femme, Tournefier, mais un

gaillard de bon jugement, un homme solide et bien résous. De l'avoir vu ainsi troublé, Raboliot demeurait perclus. Sans même s'en être aperçu il avait quitté le sentier, et par un taillis de bouleaux regagnait la route de l'Aubette ; son vélo l'attendait par là, dissimulé dans un roncier.

— Ah ! laisse donc ! On verra toujours !

Mais il pressait le pas, d'instinct, comme si des regards l'eussent suivi en effet, dardés d'ici et puis de là, on ne savait de quel côté entre les petits arbres blancs. Les bouleaux étaient très serrés : ils se haussaient d'un jet vertical, jaillissaient comme des fusées grêles vers la lumière d'un ciel blafard. Raboliot à présent courait presque, dans une hâte d'être ailleurs, hors de ce taillis grelottant, de ne plus entendre alentour ces crépitements menus et furtifs, comme de brindilles brisées au passage d'un être vivant. Une branche craqua, un peu plus fort. Il s'arrêta tout net, se retourna, se frotta les yeux : décidément il avait la berlue ! Rien ni personne ne remuait plus à la place où il avait cru voir... Mais qu'est-ce qu'il avait cru voir ? C'était de couleur sombre, cela flottait comme une fumée, ou se traînait à ras de terre, il n'avait pu bien distinguer. Un vertige léger balançait les bouleaux trop pâles, toutes ces écorces plus blanches que des linges ; un écœurement presque physique en venait à Raboliot. Par hasard, il abaissa les yeux vers sa chienne, et il la vit qui hérissait le poil, qui troussait les babines en grondant à fond de gorge. Elle aussi, alors ? Devant eux retentirent encore les mêmes crépitements furtifs, qui s'éloignaient, qui faiblissaient. Une queue de vent, sur leurs têtes, fit cliqueter doucement les ramilles.

— Allons, Aïcha !

Tant qu'il fut dans le bois taillis, il continua de parler à la noire. Cela lui redonnait confiance d'entendre le son de sa voix.

— On s'en va, oui, pour le quart d'heure. Mais on verra plus tard, on reviendra, n'est-ce pas ma belle ?

Et peu à peu les petits arbres se clairsemèrent. De grandes loques de ciel mauve pâlirent sur l'horizon des champs, assombris davantage, sous ce mauve triste de la nuée, par une mince ligne de clarté soufreuse. Les étangs de Chanteloup, d'Hardillat, du Gué de la Guette la reflétaient de l'un à l'autre, la prolongeaient, horizontale, au miroir de leurs eaux immobiles.

C'était le soir. La route mouillée de pluie paraissait violette, trouée de flaques livides et pures. Un silence endolori s'alanguissait par l'étendue.

Hors du roncier où il l'avait cachée, Raboliot tira sa bicyclette. Et il gagna la route, à pas pesants et la tête basse, vers un maigre buisson qui bordait le fossé. Ce fut à ce moment que la chose arriva. Une voix cria :

— A nous deux, mon gaillard !

Cette voix, vibrante, l'avait frappé en plein visage. Surgi hors du buisson, Bourrel se tenait devant lui. Raboliot vit qu'il était seul. Il crocheta, son vélo à l'épaule, vira sèchement, avec assez d'adresse pour que la roue arrière heurtât Bourrel au ventre, le fît chanceler une seconde : et déjà il était en selle, poussait à fond sur les pédales, le visage fouetté d'air vif.

Il ne se rendit pas compte tout de suite. Très vite pourtant il eut conscience qu'il était seul, sans le trot d'Aïcha près de lui. Et dans l'instant, il se souvint d'un claquement qu'il venait d'entendre, pareil au choc d'un marteau sur une planche. Pédalant toujours, il regarda par-dessus son épaule et vit Bourrel debout sur la route. Le gendarme, la tête un peu penchée, regardait à ses pieds une petite masse sombre et velue. Le revolver qu'il tenait au poing étirait encore dans le soir un fil de fumée bleuâtre, paresseux à se dissoudre.

Parce qu'on a dans sa maison une femme et trois petits, il faut bien se remettre au travail. On travaille seul, avec une méfiance farouche. On fuit les hommes dont on a le dégoût. A se sentir épié sans trêve, harcelé, où qu'on aille, d'une surveillance mystérieuse et tenace, on confond ceux qui vous haïssent dans la même rancœur révoltée, on ne connaît même plus ses ennemis. La seule compagne qu'on avait, un gendarme l'a tuée d'une balle de revolver, dans votre dos, par traîtrise méchante. On ne garde plus d'elle que la vision d'une petite chose noire qui tache une route aux pieds de son assassin.

Boissinot ? Malaterre ? Ils avaient leur maison, leurs champs, et leur gibier aussi, dont ils devaient être jaloux. Mais Sarcelotte ? Mais Berlaisier ? Est-ce qu'on savait ? Il y a dans chaque homme un être qui se cache, que personne ne peut découvrir, pas même l'homme qui le cache en soi. Raboliot, à de certaines heures, avait l'angoisse et la crainte de lui-même : « De quoi est-ce que je suis capable, allons ? »

Touraille, il s'en apercevait, ne l'accueillait plus qu'à contre cœur. Le vieux ne lui faisait pas de reproches, pas encore, mais il multipliait les conseils : « Change de commune, si tu es trop guetté chez nous... N'as-tu pas ton vélo, de bonnes jambes ? On fait du chemin dans une nuit ! » De paroles, Touraille n'était jamais avare.

Raboliot n'avait plus qu'une maison, la sienne ; dans sa maison une Sandrine pâle et triste, pliant d'avance la nuque à tous les coups, et trois drôles qui tendaient le bec, qui n'avaient pas la gale aux dents. Sandrine, chez M. Bergeron, faisait deux heures de ménage chaque matin : et voilà que c'était fini. Le maire en avait pris une autre, en disant à Sandrine qu'il lui trouvait petite mine, qu'elle avait besoin de repos. Ces quarante sous de tous les jours étaient partis.

Il y avait bien une autre maison, au pays; deux petites chambres, où il ne faisait guère chaud. La vieille Montaine, sûrement, n'aurait rien reproché à son fils. C'était son fils qui se tenait loin d'elle à cause d'un souvenir ancien, de ce père braconnier qui était mort à la prison, pour un coup de talon qu'un homme du Saint-Hubert lui avait donné dans le ventre : la pauvre vieille, elle en avait assez lourd à porter !

Les journées se suivaient, mauvaises. Le pire de tout, peut-être, c'était cette menace imprécise qui traquait Raboliot partout, qu'il traînait nuit et jour, collée à lui. Des rages le secouaient souvent à ne pouvoir l'affronter en face, la camper devant lui, comme un être dont on mesure la force avant de l'étreindre à pleins muscles. Souvent aussi une détresse l'amollissait, un renoncement affreux qui coulait en lui comme de l'eau. Quand Bourrel avait tué Aïcha, une fois tombé le premier bouillonnement de colère, il avait dit avec tristesse : « Est-ce que Bourrel va m'arrêter, parce qu'il a tué Aïcha ? »

Heureusement pour lui, ses sens ne renonçaient jamais. Ils continuaient leur veille attentive, ils le servaient avec une merveilleuse fidélité. Mais à quoi bon ? Tous les avertissements qu'ils lui donnaient, c'était pour l'empêcher d'agir. L'ennemi était partout. Quelquefois il avait le visage de Bourrel, et quelquefois celui de Malcourtois. Ou bien c'était un vieil homme voûté qui portait une toque de fourrure, qui toussotait en mâchant des pastilles. Et plus souvent c'était une foule changeante où passaient des silhouettes connues, les jambes arquées du comte de Remilleret, les joues sanguines de Tourne-fier et la bedaine de Trochut. Même, il y avait des instants où cette foule menait sarabande, entraînant avec elle des gens que Raboliot était surpris d'y voir, et triste. Il se disait : « Même Tasie, alors ?... Et toi aussi, mon gars Sarcelotte ? et voilà Boissinot, Mala-terre, et je m'y attendais un peu... Pourquoi pas toi aussi, Berlaisier ? » Et Berlaisier paraissait comme les autres avec son visage de bonne pâte, son encolure de bœuf, ses mains énormes. Raboliot ne pouvait pas savoir qu'il provoquait lui-même toute cette troupe à le cerner, que ces gens qui semblaient accourir, c'était lui, Raboliot, qui s'élançait au-devant d'eux, les poursuivait, chacun, d'une ardente investigation.

Qui encore?... Il y avait les gars du Saint-Hubert. Chaque passant inconnu était d'avance un ennemi. Des visages aperçus à peine, il ne se rappelait ni où ni quand, il les retrouvait tout à coup dans sa tête, il les mêlait à la procession. Mais qui?... Mais qui? Ce Bourrel, ce Volat détestés, il leur savait presque gré à présent de les connaître pour les malfaisants qu'ils étaient. Car il y en avait toujours d'autres, qui pouvaient être au loin cette fine silhouette de laboureur penché sur les mancherons de sa charrue, ou ce vieux qui tournait le dos, écorçant dans une taille des billes de pins maritimes, ou l'homme qui avait laissé là cette bicyclette toute seule, avec une gibecière au guidon et le goulot d'un litre dépassant.

Quels autres? Est-ce que c'étaient des gens? Ou bien une force maligne, un esprit tourmenteur, surnaturel? A la longue, une crainte superstitieuse se faisait jour en Raboliot, le rejetait aux épouvantes ancestrales. Alors il se raillait lui-même. Il repuisait courage dans la violence même de sa crainte : si l'on voit une birette la nuit, son grand linceul où tremble une lumière, on peut la dominer en lui sautant bravement sur les épaules. Il le ferait, nom d'un diable! Il ne se laisserait pas noyer!

Quand il rôdait, la nuit, par les landes de la Sauvagère, le fusil prêt ou des collets à la ceinture, il percevait obscurément, mais d'une intuition décisive, l'imminence de la menace. Avait-il aperçu, entendu quelque chose? Il n'aurait pas su dire si c'était un frémissement de feuilles, un grattement d'étoffe accrochée par une ronce : la menace était là, il le sentait, et qu'il ne pourrait pas cette nuit faire claquer les cartouches, ni lever les collets tendus, à la bougie, avant que l'aube ne parût.

Toutes les nuits c'était pareil. Et dans le jour aussi, bien souvent, un souffle froid à fleur de peau, un léger tressaillement du poil tout à coup le mettaient sur ses gardes. Et toujours rien, pas un vrai bruit, pas une ombre devant ses yeux... Ou si, peut-être, comme le soir où Bourrel avait tué Aïcha : une ombre à peine, une sorte de fumée qui flottait entre les branches, qui glissait au ras des broussailles.

Est-ce que cette vie allait durer longtemps ? Est-ce que ça l'amusait de rentrer chez lui les mains vides, de s'y bauger d'interminables heures en attendant une occasion qui bien sûr ne viendrait jamais, puisqu'il allait, dès la sortie prochaine, renifler le péril et se sauver encore ? Est-ce que décidément il était incapable d'en finir ?

Une nuit de lune brouillée, il saisit son fusil, mit dans sa poche une douzaine de cartouches et monta vers la Sauvagère.

C'était une belle nuit de perché, baignée d'une clarté diffuse, ruisselante d'une pluie fine et molle, presque tiède. Il allait arpenter la grande plaine de Buzidan et visiter l'un après l'autre ses quatre chênes solitaires : pas un, sûrement, qui ne portât dans sa ramure cinq ou six faisans endormis.

Il avait chaud, à cause de cette pluie douce. Son cerveau fermentait d'images, et son cœur lui poussait le sang dans tout le corps, à battements appuyés, réguliers, fiévreux à peine.

Il allait vers les petits chênes et les voyait avant de les avoir atteints, tassés sur la lande pâle et nue. Il marcherait droit vers eux, à découvert, il lèverait le nez vers leurs branches, et tirerait sur les boules de plumes qu'elles portaient comme de gros fruits. Dans sa poche il tâtait ses cartouches : elles étaient légères à ses doigts, chargées seulement à demi-mesure de poudre pour détoner moins fort et moins abîmer les faisans. Mais aurait-il dû, cette nuit, brûler des cartouches à pleine charge, il aurait tiré quand même, il s'en était fait le serment.

Il atteignit le faîte de Buzidan et découvrit la

plaine laiteuse, trempée de lune mouillée, où les chênes courts de pied arrondissaient bas leur ramure. Ils émergeaient du lac lunaire, pareils à des îlots bombés. Raboliot les regardait, content de les voir entourés de cette étendue dépouillée, de cette clarté largement étale. Et une pensée qu'il agitait obscurément s'illumina tout à coup en lui-même, à l'image loyale de la plaine : « On me verra tout clair, là-dedans... Mais peut-être que je verrai aussi. » Et il descendit vers les chênes.

Il traversa un labour sablonneux, puis un champ aplani au rouleau, net comme une table de billard. Il ne se cachait pas, il marchait d'un pas vif, sans courir ; il offrait sa forme d'homme aussi visible de toute part, se tendait en appât à l'ennemi. Quand il atteignit la breumaille, il continua d'aller tout droit, sans presser ni ralentir l'allure. Mais il perçut avec plus de force cette chaleur qui l'accompagnait, allégeait tout son corps et affinait ses sens. Ce fut comme si son être se creusait, en marge de ses pas, en marge du coup d'épaule qu'il inclina pour faire glisser la bretelle de son arme : une sensation d'attente, de vide tiède et tendu, déjà sonore. Les bruyères qu'il frôlait en marchant faisaient contre ses jambes un bruit râpeux et bien rythmé. Avec le murmure de la pluie — un grésillement de gravier fin à travers les touffes fanées — c'était tout ce qu'il entendait. De loin en loin les bruyères s'écartaient et laissaient voir entre elles des flaques de sable blanchoyantes.

Il fut bientôt au premier chêne, et s'arrêta. Les faisans dormaient sur les branches, perchés si bas qu'en avançant encore un peu, il les aurait touchés, semblait-il, de la main. L'égouttis de la pluie enveloppait leur sommeil, ils n'avaient pas entendu les espadrilles du braconnier. La tête dressée, il les compta : ils étaient cinq, bien détachés sur le ciel pâle. Il contourna le chêne avec d'infinies précautions, cherchant la place où il les verrait mieux encore, groupés plus serrés dans un clair, et souleva doucement son fusil vers son épaule. La crosse touchait déjà sa joue, quand éclata en lui la certitude de n'être plus seul : la menace approchait, quelque part, et déjà elle était sur lui. Il ne fit pas un mouvement, le canon du fusil toujours pointé vers les faisans comme s'il allait lâcher le coup. Mais il ne tira pas. Il écouta intensément.

Cela s'approchait vers la gauche, un froissement long dans les bruyères à travers le grésillement des gouttes, et peut-être cette ombre fumeuse qu'il avait cru d'autres nuits entrevoir, qu'il entrevoyait à cette heure sans qu'il eût remué davantage, qu'il pressentait à son côté, tournant les yeux, au bord extrême de son champ visuel. Et cela s'arrêta, se confondit avec les bruyères sombres. Et il y eut un bond de Raboliot, son fusil jeté derrière lui, une chute violente de tout son corps rué en avant, et contre son visage un cri douloureux et aigu, une plainte folle qui le bouleversa.

— Pauver' piaule ! Je t'ai fait mal.

Elle s'était effondrée sous son poids, pliant comme une herbe fauchée. Les mains de l'homme, déjà dénouées, sentaient encore la minceur frêle des épaules qu'elles avaient meurtries. Dans la clarté lunaire, il distinguait de grands yeux sombres, pleins d'une détresse animale et poignante.

Il la souleva, contractée de terreur, la maintint devant lui toute proche, les doigts fermés autour des poignets grêles :

— Qui c'est, celui qui te lance contre moi ?

Elle se taisait, avec des soubresauts nerveux, si raides que Raboliot dut serrer les doigts davantage.

— Je ne te ferai plus de mal. Mais tu vois bien, allons, qu'il faut parler !

Il ajouta, la voix plus rude :

— Si tu appelles, je t'emmène avec moi.

— Appeler ? dit-elle. Bouchebrand est loin.

— C'est donc Volat qui t'envoyait ?

— Oui.

Au frémissement des doigts qui la serraient, elle

perçut la colère de l'homme, et devina d'instinct quelle haine le possédait. Elle dit alors, sans plus lutter :

— Pas la peine de me tenir : je vous raconterai ben sans ça.

— C'est toi, la drôline de Bouchebrand ? C'est toi, Souris, la poque [1] à la Flora ?

Il comprenait déjà presque tout. Une pitié lui venait au cœur devant ce dérisoire ennemi, ce bout de fillette maigrichonne, mouillée de pluie sous ses guenilles. Arriéze ! Il s'était élancé à pleine force, les dents serrées, les poings tendus : et il avait rencontré ça ! Le souvenir lui revenait de toutes ses angoisses passées, de toutes les chasses qu'il n'avait pas faites, de toutes les bêtes qu'il n'avait pas tuées. Quelles mauvaises heures à la maison, Sandrine toute pâle et silencieuse, les enfants mal nourris qui déjà criaient la faim, et sa révolte à lui, ses renoncements, ses peurs, ses humiliations, ses colères !

Et tant de peine à cause de ça, de ce grillon noiraud, de cette gale de rien du tout ! Que ne l'avait-il calottée jusqu'au sang, la vicieuse !... Mais en même temps qu'il songeait à ces choses, sa pitié grandissait devant la faiblesse de Souris, devant sa présence fragile.

— Pauver' piaule ! dit-il encore.

La sale bête, c'était l'autre, le Malcourtois, le grand Volat. Raboliot le pensait si fort qu'il s'écria sans le vouloir, à voix très haute :

— Ah ! le mauvais !

— Pour sûr, dit la Souris.

Elle était tout à fait rassurée, si joyeuse de l'être qu'elle en était à peu près ivre. Et elle parla, et elle en dit long : toutes ses courses furtives derrière le braconnier, depuis les jours de pêche aux étangs, depuis la nuit où il avait porté les lapins chez Trochut... Le soir où il avait colleté, c'était elle qui l'avait trahi [2],

---

1. Fille.
2. Découvert, surpris.

cherchant ses places au bois de la Sauvagère, elle qui l'avait dénoncé à Volat, à monsieur Tancogne. Et c'était à cause d'elle que Tournefier l'avait pris, qu'il lui avait flanqué un procès... Pourquoi elle avait fait ça? On lui avait dit de le faire, on lui avait promis que Volat ne la battrait plus. Et puis ça l'amusait, pour tout dire, ça lui était un plaisir d'épier ainsi sans être vue, de se couler dans les broussailles, de se jeter à terre tout à coup, de se coller contre le tronc d'un arbre ou de grimper lestement dans ses branches. Bien des nuits, quand Raboliot traînait au bois, elle était perchée sur sa tête, « capie » au joint de deux grosses branches; elle le voyait sans qu'il la vît, et elle en était toute brûlante. Et quelle joie, encore, de se laisser glisser au sol, de reprendre le pied derrière lui, rampant, se faufilant, sans un bruit! Et ces battements brusques du cœur, quand il se retournait, en alerte!

Il regardait Delphine, tout remué. Il l'admirait pour la si bien comprendre: c'était un maître jeu qu'elle avait mené là! Si ch'tite, et si pleine de malice! A présent qu'il savait, qu'il l'avait trahie à son tour et qu'il ne la redoutait plus, il n'avait pour elle qu'indulgence.

— Et si des fois, comme ça, je t'avais envoyé du plomb?

Elle eut un petit geste insouciant:

— Pas de danger! Je suis tellement peu grosse...

— Et si des fois tu recommences, dis donc?

Ses yeux brillèrent, elle secoua violemment la tête:

— Je les aime pas. C'est des menteurs. Il m'a battue encore, Volat.

— Et moi? demanda Raboliot.

— J'aime mieux vous... Oh! c'est pas pareil.

Elle eut vers lui un geste d'abandon — la tête penchée, la hanche appuyée contre lui — si féminin qu'il en fut troublé: cette drôline! C'était bien la fille de sa mère...

Et elle parla encore, contre ceux qui l'avaient

envoyée, contre Volat surtout, avec une rancune forcenée :

— Ah! pour sûr que j'en sais! Il se cache ben
serré, il est rudement subtil, mais moi j'ai tout appris
quand même!

Elle ajouta, un peu obscurément :

— Pourquoi que je saurais voir clair seulement
quand ils veulent que je voye?

Raboliot l'écouta longtemps, et il n'eut rien de
mieux à faire. Par intervalles, une secousse de joie
retenue le parcourait, et il murmurait à bouche
close : « Bien... Bien... Ça va bien, mon garçon. »
Quand Delphine eut enfin achevé, il eut envie de la
soulever vers lui, d'embrasser son étroit visage à travers ses cheveux mêlés. Il n'osa point le faire, para-
lysé par une inexplicable gêne, mais il lui dit avec
douceur :

— Donne ta menitte.

L'enfant abandonna sa main. Ils marchèrent, l'un
près de l'autre, vers la grande allée de Malvaux. Et,
dès qu'ils l'eurent atteinte, arrêtés sous un épicéa de
bordure :

— On se reverra? dit Raboliot.

Elle se pressa de nouveau contre lui. Et il lui chuchotait, de tout près, ses volontés :

— Tu vas t'en aller à Bouchebrand, puisque c'est
là-bas qu'ils t'attendent. Tu leur diras que tu m'as vu
par icite, de l'autre côté de Malvaux, à toucher le
pont du canal...

— Et vous irez par là? dit Delphine, montrant au
nord, à l'opposé, la grande plaine qu'ils venaient de
quitter.

Elle riait, complice, toute à la griserie du jeu :

— On a fait ensauver les faisans dans un chêne.
Mais il en reste encore, dans les trois autres...

— Ah! chenille! dit Raboliot.

Il riait aussi, intimidé quoi qu'il en eût par l'astuce
de la gamine.

— Et où ça qu'on se reverra? demanda-t-il.

— Eh! n'importe pas où! Je saurai ben vous retrouver encore...

Elle se coula dans le fossé. Rêveur un peu, Raboliot la regarda disparaître : une petite forme sombre, une fumée silencieuse, et elle n'était plus là.

TROISIÈME PARTIE

1

Un homme qui fut bien étonné, le lendemain, ce fut le comte de Remilleret. Il était descendu de sa maison du Bois-Sabot vers les étangs de la Patte d'Oie, pour une promenade matinale : une habitude à laquelle il tenait, féru d'hygiène, soucieux de se tenir en forme, maintenant que la soixantaine approchait, avec ses crises de goutte et ses menaces d'artério-sclérose.

L'aube avait laissé aux branches, aux aiguilles des sapins, aux mailles des clôtures grillagées, de fines arabesques de givre. C'était au haut des arbres, là où s'affirment les ramilles, que c'était le plus joli. Le ciel, tout à l'heure plombé, semblait monter de minute en minute. Il y eut un instant où les cimes givrées des arbres se fondirent dans sa blancheur, et puis elles furent blanches de nouveau, et brillantes, à cause du bleu tout frais qui s'éployait là-haut.

M. de Remilleret allait bon pas, attentif à bien respirer, à baigner jusqu'au fond ses bronches d'un air salubre et vivifiant, de temps en temps fléchissant les genoux pour en éprouver la souplesse. Le souffle qu'il expirait s'en allait en buée légère : le froid accentuait, à ses joues, un lacis de veinules violettes.

Il ne pensait à rien, tout au plaisir de sa promenade. Un regain de jeune force le tonifiait de bonne humeur, un sentiment de vif bien-être qu'une phrase à haute voix formula : « Allons, je ne suis pas trop décati. »

Et le soleil sourdait de tout l'espace, un soleil neuf de nouvel an. Les étangs étaient bleus dans leur ceinture de roseaux jaunis. A chaque instant, une pendeloque de givre qui fondait se détachait avec un froissement soyeux : c'était partout un frémissement pressé, une alacrité des choses où déjà tressaillait le printemps.

A la Patte d'Oie, où trois allées s'écartent en éventail, M. de Remilleret prit au milieu celle qui monte vers Buzidan. Le soleil était derrière lui et son ombre allait devant, glissait doux sur les mottes de sable, sur les touffes de bruyère où la rosée scintillait à mille gouttes.

Il s'attarda, une minute, à la queue de l'étang de Bouchebrand. La nappe d'eau fuyait d'une coulée pleine, admirablement lisse et pure. L'eau noire, ce matin-là, était radieuse d'un grand reflet de ciel qui débordait sur les images des arbres, les dissolvait dans sa fraîcheur. A l'autre bout, sur un fond de prés vert, la masure de Volat se laissait entrevoir, blondie par la lumière et d'apparence presque aimable ; la ramure du vieux merisier reposait sur son toit comme une nuée.

Le comte allait poursuivre sa promenade, quand il aperçut devant lui, sorti du fourré broussailleux, un homme de petite taille, noir de moustaches et de prunelles. Il ne le reconnut pas sur-le-champ, tant la rencontre était pour lui inconcevable. Il y avait aussi cette barbe de quinze jours qui charbonnait le menton et les joues, ces feuilles mortes collées aux épaules, et cet aspect sauvage qui vous sautait aux yeux.

Mais l'homme retira sa casquette, et M. de Remilleret eut un haut-le-corps.

— Par exemple ! Voilà un fier toupet !

— Monsieur le comte, dit Raboliot, avec votre permittance, j'aurais deux mots à vous causer.

De stupéfaction grandissante, le châtelain demeurait pantois. Il se croisait les bras, très digne, toisait le gars du haut de sa tête ; mais il restait à court de phrases et ne trouvait à répéter que deux ou trois maigres paroles :

— Celle-ci est raide !... Fier toupet... Intolérable.

A cause de quoi Raboliot put nouer le fil de son discours et le dérouler tout du long :

— On m'a sali, commença-t-il. On a dit que j'étais un voleur, que j'avais pris vos faisans en parquet. C'est des menteries. Et les menteux, ce sont ceux-là qui m'ont jeté la honte pour écarter la méfiance de leur tête. L'homme qui a volé vos faisans, c'est le gars de Bouchebrand, c'est Volat.

M. de Remilleret sourit, comme quelqu'un qui en sait long. Et Raboliot, devant ce sourire :

— Attendez voir, monsieur le comte... Je me doute ben, pardi, qu'ils ont su se garder. Ils sont malins, ils se soutiennent, et moi je suis tout seul contre eux. C'est pour ça justement que j'ai voulu vous causer...

Le braconnier parlait sans violence, avec une simplicité résolue. Il regardait le comte bien droit, mais il n'y avait dans ses yeux nulle bravade, rien qu'une clarté sincère et qui en imposait. M. de Remilleret avait le cœur honnête. Il domina sa méfiance première et laissa Raboliot parler, sans l'interrompre.

— Comment j'ai su tout ça, je ne m'en vas pas vous le dire : fallait que je le sache pour me défendre, pour les barrer comme je pourrais... Monsieur le comte, d'un bout à l'autre, vous êtes trompé, volé, tellement que c'est une dégoûtation. Voilà cinq ans que le Volat braconne sur vous, pas seulement au petit collet comme nous tous, mais au panneau, monsieur, au filet ! Il en a deux chez lui, un de cent mètres, et un autre qu'il vient de finir à travailler dans son guernier, et qui en a ben cent cinquante... C'est qu'il a pris hardiesse, allez ! Il se sent soutenu, protégé. Et par qui ? Par votre fermier général, pas moins, par M. Tancogne...

» Vous ne me créyez pas ? Je m'en doutais. Mais renseignez-vous tout doucement, et peut-être que vous me crérez. Si M. Tancogne n'avait point partie liée avec lui, est-ce qu'il garderait sur vos terres un destructeur d'une pareille volée ? Il est le chef, et Volat son vaque-à-tout.

» Et puisque le chef donne l'exemple, c'est la danse d'un bout à l'autre ; vos métayers, ils vous volent. Je braconne ? Et eux, donc ! Des meusses [1] sous les fils de fer, c'est vite fait ; et les lapins y passent, entrent dans le champ et dévorent leur soûl. Boucher les meusses, ça n'est pas plus malaisé que de les ouvrir. Les lapins une fois enfermés, les gars s'amènent avec leurs chiens, font leur récolte de poil à nuit ; et quand arrive le jour, vous les voyez pleurer leur avoine et leur blé, crailler aux dégâts de gibier. Vous les avez nourris, et faut encore que vous payiez : c'est des malins qui cueillent des deux mains.

» Ils ont des trucs, monsieur le comte, que vous ne vous doutez même pas. Je vous causerais deux heures d'affilée, je ne pourrais pas tout vous dire. Vos gardes, tenez... Voilà du monde honnête, et qui ne font pas grand mal. Non da ! Pas plus que tous les autres gardes ! C'est ben leur droit, pas vrai, de laisser repeupler les fauves, au printemps, autant dire d'élever sur votre chasse les putois, les renards et les fouines : la fourrure est plus belle en hiver, et donc plus chère ; tant plus qu'il y a de bêtes puantes, tant plus aussi de fourrures à vendre ; ça rapporte plus gros que les primes de gibier. Chacun connaît son intérêt, monsieur le comte, et chacun est honnête, excepté moi... Moi je suis un guerdin, une canaille ! Parce que j'ai braconné sur eux, ils m'en envoulent à ma perdition. Maintenant, au moins, ils m'en envoudront pour quelque chose...

— Fort bien ! Fort bien ! dit enfin M. de Remilleret. Mais où voulez-vous en venir ? Avez-vous colleté sur moi ? Mon garde Tournefier vous a-t-il surpris dans un bois de ma propriété ? Et le procès qu'il vous a dressé est-il valable, avec toutes ses conséquences ?

1. Passages.

118

— Monsieur le comte, dit Raboliot, je ne veux en venir à rien...

— Eh bien, alors, qu'attendez-vous pour déguer-pir? Filez! Je ne vous aurai pas vu.

— A ren en tout, monsieur le comte, à présent que je vous ai causé. J'en avais un rude poids sur le cœur, et voilà que j'en ai moins épais... Pour le reste, vous en ferez comme vous voudrez.

Il sembla hésiter à poursuivre. Mais il était visible qu'il souhaitait dire encore quelque chose. Une gêne traîna entre les deux hommes. Enfin Raboliot :

— Je braconne, c'est la vérité. Mais comme tous ceux-là, au pays, qui n'ont pour eux que la chasse des autres : comme les valets des fermes, les cherretiers et les bauchetons, comme les bouères qui mènent le bestial, comme tout le monde... Pendant qu'on était à la guerre, il y a des femmes qui l'ont fait, monsieur, qui allaient au falot la nuit...

— Hé! je le sais! fit le comte avec humeur. Raison de plus pour nous défendre : mettez-vous un peu à ma place!

— Je voudrais bien, dit Raboliot.

Il secoua lentement la tête, démolissant du bout du pied, à petits coups, une motte de sable au bord de l'ornière.

— Il y en a, des pareils à moi! Mais j'ai eu moins de chance que les autres... On m'a cherché de la misère, et je pense ben, arriéze! que ça n'est pas fini. Tenez, monsieur, c'est le meilleur de tous, c'est Tour-nefier qu'ils ont envoyé pour me prendre. Et le gen-darme qui a tué ma chienne, qu'est-ce que je peux sur lui, pour la venger?

Il dit encore, comme malgré lui :

— Je ne suis pas un mauvais gars : je ressemble les ceusses de chez nous, c'est mon mal.

Et encore, incapable de s'en aller, cherchant comme un appui ou une approbation :

— Braconner n'est pas voler... On est ce qu'on est, mais faut la justice.

C'étaient les mots qui lui étaient venus un jour,

dans l'auberge du gros Trochut. Et de même que cette autre fois, une détresse accablante l'envahit, une sensation affreuse de solitude et d'impuissance. Il s'aperçut que M. de Remilleret avait cessé de l'écouter, comprit qu'il ne l'écouterait plus. Alors il s'en alla, sans se presser. Mais il en gardait sur le cœur plus lourd qu'il n'avait espéré.

2

Volat, quand il avait du temps à lui — il en avait beaucoup, à croire l'aspect de ses cultures — le dépensait volontiers à la pêche. On le voyait souvent dans les prés du Beuvron, faisant danser une saute-relle ou une mouche, au pied des saules. Souvent aussi, il montait vers le canal du côté du pont Malvaux, et trempait selon la saison le blé cuit, le porte-bois ou le ver rouge.

Il s'asseyait sur le talus herbeux, au bas du chemin de halage, jetait sa ligne dans l'eau et attendait que ça mordît. Cette attente végétative lui plaisait. Il ne cherchait pas dans la pêche, comme ceux qui l'aiment « par passion », les joies discrètes et fortes qu'elle prodigue à ses fervents. Il ne lui demandait, à l'ordinaire, qu'une occasion de solitude, de paresse rêvassante et jalouse.

Aussi fut-il de mauvais poil, ce matin de janvier, quand il vit s'approcher par le chemin de halage un flâneur qu'il ne connaissait pas. Cet homme venait à petits pas le long des bouleaux de bordure, une besace de traînier au flanc ; il tenait enfoncé dans sa barbe un brûle-gueule de terre calcinée, au tuyau tant de fois cassé qu'il n'avait presque plus de tuyau.

Petits pas à petits pas, l'homme bientôt fut tout près, et Malcourtois lui montra son dos.

— Ça mord un peu ?

La voix était bonasse et molle, une voix de franc fainéant, sans malice.

— Guère, dit Volat.

Et son dos se fit plus hargneux. Mais l'autre, nullement découragé, s'assit pas bien loin du pêcheur, un peu au-dessus de lui ; et il tira de sa besace un quignon de pain, un hareng saur.

— Bon Dieu ! fit-il, je suis fûté [1] en diable ! Ça fait du bien de s'arrêter une minute.

Il mangeait, à grosses bouchées qui lui bossuaient les joues. Malcourtois, derrière lui, entendait le bruit de ses mâchoires, un bruit lent, régulier, bovin. Et les minutes passèrent sans qu'il y eût rien autre chose que cette rumination placide, l'allongement mou du traînier dans l'herbe, et sous ses yeux le dos grinchu de Malcourtois. L'homme, enfin, s'essuya la bouche de la main, et plia son couteau qui fit un déclic sec.

— Ah ! un litre de rouge ! soupira-t-il. Ça n'aurait rien de sale, dis donc ? Mais faut ben savoir se priver... Faut s'contenter de ce jus de guernouille.

Il se leva, descendit vers l'eau glauque. Il la puisait dans le creux de sa main, et la buvait en aspirant très fort. Maintenant, c'était lui qui était aux pieds de Volat. Il se tourna vers Malcourtois, le regarda de près, tout en face, avec un bon sourire en largeur :

— J'ai ben deux cents francs dans ma poche, confia-t-il. Mais je les garde pour autre chose.

Il s'assit de nouveau, cette fois à la hauteur de Volat, et poursuivit :

— Ça t'intéresse, la pêche ? Je n'dis pas non, mais ça ne rapporte guère gros... Et y a du poisson, par icite ? Du gardon, de la tanche, du blanc ? Oui, c'est comme là-bas d'où que j'arrive... Mais j'avais pas le droit de sortir, tu comprends ?

Il eut encore son large sourire :

— Deux mois de tôle, tu comprends ? A Bourges. Oh ! j'me plains pas : on n'était pas trop mal tout

1. Fatigué.

d'même. Et puis, l'habitude vient, à force... Question de pêche ? Dame non ! La pêche m'intéresse pas, je te dis ! C'est la chasse, c'est le lapin qui m'intéresse.

Le grand Volat tendit l'oreille. Un mot passa entre ses lèvres :

— Collet ?

— Dame non, fit l'homme. C'est trop facile de te faire piper : tu poses une tente, un garde passe avec son chien, le cabot se prend par une patte, et voilà tes collets trahis. Quand tu t'amènes à la pique du jour, il y a quelqu'un qui t'attend, tu es fait ni plus ni moins qu'un rat.

— Furet ? lança Volat.

— Non plus. Faut dresser un bon chien, c'est trop long. Je ne suis pas assez subtil pour prendre les lapins dans les bourses. Alors n'importe pas quel chien ? Une bête folle qui mène à pleine voix, qui gueule des bahulées, fi d'garce, qu'on entend à des kilomètres ? Te voilà bon encore, dis donc...

Il ne se pressait pas, le traînier. Il racontait sa petite affaire, comme quelqu'un qui a tout son temps : « Voilà, il lui était arrivé un malheur. Il s'était fait prendre à panneauter. Bien entendu, les cognes lui avaient confisqué le filet : ça ne leur coûtait pas cher, à eux... Mais lui, depuis qu'il était dehors, il voyageait à pied, barsant-fouëzant, et cherchait un bon coin pour se remettre à travailler. Est-ce que c'était franc, par icite ?

— Pas trop, ricana Volat.

— Ah ! oui ? Pourtant, j'ai vu un gars, à Bourges, qui m'a dit que je pouvais venir, que je trouverais à m'occuper. Il m'a donné un nom, justement... Est-ce que tu connaîtrais ça, des fois ? Un grand maigre, qu'il m'a dit : Volat.

A ce coup, Malcourtois coula un œil en coin :

— Qui t'a dit ça ?

— Un nommé Milorioux... On l'appelait Bœuf-Gras, de ces côtés.

Le traînier se leva en soufflant. C'était un homme épais, sanguin. La prison l'avait alourdi, mais n'avait point pâli la couleur de ses joues. Il montra l'arche de briques jetée par-dessus le canal.

— C'est ben le pont de Malvaux, ça ?

— Oui.

— Et Bouchebrand, c'est ben par là ?

— C'est donc à Bouchebrand que tu vas ? dit Volat. Pour de bon ?

L'homme ne répondit pas d'abord. Une inquiétude passa dans son regard, et aussitôt une lueur aiguë, courageuse, dardée aux yeux de Malcourtois :

— T'es ben curieux, dis donc... Et si je te demandais qui tu es ?

Cette méfiance rassura Malcourtois. Il dit sèchement :

— C'est moi Volat.

— Oui ? Alors, t'as ben connu, par Aubigny, le gars qui avait tiré sur le chef des Saint-Hubert ? Tu te rappelles ? Et ils ont fini par l'avoir pour une douille de cartouche qu'il avait jetée sur place : du calibre 24. Il était le seul au pays à se servir de ce calibre-là.

— C'était Bocquot, précisa Volat. Et nous autres, on l'appelait Gusse.

— Et le petit qui prenait tant de truites dans la Nère, chauve comme la main sur le dessus du crâne, mais poilu du menton comme un bouc ?

— Malandin, dit Volat. On l'appelait justement Fine-z-et-longue, à cause de cette barbe qu'il avait.

— C'est bon, reconnut l'homme. Je vois que tu es un vrai, que Milorioux m'a dit la vérité...

— Hé ! là ! fit alors Malcourtois. Chacun son tour ! Qui donc qu't'es, toi ?

— Je suis Bonnenfant, si tu veux savoir. C'est mon nom de naissance, mais il m'allait si dret qu'on ne m'a point donné d'autre sornette : Bonnenfant, dit Bonnenfant.

— Et d'où qu't'es ?

— Je suis de plus loin en Berry, par la Chapelle d'Angilon. Mais j'ai travaillé un peu partout, et donc sur Aubigny, comme je t'ai fait comprendre. J'ai frayé par là-bas avec les mêmes gars que toi, mais toi tu venais de partir... Tu sais pourquoi ?

— C'est ben ancien, dit Volat.

— ... Un affût aux chevreuils, pas vrai ? Un sacré brouillard du matin. Et le chef des Saint-Hubert qui s'amène, ce chameau de Lépinglard... Toi aussi, camarade, tu lui as lâché ton coup de chevrotines !

Bonnenfant s'épanouissait. Il bourra joyeusement l'épaule de Malcourtois :

— Fallait pas le rater, vieux frère ! Bon débarras, si tu l'avais foutu par terre !... Mais dis donc, c'est pas l'afféze : ça me sèche le guéniau de causer. Tu connaîtrais pas, au pays, une petite turne où on pourrait boire frais, et puis s'entendre tous les deux ? Y a Milorioux qui m'avait parlé d'un marchand, un gros...

— Trochut ?

— C'est juste ça... Alors, on y va ? Je trouverai ben tout de même de quoi payer un litre.

Volat suivit le trimardeur. Il était surtout intrigué : le nom de Milorioux, que l'autre avait laissé aller, venait de raviver en lui des souvenirs. Il se rappelait le temps où il avait tiré sur Lépinglard, où il s'était sauvé vers un autre canton, réfugié près de Milorioux. Et par chance, aussitôt, Milorioux, à son tour, avait eu des histoires, un coup de fusil trop vite parti, un garde blessé au visage dans les bois de Tremblevif, dix ans de prison pour la peine... Comme ça se trouvait ! La maison était chaude, la contrée richement pourvue, et le vieux Tancogne pas trop bête : ils s'étaient bien vite arrangés... Mais Milorioux ? Il avait dû savoir, et qu'est-ce qu'il en pensait ? Est-ce que Bœuf-Gras était jaloux ? Est-ce qu'il en voulait à Malcourtois ? Bien rare ! S'il lui en avait voulu, il ne lui aurait pas envoyé le copain. A moins... A moins, des fois, qu'il ne l'eût envoyé pour voir, en mouchard... Il fallait en avoir le cœur net.

— Et Milorioux, comment qu'i' va ?

— Pas trop mal. Il prend patience.

— Et il ne t'a ren dit pour moi ?

— Si ben.

— Et quoi donc ?

— En un mot comme en cent, il t'en enveut pas. Il trouve que tout est ben comme ça.

— Et il t'a ren dit pour sa femme?

— Pour elle aussi, il trouve que tout est ben. Ça lui convient qu'elle soye timbée sur toi : c'est un homme qui t'estime, tu comprends.

Ils contournèrent le bourg par les prés de la Sauldre. Elle coulait raide, gonflée à berges pleines, et luisait d'un éclat d'étain sous des nuages minces et mous, blancs de soleil caché. Sur les maisons de briques, des fumées basses s'étalaient, immobiles. Par les pâtures bordées de peupliers, des vaches rousses et blanches ruminaient, couchées de biais dans l'herbe.

Il n'y avait personne chez Trochut. Ils commandèrent des œufs, les cassèrent tout crus dans un bol, et les battirent, assaisonnés de gros sel et de poivre.

— Apporte du rouge, dit Bonnenfant à l'aubergiste. Donne-z-en deux litres tout de suite, et puis laisse-nous : on a à causer.

— Alors? interrogea Volat.

— Je croyais que t'avais saisi. Je suis démonté, mon gars, c'est pourtant clair.

— Et tu cherches un coup?

— Je ne cherche que ça.

— Du gibier vivant?

— Si tu veux.

— C'est que voilà, dit Malcourtois, le coup est fait à l'heure qu'il est : je connaissais un lot de faisans, ils sont partis.

Il réfléchit en silence, hésita, leva les yeux sur son compagnon :

— T'as de l'estomac?

— Encore assez.

Il semblait bien que le traînier ne se vantait pas. Il tenait étalées sur la table des mains puissantes. Les épaules, l'encolure, tout le buste apparaissaient massifs et durs. Et le visage était celui d'un gars résous, mangé de barbe drue, avec deux yeux en trous de pipe qui devaient ne se baisser que quand l'homme en avait envie.

Volat parla, lentement, avec des pauses, des reprises, des circonlocutions prudentes : « Il connaissait bien quelque chose... mais c'était gros, c'était sérieux. Et il faudrait attendre, peut-être quinze jours, peut-être un mois : un château de ces côtés, meublé de première, Tremblevif qu'on l'appelait. Les maîtres allaient partir, en février, pour le Midi... »

Bonnenfant l'interrompit net :

— Rien à faire. La cambrio, ça paye trop.

Un moment passa. L'homme reprit :

— Il est ben plaisant, ce picton ! Il coule sur la pente du guéniau sans qu'on le sente seulement passer.

— C'est du vin de Bracieux.

— Il est bon.

— I's'laisse boire, oui...

— Et t'as pas le coude fatigué ?

Le verre du grand Volat cogna durement du fond contre la table. Il lança, tout à coup :

— On a fini, m'est avis ? Alors on se quitte ?

— Une minute, dit Bonnenfant... Je vois bien ce qui t'ostine.

Tout son buste penché s'appesantissait sur la table. Ses petits yeux regardaient Volat, sans ciller :

— T'as peur que je travaille sur toi, hein ? Tu me prends pour qui donc ? J'ai deux cents francs dans ma poche, je t'ai dit, de quoi payer assez long de filet. Chacun sa préférence ; la mienne, c'est le filet : tu t'amènes tout à la douce, tu tends, tu rabats les lapins, tu les récoltes, et en route ! J'aime bien de voyager, je vas te dire ; un jour icite, le lendemain ailleurs. Ça n'est sûrement pas moi qui ferais tort à un copain ! Si Bœuf-Gras était là, il manquerait pas de te le dire... Que j'aie seulement un filet, bon Dieu ? Tu ne connais pas ça, voyons, quelque part dans le pays ? Un bon bars qui aurait un filet à vendre ? J'avais pourtant compté sur toi pour m'aider.

— Écoute... dit Malcourtois.

Il recommença ses phrases lentes, ses tours et

détours de paroles. Il fallait pourtant aboutir. Le vin aidant, il mit enfin les pouces :

— J'aurais peut-être ton affaire... Un filet, j'en connais un... Oui... Et t'aurais pas à te déranger beaucoup.

— Il est long ?

— Cent cinquante mètres.

— Ça va.

— Et combien que tu m'en donnerais ?

— Trente sous du mètre : c'est le prix.

— Viens-t'en chez moi, dit Volat. En même temps, tu voiras ma femme.

Ils rappelèrent Trochut, et burent un litre encore avant de s'en aller. Il semblait à Volat que tout ce vin lui chantait dans la tête : deux cent vingt-cinq francs, c'était tout de même bon à prendre. D'un bout à l'autre du trajet, il chercha des raisons de s'approuver, de se réjouir de la rencontre. L'essentiel, c'était que le gars mît les voiles après avoir fait son emplette : deux cent vingt-cinq francs, oui bien! Il était généreux, rond en affaires comme un vrai braco.

Ils passèrent le canal sur le pont de Malvaux. A travers les nuages en loques tombaient des coups de soleil moites. Et du soleil, une mollesse attiédie de printemps.

Ils se taisaient, entravés dans leur marche par les hautes touffes de breumaille. Dans une futaie de chênes, un coq faisan partit avec fracas, pointa son vol en fusée vers les cimes. Et d'autres se levèrent, la queue longue et le bec bruyant. Ce fut encore, de l'autre côté d'une plaisse, un vol nombreux de perdrix rouges : par un trou de la haie, ils les virent filer bas sur le champ, les ailes en faucille, le corps rond comme une balle.

— Fameux pays! dit Bonnenfant. Je comprends que tu y tiennes.

— Oh! tu sais... dans toute la Sologne, ne manque pas de cantons qui valent ben celui-ci.

— Sois tranquille, assura de nouveau le traînier :

127

pas plus tard que demain matin, j'aurai des lieues à mes semelles.

Malcourtois se rasséréna. Il souriait aux louanges du camarade, dénombrant les gueules des terriers qui foraient par centaines les talus sablonneux, s'extasiant sur les couverts de hauts genêts, poussant du pied les bogues de châtaignes qui bâillaient parmi les feuilles mortes :

— Tu dois en avoir des sacs pleins ?

— Ça s'pourrait, reconnaissait Volat. Oui, le pays n'est point mauvais... Tu voiras ma cambuse : y en a qui sont plus mal que moi.

Quand ils furent à Bouchebrand, il bouscula rondement la Flora, réclama des verres et du vin :

— Le bouché, tu entends ? J'ai une politesse à rendre.

— Belle femme ! admira Bonnenfant.

Elle riait de toutes ses dents, ondulait de l'échine à la façon d'une chatte que l'on caresse. Elle trinqua avec les deux hommes et vida bravement son verre. Il faisait tiède dans la salle de Bouchebrand, une tiédeur close qui vous pénétrait de partout, comme le contact d'un vieux vêtement. Il faisait sombre aussi, à cause du plafond bas aux solives fuligineuses. Bonnenfant s'était assis près d'une fenêtre et regardait vaguement, dehors, un petit bâtiment isolé qui servait autrefois de fournil.

Quand ils eurent bu, Volat se mit lentement debout : on eût dit, à le voir, qu'il dépliait son grand corps pièce à pièce.

— Je vous laisse une minute, fit-il... Et toi, le frère, pas de blagues ? Alle est chaude, je t'en préviens !

Ils rirent tous les trois, Volat sans bruit et montrant ses dents ternes, la Flora du haut de sa tête, Bonnenfant à ventre secoué. Par l'échelle intérieure du grenier, la longue carcasse monta, s'engagea dans la trappe, la tête, le buste, les jambes qui n'en finissaient pas. Au-dessus d'eux, sur le plafond, Bonnenfant et Flora entendirent son traînement d'espadrilles.

Ils se taisaient, sans malaise : elle se rendait compte que les deux hommes avaient entre eux une affaire qui ne regardait pas les femmes ; depuis longtemps, elle était habituée à se mêler de ses propres affaires.

Et les jambes de Volat reparurent, le haut de sa personne emmaillé de partout, empaqueté d'un filet roulé qui lui chargeait amplement les bras, qui débordait à plis glissants ; par-dessous, entre deux plis, on distinguait une main osseuse et pâle, aux doigts serrés sur une fiche de fer.

— Montre un peu, invita Bonnenfant.

Il s'était levé lui aussi, s'était rapproché de la porte.

— On n'y voit pas trop clair, dis donc.

Il pesa sur le loquet, tranquillement, et poussa le vantail d'un geste naturel :

— Avance un peu...

Volat fit deux pas sur le seuil, et fléchit tout à coup, au poids d'un corps tombé sur ses épaules. L'autre homme avait dû l'attendre debout contre le mur, à toucher le chambranle. Il n'eut même pas le temps d'une ruade : une étreinte vigoureuse lui paralysait les bras en arrière, et le filet déjà le ligotait. Bonnenfant, de sa poche, avait sorti le cabriolet : la morsure de l'acier meurtrit les poignets du braco.

— Tu peux lâcher, Piveteau.

Volat, devant les gars du Saint-Hubert, fut comme un putois pris au piège : pas de cris, c'était bien inutile, seulement un rictus laid à voir qu'il ne pouvait pas réprimer, des babines troussées sur les dents, et des yeux tournant en tous sens, parfois s'évadant vers les bois, parfois dardés sur ses ennemis avec un brasillement de haine.

— Et voilà ! dit Bonnenfant.

Il poussa du pied la fiche de fer, que Malcourtois avait lâchée :

— C'était pour quoi faire, cette aiguille ? Je ne t'avais parlé que du filet.

Toute la haine qui luisait aux yeux de Malcourtois

s'exalta comme une flamme sous de l'huile. Il fixa l'homme avec fureur :

— Tu as eu de la chance, Lépinglard... Je ne t'avais pas reconnu, à cause de ta barbe qui a poussé. Mais j'avais quand même une doutance : si l'autre ne m'avait pas agrafé tout de suite, probable que je t'aurais crevé le bide.

Le gros Lépinglard sourit à lèvres rentrées, content d'un ouvrage bien fait :

— En avant marche ! commanda-t-il.

Quand ils passèrent devant le fournil, il sourit de nouveau pour demander à son camarade :

— Tu n'étais pas trop mal, là-dedans ?

Et comme la porte battait, grande ouverte, il ajouta :

— Referme-la, Piveteau. Faut laisser de l'ordre derrière soi.

3

Raboliot aussi fut content. Lui aussi avait bien travaillé : il s'était défendu. C'était sur sa parole, sur la foi en sa parole que le comte avait lancé les Saint-Hubert aux trousses du grand Volat, que Lépinglard avait arrêté Volat. Et Raboliot, puisque le comte l'avait cru, puisque preuve était faite de sa sincérité, s'imaginait toucher enfin à des jours moins ténébreux, éclairés d'estime et d'indulgence.

Personne n'aimait Volat, personne ne le plaindrait. C'était une mauvaise gale, une vermine qui souillait le pays : bon débarras pour tout le monde ! L'air s'allégeait, s'épurait. Si des menaces continuaient de peser sur les épaules de Raboliot, des embûches de se tramer devant ses pas, du moins, ainsi plus libre de ses gestes, aviserait-il mieux à se garder contre elles, à les écarter une à une, selon l'inspiration et le moment. Tout à la joie de savoir Volat prisonnier, il ne se mettait point martel en tête; pourquoi se fatiguer à prévoir? Avait-il deviné d'avance qu'il « trahirait » Souris dans la plaine de Buzidan, que la petite lui apprendrait tant de choses? Les jours viendraient; à chaque jour suffirait sa peine, ou sa chance.

Plusieurs fois il revit Souris, et ses rencontres lui furent amères. D'abord, il n'aimait pas sa façon de le surprendre, d'apparaître devant ses yeux juste au moment où il s'y attendait le moins. Il voyait bien qu'elle en usait ainsi par jeu, sans y chercher désormais malice; n'empêche que l'habileté de la gamine l'inquiétait, et son astuce de sauvageonne. Lorsqu'il était près d'elle, la nuit, qu'il lui prenait la main en marchant, comme il eût pris celle de l'Edmond ou d'une Sylvie déjà grandette, il sentait bien qu'elle ne se livrait pas, qu'elle lui demeurait mystérieuse, étrangère. C'était un drôle de petit corps, capricieux, réticent; elle avait une tête mince et pointue dont les yeux luisaient comme des choses, ne livraient rien des pensées qu'elle cachait.

Il suffisait que Raboliot l'interrogeât pour que l'envie la prît de se taire. Souvent, au rebours, elle lui assenait tout à trac des nouvelles qui le décourageaient :

— Ils sont toujours là, lui disait-elle. Ils se baugent au Bois-Sabot : c'est sûr qu'ils voulent encore prendre quelqu'un.

Et une autre nuit :

— J'ai vu le gendarme, le roussiau. Il causait à M. Tancogne, sur la route.

De nuit en nuit, de nouvelle en nouvelle, Raboliot finissait par comprendre qu'il s'était réjoui trop vite. Volat coffré, ça n'en faisait jamais qu'un de moins : il en restait d'assez nombreux pour le barrer de tous côtés. Et ceux-là, il s'en rendait compte peu à peu, bien loin de renoncer s'acharneraient de plus court sur sa piste, ne lâcheraient pas le pied qu'ils ne l'eussent d'abord forcé.

Le comte ? Raboliot n'était à ses yeux qu'une engeance de même race que Volat, qu'un braco vendant un braco, par jalousie et calcul de braco. Tancogne ? Celui-là, sûrement, ne le portait pas dans son cœur. A cause de Raboliot, le soupçon avait frôlé sa tête ; il avait vu emmener Malcourtois, et peut-être senti, contre sa propre peau, le froid de la chaînette qui liait les mains du prisonnier ; il n'était pas homme à l'oublier de sitôt. Et il y avait Tournefier, que la crainte de perdre sa place tourmentait, qui n'en dormait plus la nuit et multipliait ses tournées. Combien de fois Raboliot l'avait-il aperçu, le vieux Pillon sur ses talons ! Souvent aussi, vers la Sauvagère, il avait entendu les abois que lançait Dévorant en bondissant hors du chenil : alors, il ne demandait pas son reste, et filait.

Et Souris lui parlait de Bourrel qu'elle revoyait presque chaque jour, tantôt sur la route de l'Aubette, tantôt sur celle du Bois-Sabot. Les nuits n'étaient pas rares non plus où Raboliot, de chez lui, apercevait dans les ténèbres la lanterne d'une bicyclette : cette lumière approchait, ralentissait peu à peu son glissement, et doucement balayait la façade de la maison. Dans son halo clair-obscur, Raboliot distinguait la silhouette du gendarme, la visière brillante de son képi, et devinait son détour de tête, au passage. Celui-là, nom d'un diable, il avait de la suite dans les idées ! Qu'est-ce donc qui le poussait ainsi, qui l'obligeait à ne point démordre ? C'était bachique [1], une obstination de cette force, ça le tenait comme une maladie.

Raboliot avait essayé de travailler ailleurs. Il était descendu vers les terrés des Communaux. Mais c'était là contrée de pauvre chasse, depuis longtemps rasée par le fretin des braconniers : au premier balancement de lune qui venait en suivant l'ouverture, les lanternes se promenaient là tout à l'aise. Les quelques compagnies de perdrix, les trois ou quatre

1. Bizarre, anormal.

capucins qui boultinaient par les éteules étaient tôt fusillés et cuits ; s'il y restait quelques lapins, c'était le lot des fermiers et des chiens. Pas de bois, pas de couvert, allez donc chasser là-dedans ! Et tout près, franchie la route de l'Aubette, c'était la butte de Buzidan avec l'étang pâle à ses pieds, un peu plus loin la vallée secrète du Bouchebrand, les pineraies, les genêtières ; et le ruisseau coulait au travers jusqu'au bois de la Sauvagère, jusqu'aux friches trempées par le Beuvron. Voilà un pays de belle chasse, broussailleux, boisé, fourré, avec du « sale » et de la plaine, avec du sec et du mouillé, peuplé de bêtes dessus et dessous ! Un pays frémissant de bruits d'ailes et de galopades furtives, prodigue de tentations vivantes... Raboliot n'avait qu'à suivre ses jambes : elles le ramenaient d'elles-mêmes au creux de la vallée, et il rôdait à leur caprice, bien seul maintenant, sans le trépignis tout menu que faisaient près de lui, naguère, les pattes de la petite noire, avec son fusil froid qui lui ballottait à l'épaule.

Une nuit qu'il errait ainsi par les fourrés de Bouchebrand, il vit Souris sortir de la masure et venir de son côté. Il pouvait être dix heures. Raboliot se leva, froissant exprès quelques broussailles : la gamine l'eut bientôt rejoint.

— Tu me cherchais ?

— Justement.

Elle semblait agitée, toute vibrante d'une excitation inaccoutumée.

— J'ai quelque chose à vous montrer, dit-elle.

Il la suivit en lisière d'une allée. Elle courait presque, le tirant par la main ; parfois elle chuchotait, sur un ton d'impatience joyeuse :

— Vite ! Vite ! C'est juste le moment.

Elle avait pris l'allée qui de Bouchebrand gagne le carrefour de la Patte d'Oie. Celle de Malvaux, celle de Buzidan l'y rejoignent, et toutes les trois confluent en une seule grande allée qui grimpe vers le Bois-Sabot. Souris monta, tirant toujours Raboliot derrière elle. Quand ils furent près du logis des maîtres, elle s'arrêta le long d'un buisson de fusains. Une dizaine de mètres les séparaient des bâtiments, une aire parsemée de gravier où dormait une clarté cendreuse. La maison apparaissait massive, un bloc énorme et régulier, coiffé d'un toit surélevé que jalonnaient des fenêtres de mansardes. A son flanc, des rais de lumière jaune passaient entre les lames de hautes persiennes, rabattues sur une porte-fenêtre. On distinguait derrière un bourdonnement de voix.

— Vous n'avez pas peur ? demanda Souris.

Elle frémissait toute, et Raboliot voyait que c'était de plaisir.

— Peur ? dit-il.

— Vous vindriez ben jusque-là ?

Son doigt montrait les barres lumineuses qui rayaient d'or le gravier d'un bleu gris.

— Et pourquoi que je n'y vindrais pas ?

Leurs deux ombres se détachèrent des fusains noirs, filèrent côte à côte à travers l'espace nu et se collèrent le long du mur. De nouveau, Souris saisit la main du braconnier. Il ne l'entendait pas respirer ; mais tandis qu'ils regardaient ensemble à travers les lames des persiennes, elle le touchait si étroitement qu'il sentait les battements de son cœur.

Alors oui ? C'était ça qu'elle voulait lui faire voir ? Tous ces hommes autour d'une même table, tous ces visages ennemis assemblés dans la clarté d'une lampe ? La pièce leur apparaissait vaste ; ils discernaient vaguement, en des profondeurs d'ombre, des luisants de boiseries, des files de livres sur des rayons. Mais toute la lumière de la lampe se concentrait sur les visages, les exaltait hors des ténèbres avec une force émouvante ; il n'y avait que ces sept visages, leurs yeux qui étincelaient, comme mouillés d'une mince lame d'eau brillante, et ces lèvres flexibles qu'on voyait remuer en parlant, qu'on voyait former des paroles.

Ce fut Raboliot qui cette fois saisit le poignet de Souris, pour l'entraîner rudement vers l'abri sombre des fusains. Il avait envie de la battre. Il se rendait bien compte que l'étreinte de ses doigts était brutale sur le bras frêle; mais il serrait quand même, et davantage encore à mesure qu'il sentait lui faire mal. Il eût mieux respiré tout à coup, si la drôline avait gémi.

Elle souriait : elle était dure. C'était à croire que cette brutalité de l'homme ne faisait qu'aviver son plaisir. Raboliot la lâcha, écœuré d'elle et de lui-même. Alors, elle dit :

— Vous avez vu?

Il ne répondit pas. Elle ajouta, comme si elle l'eût interrogé :

— C'est à vous qu'ils en ont, je pense?

Le gars baissa la tête, une seconde, mais la releva d'une secousse. Il prononça, d'une voix neutre et traînarde :

— Possiblement...

Dès la Patte d'Oie, il quitta la gamine, prit l'allée de Malvaux qui coupait plus court vers la route : il allait rentrer chez lui. Il avait besoin d'être chez lui, de regarder d'autres visages pour chasser jusqu'au souvenir de ceux qui lui étaient apparus. Il rejoignit la route et se sauva tout droit, en murmurant par intervalles :

— Faut-il! Faut-il!

Cette scène qu'il venait de surprendre l'avait heurté d'une impression profonde. Il n'avait rien perçu des paroles que prononçaient les hommes, dans la lumière : un bourdonnement confus où le son des voix se brouillait. Mais le cercle de leurs visages, sous la lampe, était assez parlant, et trop; c'était pis que des phrases de menace, pis que des injures de colère.

Raboliot comprenait qu'il s'était lourdement trompé. Naguère encore, il unissait le grand Volat au groupe de ses adversaires; par l'entremise de Tancogne, Volat tenait au clan des riches, des possesseurs du sol et de la chasse que soutiennent les gendarmes, les gardes et les Saint-Hubert. Pour l'avoir écarté de sa route, arraché aux mains de Tancogne, Raboliot avait eu l'illusion que ce bloc d'ennemis s'écroulait. Il ne connaissait pas le vieux, et cette habileté qu'il avait à retourner sa veste à propos, à reprendre équilibre quand on l'avait cru par terre.

Maintenant qu'il avait vu, il ne pouvait même pas imaginer, au milieu de ces hommes assemblés, la présence de Malcourtois. Ça n'était pas comme le père Tancogne, flatteur du maître, mi-pésan, mi-bourgeois, toujours prêt à basculer du bon côté. Tous les visages, sous la lampe, se rapprochaient naturellement, aussi unis que les maillons d'une chaîne. Et Raboliot, debout derrière les persiennes closes, se sentait exclu roidement, rejeté dans la nuit mauvaise, la même nuit où Malcourtois s'était perdu. Le cœur brouillé, les épaules secouées d'une pauvre révolte, il lui semblait rejoindre Malcourtois, pressentir entre eux deux il ne savait quelle solidarité misérable. Cela ne venait pas de lui-même : tout son être se soulevait là-contre. Cela venait de ces hommes assemblés, de leurs visages unis dans la lumière.

Il y avait le comte de Remilleret, et près de lui Tancogne. Il y avait Lépinglard et Piveteau, le premier lourd de chair et tranquille, l'autre nerveux et sec, noir de cheveux, le teint basané comme un romanichel. Il y avait Firmin Tournefier, un ami par le sang qui pourtant comprenait les choses, mais que le souci de son pain avait fatalement poussé là. Et puis le brigadier Dagouret, attentif et de bleu vêtu ; et près de lui l'autre habillé de bleu, ce visage entre les visages, avec ses durs méplats où s'exaltait violemment la lumière, ses creux d'ombre où s'embusquaient les yeux pâles, avec ses moustaches en crocs qui brasillaient comme des flammèches. Il était là. Il se tenait presque immobile. Ses regards, un moment, s'étaient arrêtés sur la porte-fenêtre, fixés au hasard et sans voir, mais Raboliot s'en était senti traversé.

— Faut-il ! Faut-il !

Il se hâtait, chassé, vers sa maison. Lorsqu'il passa le pont sur le canal, il s'appuya des reins au garde-fou et, plusieurs fois, à haute voix, il prononça ce nom : « Bourrel ». Il écoutait les syllabes retentir. Il les sortait de lui, dans un besoin déjà éprouvé de susciter en face de lui, comme une réalité tangible, la personne du gendarme, son être... « Bourrel » : il interrogeait ces syllabes à travers le souvenir d'un visage. Qui était-ce, voyons, Bourrel ? Pourquoi lui, tel qu'il était, avec ces traits-là justement, si froids, si secs, si volontaires ? Et pourquoi cette ténacité méchante, cette dureté de caillou lancé roide ?

Il s'efforçait péniblement de comprendre. Si ardente était sa quête, si tendue, qu'il pressentit la vérité, qu'il réussit à comprendre en effet. Ce fut une songerie fruste, maladroite, mais par instants divinatrice : « Peut-être, se dit-il, que tout vient de la première nuit. C'est parce que je lui ai filé dans les jambes, juste au moment où il croyait me tenir... Il y a eu ce coup à toute volée, dans sa rage à me voir détaler... Et plus tard, pendant qu'il questionnait Trochut, il m'a revu dans sa pensée qui m'ensauvais, et c'est ça qui l'a fait lancer son calepin sur la table et fermer ses poings vers Trochut... Arriéze ! Comme il craillait ! « Qui est-ce ? Je veux savoir. Tu parleras, ou je te casse la gueule ! » Toute sa carcasse tremblait d'une colère si terrible qu'elle faisait peur à regarder. Voilà : c'était un homme qui ne pouvait pas avoir tort, qui ne pouvait pas céder. Toute sa dure caboche l'affirmait, tout son corps vêtu de drap bleu, sanglé de courroies et d'armes. « Je suis gendarme, tu entends ! J'ai les tribunaux derrière moi, peut-être ; avec la prison à la clef... la prison, tu entends, crapule ! » Il sentait tout ça derrière lui, les juges, la Loi, toute cette force qui le soutenait et le commandait à la fois. Et les autres étaient des crapules... « Je suis gendarme ! » De quelle voix il avait crié ça, avec quel redressement du corps, quel coup de menton en avant !... Cette nuit encore, au Bois-Sabot, il songeait qu'il était gendarme, il se sentait gendarme dans tout lui, des semelles au faîte du képi : ça éclatait sur sa figure, ça brillait étrangement dans ses yeux, des yeux qui ressemblaient, blasphème, à ceux d'un curé à l'autel... »

Raboliot mesura sa faiblesse. Il s'accouda au garde-fou et pencha la tête vers l'eau. Elle stagnait, immobile, dans la nuit terne. Les reflets des bouleaux y dormaient d'un sommeil figé. Une mince tache de clarté frileuse venait mourir à sa surface, tombée de quelque étoile par la déchirure d'un nuage. Raboliot regardait cette petite lueur souffrante, et il pensait : « Qu'est-ce que je lui ai fait, pourtant ? Rien d'autre que de m'ensauver... Mon pauvre gars, c'est justement : je ne pouvais rien lui faire de pire... Je me suis ensauvé de chez Trochut. J'ai refusé d'aller au tribunal, j'ai rejeté ma condamnation. Et quand il est venu pour m'arrêter, je me suis ensauvé pareil. Et depuis, qu'est-ce que j'ai fait ? Il m'a guetté, le jour et la nuit, et je lui ai filé dans les mains. Il a commandé le maire, et le maire lui a obéi ; mais il ne m'a pas eu quand même. Et je vois bien maintenant qu'il doit être comme fou après moi. C'est un coup de folie, parce que je m'échappais encore, qui l'a poussé à tirer sur la noire, à la tuer : un homme tel que les autres n'aurait jamais tiré... »

Raboliot releva la tête, aspira l'air à fond de poitrine. « Et moi ? Et moi ? Qu'est-ce que je vas faire à cette heure ? » Sa songerie le tenait si fort qu'il en murmura tout haut :

— Va-t-il donc falloir que j'y passe ?

Il secoua rudement le front, il se cabra contre ces mots qu'il entendait.

— Je ne veux pas !

C'était ainsi : lui non plus ne pouvait pas céder. En un éclair, des images violentes se pressèrent, lui firent bouillonner tout le sang. Quoi donc ? Il irait tendre ses poignets à Bourrel ? Il verrait son sourire de triomphe ? Et Bourrel l'emmènerait comme un chien, l'enfermerait dans « sa » prison ? Une angoisse lui serra la poitrine, si forte qu'il en était haletant. Il eut un sursaut animal, et gémit.

Et puis il se mit à courir, avec le froid du vent à ses joues. L'image de Bourrel s'éloignait, la prison était derrière ses pas. Il ralentit sa course, s'arrêta de nouveau. Le vent continuait de souffler, large et puissant. Il y avait au ciel de hauts nuages qui voyageaient. Et le vent, à travers la campagne, tournait autour des pineraies noires, les emplissait d'une longue rumeur qui s'élevait jusqu'au zénith. Cela vous soulevait et vous engourdissait ensemble ; cela berçait d'une mélancolie rude, parlait de vie libre et sauvage à travers des nuits nombreuses, pareilles en profondeur sous le vol changeant des nuées. Raboliot sentit sa propre vie, une force qui venait de très loin, à travers des années et des années du temps. Il murmura : « Voilà, je m'ensauverai encore, et je recommancerai encore... Il y a toujours eu place pour moi, dans ces terres. Et je pense bien, miséricorde, qu'il y en aura toujours. »

4

Il vient pourtant une heure où Sandrine, dans la maison, s'assied les mains pendantes et laisse fléchir sa nuque trop lasse. Elle ne dit rien, mais on voit bien à quoi elle pense, à d'humbles et redoutables choses, à la maie qui est vide, au fourneau qui est froid, aux drôles qui vont rentrer de l'école.

On ne croit pas que c'est possible, et pourtant, quoi de plus simple ? Cette heure-là suivit sa route vers la maison, et rien ne pouvait l'arrêter. Voici qu'elle est entrée, qu'elle est là, entre Sandrine et Raboliot.

Il est debout près d'elle, et la regarde en se taisant comme elle. Alors elle lève les yeux et fait vers lui un pauvre sourire. Elle se confie à lui, elle met entre ses mains sa détresse et ses inquiétudes, ses pensées où reviennent toujours les trois mêmes petites figures, déjà pâlottes et comme défleuries. Elle revoit dans la maie — tant de fois elle leva le couvercle! — un quartier de fromage sec, sa pulpe jaune sous la croûte de cendres, et ce qui reste d'un pain de huit livres, pas trop gros. Il y a, dans le cellier, quelques litres de boëte [1] dans le fond d'un baril, un tas de raves, un peu de légumes secs. Et il y a encore la chèvre dans son toit. C'est tout, c'est vraiment tout... Alors, elle lève les yeux et sourit humblement. Son visage souffreteux est comme illuminé de prière, de foi en l'homme qui est près d'elle; il peut tant de choses, Raboliot! Ses bras sont forts, son cœur courageux. Et Sandrine sourit, d'espoir triste. A travers la buée d'eau qui couvre ses regards, une petite flamme brille en tremblant. Il voit aux deux coins de sa bouche un frémissement puéril, qui est de tendresse confiante et peut-être, déjà, de larmes.

Raboliot la regarde toujours. Il ne peut pas s'en empêcher. Il voit la pulpe des lèvres, et leur roseur sensible où se croisent des sillons délicats. Il voit, au bord du cou, une artère qui bat secrètement : et c'est la vie même de Sandrine qui palpite devant ses yeux; chaque pulsation le heurte, retentit partout dans son être. Il s'abîme, perdu, dans sa contemplation. Des ondes tièdes tournent autour de lui, s'élargissent et renaissent sans trêve; c'est comme un vertige grandissant, qui fait peine et plaisir à la fois.

Sandrine... Voilà six ans passés qu'elle est venue dans la maison. La vieille Montaine lui a laissé la place. Les meubles sont devenus leurs meubles, la maie de merisier, l'horloge au cadran fleuri, et le lit à quenouilles, le lit de Raboliot et de Sandrine. Tous ces jours ont coulé, qui les ont mêlés l'un à l'autre. Sous le corsage de coton gris, la jupe noire, le corps de Sandrine est là, sa peau qui souvent fut si douce contre les mains calleuses de l'homme, et dans ces mêmes mains le poids tiède des seins de Sandrine.

1. Boisson.

Elle a ouvert ses jambes pour l'accueillir, elle l'a reçu dans son être creusé : il semble à Raboliot qu'il sente contre ses hanches appuyer les cuisses de Sandrine, à ses épaules se crisper ses doigts... Il la revoit sur le grand lit, toute seule. Ses cheveux sont collés à ses tempes. La bouche ouverte, elle crie : la couverture s'affaisse en rond entre ses genoux levés. La Bailleul, l'accoucheuse, est penchée vers le lit. Et tout à coup, dans la maison, il y a cette voix inconnue, une plainte grêle et déjà vigoureuse. « Il a bonne voix, dit la mère Bailleul. C'est un beau gars. » Ce fut ainsi l'Edmond d'abord, et puis le Léonard, et puis, la dernière, Sylvie : des enfants drus, de la belle graine de Solognots, qui s'élevaient sans maladies, et bien tenus, comme savait faire Sandrine. Elle les avait portés sans plainte, mis au monde en une acceptation joyeuse. Les larmes de Sandrine, autre chose les avait fait couler.

— Ma pauvre femme ! murmure Raboliot.

Il s'effare presque de ce qui lui arrive. Il a envie, soudain, de se laisser glisser à terre, d'entourer de ses bras les jambes de Sandrine et de poser la tête au creux de ses genoux. Il lui dirait : « Ça n'est pas de ma faute. Que cette mauvaise passe soit franchie, et tu verras comme je gagnerai bien notre vie ! Il n'y en a pas beaucoup, tu sais bien, pour descendre comme moi les sapins et les chênes, pour enfourner les gerbes dans la machine. Est-ce que je bois ? Est-ce que je t'ai jamais battue ?... Je travaillerais de si bon cœur, si je pouvais me montrer au soleil ! Et je tâcherai... tu verras, Sandrine... je tâcherai de ne plus le faire. »

Il lui dirait aussi toute la tendresse qui l'étourdit, toute cette chaleur mouillée qui lui monte à la gorge, qui brouille devant ses yeux le visage de Sandrine... Arriéze ! Est-ce qu'il pourrait le dire ? Ce qui se passe en lui est si trouble et si fort, si surprenant qu'il s'en inquiète, qu'il songe soudain avec malaise : « Est-ce que je suis malade ? Me voilà bien peu fort, pour un homme ! » Et il s'écarte, il se met à marcher par la salle, à grands pas durs qui sonnent sur le carreau.

— Ah! bon Dieu, qu'est-ce que je vas faire?

C'est à lui-même qu'il le demande. Encore une fois, tout ce passé ne lui porte point de conseil. Il en revient avec une grande lourdeur à l'âme, une révolte contre le sort, et peut-être, aujourd'hui, un remords.

Sandrine n'a pas bougé. Mais elle dit, résolue, avec une force qui ne lui est point coutumière :

— Va voir popa, Raboliot... Et ce qu'il te dira, fais-le.

Il veut bien, désemparé. Depuis longtemps, il n'a revu Touraille : il lui apparaît, à cette heure, parmi le peuple des oiseaux, comme un sage chargé d'années, vénérable de tant de science peu à peu amassée dans sa tête. Touraille saura. Ce qu'il faut faire, Touraille le lui dira. Il est sûr que Sandrine a raison.

Il va partir, quand elle se lève. Elle se tient devant lui et le regarde dans les yeux.

— C'est tout ce que tu me dis, Raboliot?

Il se tait, et elle continue :

— C'est me mettre bien bas, le sais-tu? Pas une parole pour moi, la bouche fermée, les yeux fermés, plus en méfiance que pour un étranger... Faute de parler, pourtant, on meurt sans confession.

— Et que te dire? s'écrie violemment Raboliot. Que je me mange les sangs à me voir barré de partout? Qu'ils sont une bande après ma peau, plus acharnés que des chiens sur ma trace? Faut-il le dire pour te l'apprendre? Et ne connais-tu pas mon mal autant que je connais le tien? Est-ce donc toi qui les arrêteras si je m'y use toutes les heures que Dieu fait, sans réussir à rien qu'à m'user davantage?

— Et qu'est-ce qui est au bout de ce chemin? fit Sandrine. Ta perdition, la mienne, et les petits à l'Assistance... Tu as tiré le mauvais vin, Raboliot : dépêche-toi de le boire avant qu'il ait trop coulé.

Il fronce ses sourcils rapprochés. Il la regarde plus aigu :

— Ah! qu'est-ce que j'ai compris, Sandrine?

Sous la voix dure, elle vacille une seconde. Mais elle, qui ne bouge pas de la maison, aperçoit mieux que lui le noir des journées prochaines. La terreur qu'elle en a ranime son courage. Elle ose dire, sans baisser les yeux :

— Il faut te livrer, Raboliot.

C'est bien ce qu'il avait compris. S'il n'y avait déjà songé, peut-être qu'il ne sentirait pas si vite, entre Sandrine et lui, une rugueuse épaisseur de pierres, comme d'un mur tout à coup dressé. Il n'a pas fait un geste, mais il est rentré en lui-même, il s'est « recoquillé » comme un hérisson dans ses piques.

— Chaque minute qui passe, poursuit cependant Sandrine, ne fait qu'envenimer le mal. C'est comme une épine noire dont la pointe est restée sous la peau. Arrache l'épine d'un coup, Raboliot, puisque tu vois où elle te blesse. Tu sais bien que le mal va gagner... Si tu n'es pas courageux pour toi, tâche au moins de l'être pour nous.

Jamais Sandrine n'a tant parlé. Elle parle encore lorsque la porte s'ouvre, devant les deux garçons qui rentrent de l'école. Ils ont tous deux la tête ronde et forte, sous d'étroits bérets bleus qui collent aux crânes comme des calottes d'enfants de chœur. L'Edmond est plus trapu, de jambes plus courtes avec des mollets larges ; le Léonard est aussi grand que lui, plus fin, plus noir, avec des yeux plus vifs. Sandrine, très simplement, va vers la maie et taille ce qui reste du pain : des tranches minces, qu'elle coupe exprès très larges pour qu'elles paraissent plus « conséquentes ».

— Une grigne de fromage, dit-elle, chacun la sienne.

Elle se redresse, lente, hors de la maie où s'inclinait son buste. Entre ses doigts, elle tient deux morceaux de fromage, deux petites parts triangulaires qu'elle tend à chacun des enfants.

— Et toi, Raboliot, en veux-tu ?

Au bout le bout, n'est-ce pas ? Au point où on est arrivé... Raboliot, de nouveau, sent comme une boule se gonfler dans sa gorge. Sur la chaise où était Sandrine, Edmond et Léonard ont posé leurs cartables, deux sacs de faux cuir jaune, tachés d'encre, qui laissent voir le carton aux coutures. Sandrine va et vient par la salle. Les garçons mangent sans tapage. Maintenant qu'ils font quatre heures, elle va lever Sylvie. Elle soulève dans ses bras la drôline endormie, s'assied, dégrafe son corsage. Appuyant à deux doigts de chaque côté de l'aréole, elle murmure, on croirait pour elle-même :

— Heureusement que j'ai du lait encore... Mais j'ai peur, après si longtemps, qu'il ne vienne bientôt à taisir [1].

Raboliot est sorti sans bruit. Sandrine ne s'est pas retournée, mais il est sûr qu'elle l'a vu sortir. A-t-elle compris qu'il allait chez Touraille ?

Il y est allé par les jardins, le long des mêmes haies que naguère. A chaque clôture de grillage, il a reconnu, atténué, l'affaissement qui marquait la trace de ses passées anciennes.

Il a retrouvé Touraille au milieu de ses bêtes empaillées. Et Touraille, tout de suite, lui a dit :

— Un indiot, voilà ce que tu es... Quand tu pouvais payer l'amende, tu as refusé de la payer. Pourquoi ?... Et maintenant, où en es-tu ? Parlons peu, parlons bien : quelques semaines à tirer en prison, pas grand'chose. Fais-les, mon gars, et le plus vite possible, c'est un bon conseil que je te donne. Faut en sortir, je ne vois pas d'autre moyen. On s'arrangera toujours d'ici que tu rarrives. Je suis même disposé, tu m'écoutes ? à prêter cent francs à Sandrine. Cent francs, garçon, c'est dire que j'ai confiance en toi ; je n'aurais pas donné ma fille à un feignant.

— Vous êtes d'accord ensemble ? a demandé Raboliot.

Il a baissé un peu le front, comme un bélier têtu, qui se bute. Tantôt faisant oui du menton, tantôt secouant la tête pour nier, il n'a plus parlé que par signes.

— C'est Bourrel qui t'ostine ? disait Touraille.

1. Tarir.

144

Oui ? Eh ben alors, va-t'en sur une brigade voisine ; renseigne-toi : peut-être que les gendarmes d'Argent ne sont point de si mauvais gars. Pour conduire un braco en prison, un gendarme vaut un gendarme. Va voir les ceusses d'Argent. Comme ça, Bourrel ne pourra pas se vanter de t'avoir pris... Il y a autre chose ? Qu'est-ce que c'est ? Je me demande quel glorieux tu es, mais tu as de drôles de manières... et pas beaucoup de cœur, je pense. Il n'en manque point qui sont passés par où tu passes, et qui ne rougissaient point d'y passer. Un coup que tes enfants seront à l'Assistance... Non encore ? C'est pourtant ce qui les attend. Et si ça leur arrive, c'est que leur père l'aura bien voulu... Tu peux secouer la tête, garçon, ma parole est ma parole. Je t'aiderai si tu es raisonnable ; mais si tu deviens fou, bernique !

— Allons, au revoir, dit enfin Raboliot.

Il est parti, plus désespéré que jamais. Le soir tombait : on pouvait déjà voir, au bourg, des lumières derrière des croisées. Son cœur, dans sa poitrine, pesait comme un caillou.

Il est descendu vers la Sauldre, et s'est arrêté au passage devant une maison comme les autres, avec une façade de briques rouges. A cette maison aussi, une lumière brillait derrière une vitre. Raboliot s'est approché doucement, et il a regardé au travers de la vitre. C'était une chambre étroite, où les objets semblaient d'une propreté glaciale. Rien qu'une chambre, avec une commode contre le mur de gauche, un fourneau de fonte au milieu, un lit contre le mur de droite. Des rideaux de lingerie blanche tendaient autour du lit de longs plis raides et purs. Sur la commode, une petite lampe à essence se reflétait dans le bois bien ciré. Il n'y avait pas de feu dans le fourneau.

La vieille Montaine était assise sur une chaise basse, et s'appuyait du dos contre le lit. Ses joues pâles s'affaissaient en tirant les coins de sa bouche. Elle semblait dormir, les yeux clos, mais on voyait qu'elle ne dormait pas. Elle tenait entre ses mains les grains d'un chapelet de bois noir, et ses doigts les poussaient un à un. Sur la cloison qui faisait face à la fenêtre, Raboliot distinguait quelques photographies accrochées, un crucifix avec un rameau de buis, et une image qui représentait la sainte de la Sologne, Montaine la bergère rapportant de la source, dans un panier d'osier, de l'eau qui ne s'écoulait pas. La vieille femme était là, toute seule. Un bonnet rond, immaculé, serrait ses cheveux en arrière. Elle avait mis sur ses épaules un fichu de grosse laine noire. Et ses doigts continuaient, d'un mouvement machinal et doux, de pousser les grains du chapelet.

Quelques larmes, arides et rares, brûlèrent les yeux de Raboliot. Il s'en alla, n'ayant osé entrer.

5

Ce même soir, entre l'Aubette et sa maison, il rencontra Sarcelotte sur la route.

On était en période de vieille lune. La nuit était si sombre qu'à peine pouvait-on distinguer, entre les talus noirs comme poix, la chaussée qui plongeait aux ténèbres. Raboliot reconnut Sarcelotte à son parler; il fut heureux d'entendre, après longtemps, son nasillement cordial et gai.

— Il y a une pièce que je t'attends, dit Sarcelotte. On peut causer?

Rien qu'à l'accent du camarade, Raboliot devina tout de suite. Un tressaillement le parcourut, le chauffa de la nuque aux talons. Il demanda, un peu anxieux :

— Tu n'es pas allé chez moi, toujours?

— Penses-tu! dit Sarcelotte. Je me doutais que ta bourgeoise n'aurait guère de plaisir à me voir.

— C'est donc un coup? fit Raboliot.

— Oui.

— Au falot ?

— Justement.

— Là voù ?

— A la Sauvagère.

Raboliot frémissait tout entier. Une tentation l'assaillait, formidable, tourbillonnait sur lui, aussi réelle qu'une hargne de vent. Il entendit sa propre voix ainsi qu'une voix étrangère :

— T'es donc tout seul ?

— Non pas : Berlaisier doit en être.

— Eh ben alors ?... murmura Raboliot.

Il avait fait un pas en arrière, comme pour sortir du tourbillon qui l'enveloppait. Il répéta :

— Eh ben alors ?... C'est assez de vous deux, mon gars.

Mais Sarcelotte, avec chaleur :

— On te veut avec nous, Raboliot. On a pensé, tu comprends... Le coup est beau ; c'est peut-être six cents francs à gagner... ça nous ferait deux cents chacun. Tout le monde a besoin de deux cents francs... Et puis, ajouta-t-il très vite, avec une sorte de pudeur, et puis la vérité, c'est que tu tires comme pas un.

— Tu es un brave, dit Raboliot, ému. Et Berlaisier aussi est un brave... Mais tu sais où j'en suis, à cette heure ? S'il y a un coin mauvais pour moi, c'est celui-là.

— Les Saint-Hubert ? dit Sarcelotte.

Il s'approcha, à toucher Raboliot, lui posa sa main sur l'épaule :

— Ils sont partis, confia-t-il, partis ce soir, au traindevay de six heures. Je les ai vus monter dans le wagon : c'est te dire.

Et il annonça les nouvelles : « Depuis deux nuits, les lanternes s'allumaient partout. On avait appelé Lépinglard sur Vannes, au diable vert, dans un château en limite du Val-de-Loire. Le comte aurait voulu le garder encore, avec Piveteau ; mais il y avait trop longtemps qu'ils se cachaient au Bois-Sabot, sans bouger. Avait bien fallu qu'ils s'en aillent... »

— Et tu les as vus? insista Raboliot.

— Comme je te vois.

Il hésitait encore, par volonté d'être hésitant. C'était une grâce qu'il s'accordait, un délai, une excuse à tout événement. Mais dès que Sarcelotte avait parlé du coup à faire, du falot, de la Sauvagère, il avait bien senti comment le débat finirait.

— Et Bourrel?

— Il ne peut pas être partout, dit Sarcelotte. Sur la commune aussi, les chandelles s'allument à tous les coins du ciel. On en a vu, ces nuits, sur Tremblevif, sur Chantefin, sur les Communaux. En allant vers Lamotte, ça brillait tout le long de la route. Les fusils pétaient, des moments, à se croire revenu en guerre!... Alors, les gendarmes, tu comprends, ils ne savent plus où donner de la tête. Ils usent leurs nuits à pédaler: quand ils arrivent, c'est étendu, mais ça s'est rallumé ailleurs.

— Et les gardes? dit encore Raboliot.

Il voulait ne rien oublier. Il épuisait contre lui-même, une à une, les raisons qu'il avait à tout le moins de se combattre, s'il ne désirait pas se vaincre.

— Les gardes? disait Sarcelotte. Ben malins s'ils nous prennent, un contre un! C'est moi qui tiendra la lanterne: je sais leur coller dans les yeux, les « évanouir » au passage d'un fossé, juste au meilleur moment pour qu'ils se foutent par terre. Le temps qu'ils se relèvent, on est loin.

Le ton de Sarcelotte montait; il nasillait comme un appelant. Et Raboliot riait, à cause de l'enthousiasme du camarade, de la joie contagieuse que prodiguait sa chanson:

— Il y en a, mon gars! Il y en a, ça en est pourri! Jamais je n'ai vu ça, et pourtant j'en ai vu!

— Je le sais bien, dit Raboliot.

Il était empoigné tout entier. Il cédait. Il y avait trop longtemps qu'il se faisait violence, qu'il vivait hors de sa vie. Et maintenant, il cédait, il s'abîmait là-dedans à plein corps. Les souvenirs affluaient par longues vagues: toutes les odeurs des bois, l'âcreté du terreau mouillé sur quoi fermentent les feuilles mortes, les effluves légers des résines, l'arôme farineux d'un champignon écrasé en passant ; tous les murmures, tous les froissements, toutes les envolées dans les branches, les fracas d'ailes traversant les futaies, les essors au ras des sillons ; et tous les cris des crépuscules, la crécelle rouillée des faisans, les rappels croisés des perdrix, les piaulements courts des tourteplates [1], et déjà, dans la nuit commençante, ce grincement qui approche et passe à frôler votre tête, avec le vol de la première chevêche en chasse.

Tous les mots que disait Sarcelotte étaient chargés d'une puissance merveilleuse, d'une force inouïe d'évocation. Sarcelotte disait : « les lapins ». Et aussitôt, par les bois de la Sauvagère, par les friches du Beuvron, par les fourrés de Bouchebrand, des centaines de lapins pullulaient. Raboliot les voyait bondir par-dessus les touffes de breumaille, montrer à l'orée des terriers, le temps à peine d'un clin d'œil, une touffe de queue blanche qui s'enfonçait dans le trou noir. Des galopades, sous la terre, ébranlaient les talus sablonneux ; cela vous montait dans les jambes, vous cognait contre le cœur. « Les perdrix », disait Sarcelotte. Et c'étaient des compagnies de rouges qui piétaient par une raie, dans un chaume, la tête droite et presque immobile, les pattes véloces qu'une mécanique semblait mouvoir ; des compagnies de grises qui vous partaient tout à coup sous le nez, vous suffoquaient du fracas caquetant de leur vol. Sarcelotte disait encore : « les lieuves ». Et aussitôt, des capucins hottus se gîtaient au creux des sillons, se collaient, le poil invisible, le long d'un tas de vieilles fanes ; mais Raboliot souriait parce qu'il les voyait quand même, dépeignant leur œil de côté, craintif, écarquillé tout rond. Et les grands lièvres déclenchaient leurs jarrets, se déployaient de tout leur long, efflanqués, bondissant, crochetant, le cul

1. Engoulevents.

soulevé, la terre des champs volant en poudre à leurs semelles... Et tout autour des mots que disait Sarcelotte, d'autres bêtes se pressaient encore, ici, puis là, au travers d'une contrée connue et pourtant quasi fabuleuse, dans les joncs des étangs, dans la ramure des chênes, à la surface des eaux et de la terre au ciel : des caillasses filaient, la queue horizontale ; des pics-verts, en lisière des futaies, déroulaient les festons de leur vol, glissant les ailes fermées, remontant, glissant encore, avec leur cri précipité, leur aigre musiquette à trois notes ; des écureuils grognaient dans les pins ; des vanneaux noirs et blancs tournaient en rond dans le soleil, liés à leur nid comme des cerfs-volants captifs ; des judelles ramaient, tendant le cou, rentrant le cou, à la parade ; un héron voguait dans la nue, soulevé sur ses ailes lourdes, les pattes pendantes comme des branches cassées ; et, tout à coup, dans une enclave cernée de bois, un grand chevreuil dressait sa tête inquiète, démarrait d'un bond fou, le feu à ses quatre sabots.

Les mêmes vagues arrivaient toujours, longues, puissantes, l'une suivant l'autre. Raboliot se laissait porter, s'abandonnait à leur ample flux, envahi tout entier, comble d'images et de désirs. Parfois encore, il se sentait heurté, ainsi que d'une épave charriée par le flot, d'une pensée dure qui le meurtrissait. C'était comme un arrêt pénible, une hésitation suspendue : il reprenait conscience de sa vie menacée, de sa maison et de Sandrine, des ennemis qui voulaient sa perte. Alors, il tremblait d'impatience ; il attendait avec angoisse que reprît ce flux régulier, ce fort glissement des vagues qui l'entraînaient. Il se disait : « Que je voule, que je ne voule pas, je n'ai plus autre chose à faire. Deux cents francs, j'en ai bien besoin. Comment les gagner autrement ? Tout me pousse, faut bien que j'y aille. Il n'y a pas de Bourrel qui tienne, ni de prison, ren en tout sur la terre. D'y retourner, c'est mon destin : tu iras, Raboliot, tu iras ! » Et c'était comme s'il avait dit, comme s'il avait crié vers ses minces épaves noires qui dansaient près de sa poitrine : « Passez ! Passez ! Disparaissez ! Et qu'il n'y ait plus rien, que ma perte et que mon plaisir ! »

— Alors, dit Sarcelotte, ça sera pour demain ?

Il répondit :

— C'est bougrement long à attendre.

Et Sarcelotte se mit à rire, parce qu'il retrouvait Raboliot.

6

Ils avaient bien combiné leur affaire. En quittant Sarcelotte, Raboliot était monté vers Bouchebrand, où il avait deux mots à dire.

Ils en avaient longuement discuté. Raboliot hésitait, retenu par la pensée de Souris, par le souvenir de ce qu'il éprouvait près d'elle, cette sensation glaçante d'isolement, de lointain. Mais Sarcelotte avait insisté : « On aura besoin d'y aller, peut-être. Pour changer le carbure dans la lanterne, pour poser le gibier si on en a trop lourd (c'est ben probable), le fournil nous serait commode... Et puis, vaut toujours mieux avoir quelqu'un sur qui compter. La Flora ne te méprise point, m'est avis. Une supposition qu'un curieux, cette nuit-là, vienne toquer à sa porte et lui demande si elle a vu du monde, un bon renseignement à l'envers ne gâterait point notre travail... Les femmes, garçon, ça sait mentir. »

Et Raboliot était passé chez la Flora. Depuis que Malcourtois était à l'ombre, Tancogne l'avait laissée à Bouchebrand. Il y avait tant d'années que les cultures allaient comme elles pouvaient ! C'était une métairie tombée, des friches sales, des bâtiments qui menaçaient ruine ; le gars qui aurait pris la suite aurait fait un mauvais marché. Tout le monde le savait. En attendant que vînt un amateur, la Flora restait à Bouchebrand : cela pouvait durer long-temps.

Quand Raboliot était venu, elle lui avait ouvert tout de suite. Elle avait bien voulu ce qu'il lui demandait, trop contente de lui faire plaisir.

Il faisait noir, dans la salle basse, à n'y pas voir sa main contre ses yeux. Ils chuchotaient, debout l'un devant l'autre. Raboliot sentait, sous son nez, une odeur fauve de cheveux et d'aisselles. Il avait allongé le bras et rencontré une tiédeur élastique, une moiteur de peau à travers l'étoffe d'une chemise. Aussitôt, elle s'était collée à lui, et un bruit d'eau qui gronde, comme d'un œillard d'étang grand ouvert, lui avait empli les oreilles. Ç'avait été, dans la ténèbre épaisse, une étreinte rapide et goulue, la nudité de la Flora parcourue sans entraves, à grands glissements de mains appuyés, un attouchement brutal et qui avait laissé aux doigts de Raboliot la brûlure d'un persistant contact, dans tout son corps, avec un désir sauvage, une pesanteur obscure de dégoût.

Quelque part dans la salle, ils avaient entendu un froissement de paillasse. Ils s'étaient écartés l'un de l'autre comme si on avait pu les voir. Et Raboliot avait dit à haute voix :

— Tu ne dors pas, Souris, à cette heure ?

La drôline n'avait rien répondu. Ils percevaient son souffle qui veillait.

— Elle est toujours la même, avait dit la Flora ; guère causante, bachique en diable...

Et elle avait ajouté, sa bouche mouillée sous la moustache de Raboliot :

— Tu reviendras ?

— Dame oui.

En s'en allant, il n'était pas trop fier de lui : ça n'était pas pour ce travail qu'il était venu à Bouchebrand.

Le lendemain, sur les onze heures de nuit, il retrouva les compagnons contre la route de l'Aubette.

Il avait son fusil, et, dans ses poches, quarante cartouches à pleine charge. Sarcelotte, Berlaisier en apportaient chacun autant.

— T'as la lanterne, Sarcelotte?

Le braco, l'index replié, fit tinter le réflecteur de nickel. Berlaisier, avec une bague de laiton, fixait à son médius un grelot, qu'on entendait trembler doucement par intervalles.

— Allons-y!

Ils prirent une large allée qui traversait une boulassière, guidés, dans les ténèbres, par les clappements mouillés que faisaient leurs semelles de corde contre le sol marécageux. La nuit était incroyablement noire, bourrée de nuages épais qui comblaient tout le ciel de leurs énormes écroulements. Il faisait presque doux, bien que le vent soufflât assez raide : quand ils passaient près d'un petit chêne, ils entendaient bruire ensemble toutes ses feuilles sèches.

— Par ici, chuchota Raboliot.

C'était lui qui marchait le premier, parce qu'il connaissait la contrée sans un manque, et aussi parce qu'il était le plus habile à se diriger sans y voir. Il obliqua dans une allée de tir, où les fougères avaient été fauchées; des coutons raides s'écrasaient sous leurs pieds. Parfois, une ronce oubliée les saisissait à la cheville, les faisait chanceler au passage : ils se rétablissaient d'un saut trébuchant, sans rien dire. Le seul bruit qui les accompagnait était de branches redressées derrière eux, et peut-être, imperceptible, le frisson du grelot que Berlaisier serrait fort dans sa main, au fond de sa poche.

Raboliot, les bras étendus, arrêta les camarades.

— On y est? souffla Berlaisier.

— Oui.

Ils pressentaient, en avant d'eux, un espace découvert où le vent coulait librement. Le ciel leur apparut; de vagues pâleurs, entre des abîmes plus sombres, modelaient les nuées par masses monstrueuses qu'un même mouvement bousculait d'est en ouest.

— Donne de l'eau, Sarcelotte.

Sarcelotte obéit, tourna le régulateur : un relent d'ail flotta dans l'air, grandit, insistant et fétide. Les trois hommes s'engagèrent dans la friche, levant haut les genoux parmi les touffes de bruyères, les ajoncs épineux qui leur griffaient les jambes à travers le velours des culottes.

— Allume.

La flamme d'un briquet tremblota, éclaira le visage et les mains de Sarcelotte, la conque brillante du réflecteur. Le gaz fusait en susurrant : il s'alluma soudain, avec une explosion légère ; un long pinceau blafard jaillit, transperça brutalement les ténèbres. Ils fermèrent un instant les yeux.

— En avant, dit Raboliot... Et toi, Berlaisier, le grelot.

Le tintement du grelot trémula dans le silence nocturne, clair, régulier, couvrant le bruit des pas. Sarcelotte avait pris la tête, Berlaisier à sa gauche et presque à sa hauteur. Raboliot les suivait, un ou deux mètres derrière eux, son fusil armé sur le bras.

Leurs cœurs, ensemble, avaient battu fort au jaillissement de la lumière, à l'éveil sonore du grelot. Ils continuaient de battre ensemble, largement, délicieusement. Sarcelotte, pour être plus à l'aise, avait déboutonné sa capote de soldat : elle flottait sur ses jarrets, ample et vague ; le collet relevé, de chaque côté de la nuque, allongeait comme deux cornes noires. Petit, il tenait haut le bras qui portait la lanterne, et le pas vif, la tête preste, il tournait son falot avec une capricieuse et sûre vélocité, dardait le faisceau blanc au travers de la plaine, l'allongeait, l'accourcissait, plus près, plus loin, à droite, à gauche, tâtant la nuit de cette antenne avec une adresse délicate. Berlaisier le dominait de toute la tête. Sa haute silhouette, dans le halo de la lanterne, dressait son ombre épaisse et la largeur de ses épaules. Parfois, le rayon lumineux l'effleurant, son profil surgissait tout à coup, cerné d'un ourlet d'or où brillait chaque poil de moustache.

154

Raboliot regardait à terre, partout où fauchait la lumière. C'était encore « sale » à leurs pieds, des bruyères chétives et mouillées. Mais bientôt le terrain s'affermit, des chaumes parurent, chaque brin projetant son ombre sur le sable. Et des bestioles se mirent à sauter, des musaraignes, des mulots, des souris, entrecroisant, éparpillant des bonds démesurés, jaillissant au contact du rayon comme de grosses puces rondes et blêmes.

Berlaisier, en silence, toucha l'épaule de Sarcelotte. Le faisceau évolua, distendu, se rétracta, tomba en rond sur le premier lapin.

Il apparaissait à quelques mètres, assis de flanc, immobile comme une motte. La clarté crue pâlissait son pelage, la houppe de sa queue était plus blanche que neige. Sarcelotte abaissa la lanterne; le bras tendu, le corps un peu penché, il approcha, les autres le suivant. Ils virent l'œil du lapin, de nuance sombre et profonde, s'éclairer d'une transparence rougeâtre, s'illuminer tout à coup d'un point vif : le reflet du papillon flambant. Le vent, passant sur lui, soulevait dans son poil des ondes courtes et frissonnantes.

— A toi, Berlaisier !

Le grand gaillard s'effondra d'une masse, écrasa la bête sous son poids. Il eut, debout, le geste familier aux chasseurs de grillages, une traction appuyée dont craquèrent les frêles vertèbres : le lapin tomba au fond du sac.

Et, tout de suite, ils en virent d'autres, des dizaines, épars à la surface du champ. Quand la lumière les atteignait, ils s'arrêtaient, la fixaient de leur œil arrondi. Assis les oreilles droites, rasés à plat et les oreilles couchées, ils peinaient tous d'une même stupeur paralysante. Sarcelotte tournait la lanterne, les rendait à la nuit fraîche et sombre : alors, éperdument, ils regardaient cette longue traînée de clarté blanche qui palpait la plaine comme une main. Il n'y avait qu'elle dans le noir, et ce bruit clair et continu, de bétail qui pâture au loin ou de grillon qui chante dans les chaumes. Berlaisier, sans arrêt, agitait le grelot. Les hommes, tout autour d'eux, sentaient ces petits corps boulés et blottis dans la nuit. Le faisceau pivotait, balayait ras les glèbes : et les lapins s'aplatissaient encore, fixaient encore, au cœur d'une aube brutale, ce soleil blanc qui les éblouissait.

Ils furent quatre, l'un après l'autre, cloués sur place par la lanterne. Quatre fois, Berlaisier tomba, cassa des reins, entrouvrit son sac. Embarrassé un peu, il manqua le cinquième lapin, s'étant lancé trop en arrière : des poils tièdes lui restaient aux doigts.

Ils ne dirent rien, mais se comprirent. Raboliot souleva son fusil, et, dans la seconde, tira. Ce fut un bruit énorme qui bouscula au loin les ténèbres, s'enfla, répercuté longuement par les échos des bois. Leurs cœurs battirent un peu plus rude, comme à l'instant où s'était allumé le falot. Mais Raboliot déjà tirait encore : et leur sang recouvra son rythme égal et fort, sa bonne chaleur vivifiante.

Ils marchaient, toujours silencieux. Ils accomplissaient leur besogne, chacun avec une aisance assouplie, joignant ses gestes à ceux des autres, les secondant, les complétant : c'était une belle équipe, homogène, harmonieuse, un chasseur à six bras dont les têtes pensaient d'accord. Sarcelotte « donnait ses coups de lanterne », fouillait partout la nuit profondément ; de temps en temps, il se baissait, ramassait un cadavre encore chaud, et son bras libre le tendait à Berlaisier. Quand Raboliot avait tué vers la gauche, Berlaisier obliquait un peu, se baissait en marchant et cueillait la bête morte au passage ; mais son grelot tintait toujours, égrenait sans une pause son drelin précipité.

Raboliot tirait entre eux, à leur côté, par-dessus leurs épaules. Le canon bleu de son fusil plongeait durement dans la clarté, pointait vers les lapins apparus. A chaque instant, une flamme en jaillissait, et la crosse poussait l'épaule de Raboliot. Entre la rivière et les bois, les détonations se répercutaient, si nombreuses par instants qu'il n'y avait plus de silence : les unes roulaient comme un tonnerre ; d'autres montaient au ciel, denses comme une boule, et, soudain éclatant, retombaient de là-haut, avec un bruit de grêle sur un étang. Le métal du fusil brûlait les doigts du braconnier, la provision de ses cartouches s'allégeait au fond de ses poches ; quelquefois, une douille qui tombait tintait vif contre un caillou.

Ils continuaient leur marche à travers le vacarme, derrière cette longue clarté tournante. Quelques gouttes d'eau, chassées par le vent, passaient devant le réflecteur ; elles scintillaient, brusquement agrandies, pareilles à des flocons éblouissants.

A un moment, Berlaisier eut son geste muet vers l'épaule de Sarcelotte. Juste en même temps, celui-ci abaissait la lanterne, et Raboliot distinguait, lui aussi, une perdrix au bord d'une raie. Ils dévièrent légèrement vers la droite, de sorte à découvrir la raie dans sa longueur : toute la compagnie était là, « capie » en file irrégulière. Comme il ne faisait plus très froid, les oiseaux ne se touchaient pas l'un l'autre. Les bracos accentuèrent leur manœuvre, tournant autour du rond illuminé jeté sur les perdrix comme un filet Sarcelotte, cependant, les serrait de plus près : la clarté circulaire précisait ses contours ; ils voyaient maintenant les becs rouges, les petits yeux de jais dans les têtes blanches et grises, les collerettes noires... Le grelot sonnait à les toucher. Berlaisier s'écarta un peu, Sarcelotte se baissa, et Raboliot, doucement, mit un genou en terre.

Il prenait la raie d'enfilade, tout le chapelet de plumes aligné au bout de son fusil. Le coup partit, se fondit aussitôt dans le claquement sifflant de l'essor, dans la vision des ailes poursuivies montrant leurs revers pâles frappés en plein par la lueur, dans l'explosion du second coup. Des plumes éparpillées tournoyèrent ; des chutes rebondirent sur le sol. Ils ramassèrent les perdrix tuées, neuf petites têtes pendirent, dont les becs dégouttelaient d'une rosée rouge. Le sac, au dos de Berlaisier, enflait sa bosse.

Et la chasse reprit, les hommes marchant vers l'est, contre le vent, le visage rafraîchi par sa coulée puissante. A leur gauche, des prés plats s'étendaient jusqu'aux peupliers du Beuvron. A leur droite, au-delà de champs ou de friches, le bois de la Sauvagère amoncelait ses profondeurs noires. C'était de ce côté que les lapins étaient le plus nombreux. Les plombs de Raboliot les bloquaient presque tous, les uns s'affalant comme des chiffes, d'autres culbutant par la tête, et d'autres retombant après un saut vertical avorté. Il tirait vite, à toutes distances. Il voyait près de lui les silhouettes noires de ses camarades, une mare de lumière vive qui se déplaçait sans cesse, traversée d'herbes secouées par le vent, peuplée de bêtes : et ses yeux la suivaient, devant eux le canon du fusil toujours pointé dans la lumière, ici, puis là, une seconde immobile, et lâchant sa volée de plombs. Il ne voyait rien d'autre, attentif uniquement à tuer, le plus possible et le plus vite possible. Berlaisier seul, en secouant le grelot, en ramassant le gibier massacré, tournait souvent la tête par-dessus son épaule, épiait l'espace nocturne intensément. Il lui semblait alors arracher ses regards à la lumière impitoyable ; il retrouvait d'un coup la plaine sombre alentour, le ciel gonflé de nuages pommelés, et les cimes noires des bois que ses yeux fatigués voyaient se déplacer d'un bloc, glisser sur l'horizon en un lent mouvement balancé.

Deux compagnies de rouges furent « arrêtées » encore. Raboliot, vers chacune, envoya ses deux coups, le premier sur les perdrix blotties, le second dès l'envol, à un mètre de terre. Et les champs vinrent mourir dans une lande spongieuse, les bois très vite baissèrent sur l'horizon : la vallée du Bouchebrand s'évasa du sud au nord.

Alors, et d'un commun accord, ils se dirigèrent vers le sud, parmi de hauts genêts qui les fouettaient au ventre, à la poitrine. Sarcelotte élevait la lanterne à bout de bras. Ils marchaient le plus vite qu'ils pouvaient, vers un grand chêne au bord du ruisseau.

— Tu peux y aller, chuchota Raboliot.

Le rayon monta obliquement, dansa dans la ramure du chêne. Des froissements d'ailes s'entendirent, et aussitôt le fusil claqua. Dans la jonchée des plumes tombées Berlaisier ramassa les faisans, trois poules mortes qui semblaient fanées, un coq royal, éclatant de carmin, d'émeraude et d'or rouillé, chatoyant de fugaces reflets mauves. Le coq vivait encore ; Berlaisier, chaussé « trop mou » pour l'assommer contre son pied, lui défonça le crâne sous ses dents.

Sarcelotte souffla la lanterne : les ténèbres les assaillirent, s'engouffrèrent lourdement dans leurs yeux. Raboliot voyait au travers tourner de grands cercles rougeâtres.

— On n'a plus l'habitude, murmura-t-il. On s'arrœille trop, on se fatigue la vue.

Mais, bientôt, la nuit s'éclaircit ; le chêne, les prés, les bois lointains reprirent leurs places ; et le ciel s'élargit sur leurs têtes.

— Hé ! là ! dit Sarcelotte. V'là que ça se dépatte, là-haut ! Si ce sacré vent d'est ne tombe pas, dans une heure, il fera clair d'étoiles.

Il épia l'espace autour d'eux :

— On n'entend ren ? demanda-t-il.

— Ren en tout.

— Alors, en avant !

Maintenant, ils échangeaient des paroles chuchotées :

— Si ça dégringolait, dis donc !

— Ça doit peser lourd, Berlaisier ?

— Amenez-moi des cartouches, vous deux : je n'en ai plus.

Une joie violente les accompagnait, la même joie pour tous les trois, et qui semblait soulever leurs pas. Près d'eux, le Bouchebrand coulait vite, débordait çà et là sur les prés. Ils regardaient son eau luisante où s'étiraient de vagues reflets d'étoiles. Raboliot murmura tout à coup :

— Y en a trop large pour sauter. Si des fois on

était coursés, le temps de trouver la passerelle, on serait faits.

— Pas de danger! dirent les deux autres.

La passerelle apparut. Ils la franchirent en courant presque :

— Hardi! Grouillons! Faut qu'il en dégringole encore!

Ils rallumèrent, et prirent les champs qui montent vers Chantefin. Raboliot fusilla les lapins sortis des pineraies, cingla de ses deux coups une compagnie de grises. Berlaisier, si robuste qu'il fût, commençait à haleter sous le faix.

Parfois, dans les branches des pins, s'émouvait un grand bruit d'ailes. La lumière du falot tournait largement dans le ciel, accrochait tout à coup des ailes pâles qui montaient, qui dérivaient avec le vent. Ils disaient :

— On voit qu'il a fait doux : les ramiers sont revenus.

Et, de nouveau :

— Tu n'entends ren?

— Ren en tout.

— Écoute... On dirait que ça tire.

Des pulsations menues passaient avec le vent, accourues de très loin, aux limites du silence.

— Ça vient de Framel, on dirait?

— Ben plus loin, en allant sur Cerdon.

D'autres coups de feu s'entendirent, qui cette fois semblèrent trouer le vent. D'autres encore claquèrent à la file, si sèchement détachés qu'on les aurait crus tout proches.

— A c'coup, les gars, c'était sur Tremblevif!

Ils se mirent à rire, contents de cette nuit crépitante, de ces détonations qui venaient les trouver comme des signaux d'amitié. Les gendarmes devaient pédaler, sur les routes!

— Un lieuve! annonça Berlaisier.

Le capucin trottait drôlement, par grandes détentes espacées. Berlaisier lança un coup de sifflet : le lièvre s'arrêta court et s'assit. Il se tenait face aux bracos, les pattes de devant levées; plusieurs fois, il se les passa sur les yeux, se frotta rapidement le museau avec des gestes qui semblaient jouer, des prosternations cocasses devant ce flamboyant soleil nocturne. La décharge de plombs l'atteignit par-dessous, le souleva de bas en haut. Il pendit, efflanqué, au poing de Berlaisier; le pouce de l'homme coula un glissement appuyé dans le duvet neigeux du ventre.

Quand, après un long détour, ils rejoignirent enfin le chemin de Bouchebrand, quatre autres lièvres avaient disparu dans le sac. Le ciel s'éclaircissait vers l'est par métamorphoses insensibles. Entre de grandes plages de nuées blanches, des lacs bleu noir palpitaient d'étoiles. A leur droite, ils distinguaient le creux de la Sauvagère, l'étang obscur où brillait par moments, à la pointe d'une vaguelette soulevée, une écaille de clarté nacrée. Les épicéas de l'île, côte à côte, effilaient des cônes ténébreux, jusqu'à leurs cimes acérées où semblaient s'érafler les nuages.

Et la masure de Bouchebrand apparut, tassée sous le grand merisier. Sur l'aire, un peu en avant, le fournil détachait son pignon.

— Tu y vas? demanda Sarcelotte.

Raboliot acquiesça :

— J'y vas, mais je n'serai pas long. Vous autres, entrez dans le fournil — c'est ouvert — et rechargez vivement la lanterne.

Il frappa. La porte, selon la coutume campagnarde, était coupée dans sa hauteur en deux vantaux superposés.

— C'est toi, Raboliot?

Le vantail du haut s'entrouvrit. La Flora inclina son buste, son visage pâle alourdi de tresses végétales. Raboliot sentit leur fraîcheur sur sa face, en même temps que la brûlure des lèvres.

— Tu n'as vu personne? demanda-t-il.

— Non.

— Et tu sais quelque chose?

— Non plus.

— Tu te rappelles ce qu'on a convenu, s'ils s'amenaient?

— Oui... Oui...

Elle l'embrassait encore, gonflant sa gorge.

— Tu entreras ben une minute, allons?

Mais il secouait la tête, appuyait ses mains, fortement, sur la tranche de la porte basse. Cette barrière de bois leur cognait durement les genoux.

— Les autres sont dans le fournil, murmura-t-il très vite, sans être trop à ce qu'il disait. Ils rechargent la lanterne. Ils doivent avoir fini... Faut que j'y aille.

Il s'écarta soudain, saisi par la sensation d'une présence. Une voix sortit de l'ombre, derrière la Flora :

— Moi, je sais quelque chose.

Il reconnut Souris avec malaise. Agile, glissante comme une fumée, elle escalada la porte close, sauta sur l'aire.

— Les gardes sont dehors, continua-t-elle. De l'autre côté du Bois-Sabot, passé la route... Mais peut-être qu'ils reviennent à cette heure : on entendait tirer rudement fort, sur Chantefin.

Raboliot, tandis qu'elle parlait, délibérait avec lui-même. Il lui dit tout à coup :

— Arrive!

Et il la poussa dans l'ombre du fournil. Berlaisier, Sarcelotte étaient agenouillés l'un devant l'autre. Berlaisier, dans sa main, tenait un briquet allumé; cela faisait sur le carrelage une flaque de clarté rouge qui tremblait. Des débris de carbure pulvérulent éparpillaient entre eux de petites mottes vert-de-gris.

— On a fini, dit Sarcelotte.

Il releva les yeux, et il aperçut la drôline.

— D'où tu sors, toi?

Raboliot répondit pour elle :

— Elle nous a entendus sur Chantefin... Elle dit que les gardes sont en tournée par le canal, passé la route du Bois-Sabot, mais qu'ils pourraient s'amener, qu'ils ont dû nous entendre aussi...

162

— Alors ? firent les deux hommes.

— Alors quoi ? On y va quand même.

— Là voù ? interrogea Souris.

Ils la regardèrent un temps, Raboliot surtout, sans rien dire. Elle soutint tranquillement l'épreuve ; et tout à coup, avec un geste de tête vers la maison :

— Alle s'est refourrée dans son lit, moman. Vous créyez qu'alle en bougera ? Si les gardes s'amènent, je me gênerai mieux qu'elle à leur répondre. Et si je sais où vous chercher, je saurai vous trouver avant eux... Raboliot peut vous dire : j'ai l'habitude de trotter la nuit.

Raboliot tressaillit légèrement. Il continuait à la scruter.

— C'est ben vrai que si tu voulais... murmura-t-il.

La gamine sourit, presque câline :

— Mais dites-le donc ! s'écria-t-elle. Pour sûr qu'en voilà des affézes !... C'est sur Chantefin qu'il faudra les envoyer ?... leur raconter que vous y êtes encore ?

— Justement.

— Et vous serez sur Buzidan ?

Puisqu'elle se doutait déjà, ne valait-il pas mieux jouer franc jeu avec elle et se la concilier tout à fait ? Elle en savait assez pour devenir dangereuse, si par une méfiance maladroite on lui donnait envie de l'être.

— Allons ! dit Raboliot. C'est temps de repartir.

Dès le seuil du fournil, ils s'aperçurent que le ciel s'était dégagé davantage. Vers le zénith, un clair immense ouvrait les nuages, piqué d'étoiles. Alors, Raboliot dit très vite :

— On va sur Buzidan, oui bien. Pas dans la plaine... Du côté des étangs... On prendra entre la grande allée et les deux étangs de Malvaux... Tu comprends bien ? Si des fois il fallait s'ensauver, on passerait le canal sur le pont de Malvaux... Et si des fois tu voyais les gardes, rappelle-toi de les envoyer ailleurs, n'importe où vers le Beuvron, mais pas par là.

Il répéta : « Tu comprends bien ? » et vainement attendit la réponse.

— Où qu'elle est? demanda-t-il.

Ni Berlaisier, ni Sarcelotte ne l'avaient vue disparaître. Ils regardèrent alentour dans la nuit, sans la voir, et n'osèrent la héler.

— Alle sera rentrée en douce, dit Sarcelotte. C'est sa manière, à ce sautesiot [1].

Mais une gêne les suivait à travers les pineraies de Bouchebrand, et les suivait encore quand ils passèrent au pied de la butte, sous la ferme de Buzidan.

— On commence ici?

— Non da! On est trop découvert... Du pailler de la ferme, ils nous dépeindraient vite et nous tomberaient dessus.

Ils s'étaient retournés. Berlaisier grogna dans sa moustache :

— Bon Dieu! Il fait tout de même plus assez noir.

Ils distinguaient, au faîte de la butte, les coiffes arrondies des meules. Raboliot, qui voyait plus aigu que les autres, fut secoué d'un grand sursaut :

— Attention, les gars! Il y a du monde là-haut!

Berlaisier, Sarcelotte regardèrent à leur tour. Ils chuchotèrent, après un instant :

— On ne voit parsonne.

Un autre instant passa, au bout duquel ils demandèrent :

— Tu vois encore?

— Non, plus ren.

Alors, ils se rassurèrent :

— T'auras cru... T'as les yeux fatigués : tu le disais encore tout à l'heure... A réfléchir, c'était pas possible.

— Guère, reconnut Raboliot.

Ils descendirent encore, contournant un rehaut de la butte qu'épaississait une pineraie de quinze ans, déjà haute. Raboliot regarda derrière lui : les bâtiments de la ferme avaient à présent disparu derrière le mouvement de terrain.

— Donne toujours un coup, Sarcelotte.

1. Sauterelle.

À peine la lanterne allumée, des fuites de lapins zigzaguèrent, s'aplatirent, animèrent l'étendue des champs. Raboliot heurta du pied un oreillard rasé hors de la zone illuminée ; un autre, démarrant affolé, vint donner du nez contre sa jambe.

— Ah ! les gars ! exulta-t-il.

Et il tira, toute son inquiétude oubliée. Et le massacre reprit, dans la clarté brutale et le vacarme des coups de feu. Et le grand sac, que Berlaisier avait vidé à Bouchebrand, se gonfla de nouveau, pesa aux épaules du gaillard.

Une demi-heure passa. Ils atteignirent le premier étang de Malvaux, recommencèrent à monter entre l'étang et la grande allée. La main de Berlaisier, tout à coup, saisit l'épaule de Sarcelotte.

— Arrête voir ! souffla-t-il.

Et aussitôt, la voix pressante :

— Donne un coup en èrriére, vite !

La lueur tourna, balaya par-dessus le creux la longue pente de Buzidan. Et, dans cette lueur, à moins de cinquante mètres, ils distinguèrent nettement des hommes qui galopaient vers eux.

— Foutons le camp ! Hardi !

— Dret au pont de Malvaux !

— Par l'allée ! A l'allée d'abord !

Ils prirent leur course à toutes jambes, avec, de loin en loin, de brèves paroles qui haletaient :

— Combien qu'i's sont ?

— Tro' ou quat'e.

— Éclaire-les, Sarcelotte... Tape-leux-y dans les yeux !

Sarcelotte s'arrêtait une seconde, fouillait la nuit du faisceau lumineux. A chaque coup de lanterne, ils mesuraient anxieusement la distance qui les séparait des poursuivants. C'étaient des hommes qui couraient bien : il leur semblait à chaque fois que la distance avait décru.

— A l'allée, petit ! Guette-les au fossé de l'allée !

— Laisse faire... Laisse faire... répétait Sarcelotte.

Ils couraient toujours, vers les épicéas qui bordaient la grande allée. La lumière éclaira pour eux le fossé broussailleux et profond ; ils galopèrent plus vite sur la piste rectiligne, chacun sur un étroit sentier entre les files de breumaille et les ornières.

— C'est le moment, Sarcelotte !

Le lanternier se retourna, braqua l'éblouissant rayon. Ils virent leurs poursuivants baisser la tête, crocheter pour retrouver la nuit. Le rayon crocheta avec eux, les maintint dans son orbe arrondi. Sarcelotte reculait doucement, la lanterne un peu haute, cherchant à saisir leurs visages. Déjà, les hommes touchaient presque l'allée. La tête toujours baissée, tâtonnant à gestes d'aveugles, ils gravirent le talus dont l'abrupt plongeait au fossé. Brusque, le rayon volta, les abandonna aux ténèbres : les bracos entendirent l'éboulement confus d'une chute, des jurons, une autre chute plus roide où cliqueta un bruit vif de métal.

Ils filaient, allégés, vers le pont déjà proche. Le chemin remontait vers le faîte que suit le canal ; il leur semblait apercevoir les bouleaux du chemin de halage. Alors Sarcelotte eut un rire étouffé :

— T'as vu c'te pagaille ?

— On passera sûrement avant eux...

— Et sitôt passé, dret au bois, en tirant sur la route de l'Aubette !

— Hardi les gars !

Tout en courant, ils écoutaient la nuit derrière eux : ils n'entendaient plus rien. Les hommes qui leur donnaient la chasse devaient avoir perdu, dans leur chute, toute l'avance ardument gagnée.

— Vous les avez connus ? demanda Berlaisier.

A mots précipités, hachés, Raboliot exhala sa colère :

— Piveteau, nomma-t-il, le plus petit des Saint-Hubert... Et Firmin de la Sauvagère... Et puis Bourrel le cogne... Ah ! les vaches !... Piveteau, bon Dieu, t'as vu comment qu'il a pris le traindevay ?... Et Lépinglard encore, où qu'il est ?... C'est un piège, les gars, on a été vendus !

166

— Par qui ?

— Ah ! par qui...

L'image de Souris l'obsédait. Il serra les poings avec rage. Essoufflé de sa course, la gorge bloquée par une indignation furieuse, il étranglait :

— Un crapaud, une venimeuse...

— V'là le pont, avertit Berlaisier.

Le chemin accentuait sa pente, empierré de cailloux glissants. Le garde-fou leur apparut, ses barreaux de fonte peints en blanc. Sarcelotte s'arrêta net, comme heurté d'un choc à la poitrine. Il souffla vivement la lanterne :

— Ah ! merde !

Il y avait des hommes sur le pont, plusieurs silhouettes soudain dressées, qui leur avaient semblé gigantesques.

— Sauve qui peut, les gars ! Chacun pour soi ! Sarcelotte, le premier, dégringola le talus herbeux qui surplombait le chemin de halage. Raboliot, Berlaisier, le suivirent, poussés par un instinct grégaire. Ils n'étaient pas en bas qu'ils se sentaient frappés à la tête, qu'ils chancelaient sous une volée de coups de poing : d'autres hommes les avaient attendus, en embuscade au pied même du talus. Ceux qu'ils avaient vus sur le pont leur tombaient en même temps dans le dos.

Et des souffles rauques se pressèrent, des enlacements à pleins bras coupés de grondements étouffés, des chutes raidies sur le gravier crissant, des esquives sournoises, des reprises brusques avec des « han ! » de cogneurs d'arbres.

Berlaisier, debout, en secouait deux à ses épaules. Il les portait, il grimpait le talus sous leur charge, cherchant les barres du garde-fou. Les autres, soulevés de terre, ne trouvant rien à quoi s'accrocher, lançaient des coups de pied furieux que le grand gars semblait ne point sentir. Il montait, courbé comme un haleur. Quand il fut au faîte du talus, il fléchit tout à coup, à quatre pattes, pesa contre le sol des paumes et des genoux, et se mit à ramper, pouce à pouce, d'un mouvement sourd, têtu, irrésistible.

Sarcelotte, deux fois déjà, avait glissé aux bras de Lépinglard. Il se laissait soulever sans résistance, se prêtait mollement à l'étreinte, écœurait l'homme et le déconcertait par cette inertie de mannequin. Mais, soudain rassemblant ses muscles, l'échine souple et bandée à la fois, il coulait contre le ventre de l'adversaire, les bras levés comme un plongeur. Et des mains s'agrippant aux jarrets — de gros jarrets qui se gonflaient sous la culotte — la tête passée entre les jambes de Lépinglard, il poussait des épaules avec des saccades violentes : le Saint-Hubert était trop lourd ; il résistait, massif, sans presque chanceler.

Raboliot, sur le sable du chemin, se roulait avec un garde du Bois-Sabot. Poitrine contre poitrine, tantôt dessus, tantôt dessous, ils mêlaient leurs haleines et sentaient chacun sur sa joue la barbe de l'autre qui piquait. Le sang sifflait aux oreilles du braco. Il luttait farouchement, sans rien de clair en lui qu'un désir forcené de vaincre, mais harcelé continuellement de pensées troubles et mauvaises, lancinantes comme un abcès. Les grognements rauques de l'homme qu'il étreignait, son souffle que viciait un relent de tabac et d'eau-de-vie, cela se confondait avec la sensation d'une tumeur venimeuse qui grossissait dans sa poitrine, lui emplissait la bouche d'une âcre et fielleuse amertume. Un mot lui revenait aux lèvres, qu'il entendait comme s'il l'eût prononcé : « C'est foutu... C'est foutu... » Et cela évoquait à la fois la chasse manquée, le gibier perdu, le guet-apens odieusement ourdi, le départ simulé des Saint-Hubert, la traîtrise de Souris, l'actuelle violence où il s'abîmait, les lendemains redoutables après ce combat sans merci, la débâcle, la fin de tout. Et il luttait, les dents serrées ; il se livrait à la fièvre du corps à corps, de sa fatigue crispée, de la rumeur sifflante que ses artères scandaient à ses tempes.

Un fracas d'eau brutalisée, un jaillissement énorme s'entendirent, et aussitôt des claques mouillées, les crachements d'un homme qui s'ébroue. Une autre chute creva le canal, écrasa tout de son vacarme... Berlaisier, seul debout au milieu du pont, lâcha les barres du garde-fou, fit jouer doucement ses doigts noués de crampes, avala un grand coup d'air. Et il fonça, l'encolure basse comme un taureau.

Lépinglard reçut cette masse au creux des reins. Il s'éboula comme une statue de sable, roula vers le fossé en bordure du chemin. Berlaisier, roulant avec lui, s'abattit contre sa poitrine. Des branches basses lui griffaient le visage ; il les empoigna à pleines mains, tira lentement, toujours plus fort, pendant que ses genoux pressaient les côtes de Lépinglard, les écrasaient d'une pesée grandissante.

— A moi ! cria le Saint-Hubert.

Sa voix peinait, suffoquée d'angoisse.

— A moi !... A moi !...

Raboliot sentit qu'on le lâchait. Il se remit debout, titubant, fit un tour sur lui-même avec une lenteur hébétée. Dans la nuit maintenant pleine d'étoiles, le chemin de halage se déroulait tout droit, pâle et nu au pied des bouleaux. Des bruits de coups pressés, des chocs durs lui parvinrent, le firent se ruer vers le fossé où une grappe d'hommes bougeait confusément. Une lueur soudaine brilla au travers, l'œil globuleux d'une lampe électrique de poche. Il entrevit, le temps qu'elle brilla, le profil de Berlaisier, son crâne décoiffé et saignant. Des poings se levaient alentour, retombaient raide, sonnant comme des maillets.

— Dans le tas, Sarcelotte !

Ils s'élancèrent ensemble, entrèrent au cœur de la mêlée. Au même moment, des égouttis claquaient dans l'eau, bruissaient frais contre la berge du canal. Et deux ombres émergèrent, coururent, se confondirent avec les autres.

Raboliot ne voyait plus rien : il serrait et frappait tour à tour. Un fourmillement lui demeurait aux poings ; il ne les sentait plus que comme une lourdeur à ses bras. Des coups reçus, dont il n'avait pas eu conscience, accentuaient à présent leur brûlure sur sa peau. Des contacts d'étoffes mouillées, des chocs de pieds, des souffles courts et rudes, parfois l'éveil jaune de la lampe traversaient son acharnement. Il perçut à son flanc un bruit de pas précipités, songea, l'espace d'un éclair : « Voilà les autres, ceux de Buzidan, qui s'amènent. » Et, de nouveau, avec une lassitude soudaine : « C'est foutu. »

Des mains s'étaient rejointes contre son ventre; un corps lui pesait sur le dos. Et les mains descendaient doucement, plus bas, un peu plus bas, un tâtonnement qui appuyait... Il rugit, traversé d'une douleur fulgurante, d'une sensation atroce d'arrachement, se tordit en soubresauts fous, roula enfin contre le talus. Ses doigts avaient touché quelque chose de dur et de froid. Ils se fermèrent, soulevèrent son fusil tombé.

— Ah! bandit! cria-t-il.

L'homme qui l'avait si sauvagement meurtri s'était dressé en même temps que lui. Dans un éclat de la petite lampe, il reconnut le visage de Bourrel, les crocs de sa moustache rousse, ses yeux pâles fixés sur lui. Et ce fut tout à coup comme si l'abcès longtemps gonflé crevait enfin dans sa poitrine, lui brûlait le cœur de son fiel. La notion d'un désastre l'envahit plus poignante, mille souvenirs cruels à quoi cet homme était mêlé, la mort de la petite chienne noire au claquement d'un revolver, les angoisses souffertes à travers les êtres qu'il aimait, sa détresse impuissante d'homme traqué, rejeté hors de la vie des autres, et la menace de lendemains pires, l'écrasement proche, inévitable, en même temps qu'un sursaut dernier, une révolte affolée de banni. Le gendarme déjà s'élançait... Raboliot songea, serrant les mâchoires : « Ah! tant pis! »... Et aussitôt, un large afflux d'air aux poumons : « Ça y est! »

Le crâne de Bourrel avait sonné sec sous la crosse. Ç'avait été, dans les oreilles du braconnier, un bruit étonnamment semblable à celui qu'il avait entendu, le soir où le cadavre d'Aïcha était resté sur la route de l'Aubette. A ce bruit dur, un flottement traversa la masse des combattants mêlés. La tête de Berlaisier émergea, ses épaules puissantes qu'il secouait. Il se dégagea tout à coup, cria vers Raboliot :

— Tire ! Tire donc !

Bourrel était tombé, évanoui. Ils virent des hommes qui se penchaient vers lui. Un autre homme, furtivement, rampa vers les bracos, se souleva, prit sa course : c'était Sarcelotte. Il haleta, les rejoignant :

— Tire donc ! Tire donc !

Des cris s'élevaient devant eux :

— Ils se sauvent, les gars ! Ils foutent le camp !

Et Berlaisier, tout bas, avec violence :

— Ils barrent le chemin vers le pont... Tire donc, bon Dieu ! Faut qu'on passe !...

QUATRIÈME PARTIE

1

Quelque chose remua dans le fond du fossé. Le toit de ronces fut soulevé par-dessous, s'écarta peu à peu. Raboliot passa la tête dans l'ouverture, épia anxieusement les entours.

Ses yeux noirs, toujours luisants d'un éclat vif, avaient pris à présent une extrême instabilité : dans un même moment, leurs regards sautaient de ça de là, hasardaient en tous sens des coups de sonde aigus et prudents. Sa barbe avait poussé, sombre, épaisse, durcissant le creux de ses pommettes. Sous sa casquette en loques, des mèches de cheveux ruisselaient, lui couvraient à demi les oreilles ; à travers tout ce poil, la peau apparaissait patinée d'un hâle brun, d'une teinte chaude où brillait la vigueur d'un sang pur.

Il se leva d'un coup, arrachant dans son geste les épines cramponnées à sa veste. Les cordes flexibles des ronces le raclaient, cédaient l'une après l'autre avec des saccades bruissantes. Quand il fut hors du fossé, il les replaça une à une, recouvrit de leur entrelacs le trou qui lui avait livré passage. Et il s'ébroua comme un fauve, secouant les feuilles restées sur lui.

Il était déjà tard : il avait dû dormir longtemps. A pas coulés, avec les mêmes regards en tous sens, il fila au travers du taillis, hasarda la tête dans un clair, et sauta sur un sentier d'assommoir. C'était une piste étroite qui sinuait dans l'épaisseur du bois, de sol net et solide entre un feutrage de breumailles, de feuilles mortes, de rejets drus. Raboliot la suivit, le buste un peu penché, d'un trot silencieux et glissant.

Il ralentit, épia de nouveau. Devant lui, deux clayons de genêt étrécissaient le sentier, que barrait complètement, entre eux, la trappe d'un assommoir : une lourde planche de chêne, qu'alourdissaient encore deux grosses briques liées d'un fil de fer. A côté, jeté hors du chemin, gisait un écureuil mort. Il était tombé sur le dos, aplati par le poids du piège ; ses quatre pattes, écartelées, crispaient leurs petites mains griffues. Tournefier avait dû passer le matin, car on avait tranché le panache de sa queue : une queue d'écureuil vaut dix sous. Depuis le passage du garde, l'assommoir était tombé encore, écrasant un second écureuil. Tout l'arrière-train restait engagé sous la trappe ; le buste émergeait seul, incliné sur le chemin ; la petite bête semblait dormir, dans une attitude accoudée et paisible.

Il y avait, à quelques pas, un piège de fer à palette, à côté d'une charogne de lapin que Tournefier avait étalée là pour attirer les renards ou les fouines. Ce n'était pas un fauve qui avait déclenché le piège, mais bien un troisième écureuil. Les mâchoires de métal, énormes, dentelées, tenaient serrées ses deux pattes antérieures après les avoir broyées. La bestiole les tendait en avant comme des bras ; elle s'était affaissée doucement sur le piège, dans un renoncement de souffrance abominable. La queue touffue, légère, gardait encore sa souplesse de panache, le pelage un éclat flambant, tout le petit cadavre on ne savait quelle grâce vivante. Mais deux mouches vertes, déjà, étincelaient dans la fourrure rousse.

Raboliot, furtivement, ramassa les trois écureuils, les enfouit dans une musette. Il continua de suivre le sentier, atteignit un fossé que remblayait un talus sablonneux. Alors il suivit le talus, attentif aux empreintes de pattes, décelant d'un coup d'œil le pied des bêtes qui l'avaient précédé, presque toujours des putois ou des fouines. Il s'attardait aussi aux gueules ténébreuses des terriers, observait, aux places blanches où le sable était chauve, les crottes qui s'y éparpillaient. Il s'arrêta enfin à l'orée d'une futaie de chênes, au pied d'une petite butte que foraient des terriers nombreux.

De longs rais de soleil traversaient la futaie, coulaient sur les troncs pâles verdis de lichens froids, allumaient en rasant, aux bosses soulevées par les racines, des plaques de mousses velouteuses. Le braconnier s'assit sur l'ados du fossé, fit glisser de son épaule la bretelle d'un sac de toile. De petits trous perçaient ce sac sur le côté; la toile bougeait d'ondulations vivantes.

Raboliot fouilla dans le sac, en sortit un furet putoisé. La bête, à la lumière, balançait sa tête tâtonnante, allongeait son échine de lézard. Raboliot, dans la finesse du poil gris-fauve, promenait sa paume avec une douceur machinale.

— On va chasser un peu, disait-il. On va tâcher d'en prendre deux ou trois... Ce soir, petit, on passe à Bouchebrand : t'auras une pleine soucoupe de lait.

C'était un bon furet de chasse, qui ne s'endormait point au secret des terriers en cuvant une ventrée de sang, qu'il avait chaque fois retrouvé, qui ne l'avait jamais trahi. Il en était venu à aimer ce crâne plat, ces yeux aveugles où somnolait une affreuse férocité.

Presque couché, il rampa de terrier en terrier, tendant le cou, examinant les fientes, le sable égratigné de traces. Ses narines palpitaient comme s'il eût flairé. Le furet, dans sa main, dardait sa tête avec des retraits mous, se distendait comme un lombric.

— Allez, petit!

La bête coula au trou, disparut aussitôt dans l'ombre. Raboliot, le temps d'y songer, avait tiré les bourses de ses poches, les posait aux gueules du terrier. Déjà, la petite butte tressaillait de chocs profonds, de galopades assourdies et folles. Une bourse se distendit violemment et roula : le braconnier était dessus, décoiffait le lapin empêtré. Il lui brisa les reins et l'envoya, au fond de la musette, rejoindre les écureuils morts. Dans la minute, il en prit deux autres, tombé de tout son long sur les bourses soubresautantes. D'un tournemain, il enleva les dernières bourses, les fourra dans ses poches et s'enfonça dans le taillis.

Le soleil déclinant traînait sous la ramée une nappe fluide et vermeille. Elle s'épandit plus largement, d'une coulée pleine, unie, que Raboliot sentit sur son corps comme un bain. Il s'aperçut qu'il touchait la lisière, découvrit devant lui la plaine.

Elle resplendissait toute sous la lumière vespérale. Très loin, minuscules dans l'étendue, quelques hommes se courbaient sur un champ, près d'une charrette attelée d'un cheval rouan. Par intervalles, une voix parvenait de là-bas, celle du charretier criant vers le cheval : « Hue!... Hoo!... Drrié!... » Et les essieux claquaient, un instant; le son traversait l'air, pur, dépouillé, sans avoir rien perdu de sa netteté première.

Raboliot s'allongea au-dessus du fossé de lisière, légèrement en retrait, sur la contrepente du talus. Ses guenilles ternes, d'un gris sourd et brunâtre, se confondaient avec les nuances des branches et du sol. Il s'était étendu à plat ventre, pressait le sable de ses coudes. Immobile, les yeux grands ouverts, il s'abîma dans la contemplation de la plaine.

C'étaient d'abord, au-dessus de lui, des chevelures de bouleaux qui pendaient dans le ciel, légères, gonflées de sève, brillantes d'une pourpre fraîche et qui semblait mouillée. Dès le fossé, les champs montaient d'un mouvement insensible, étalaient une pente douce, couverte tout entière de seigle qui levait. Les pousses vertes, sous la clarté horizontale, blondoyaient à l'infini. Ce ruissellement d'émeraude dorée se mêlait au rythme des glèbes, n'existait que par lui, exaltait sa paisible et souveraine ascension.

Plus loin, à droite, vers l'Occident, les champs redescendaient avec la même lente harmonie. L'étang de Chanteloup y renversait un grand reflet limpide. Les joncs qui l'embrassaient, quelques plaisses encore défeuillées enlevaient leurs teintes chaudes, ocres vermeils, rousseurs ardentes, sur le bleu soutenu d'une pineraie qui fermait l'horizon. Le ciel touchait aux cimes des pins, semblait posé sur elles comme un globe de cristal vert : un globe sans épaisseur ou d'une épaisseur infinie, impondérable et dense pourtant, de contours si fluides qu'ils déconcertaient le regard, mais dont la courbe s'infléchissait, sensible, comblait les yeux de sa radieuse perfection. Deux nuages ronds, traversés de roseurs nacrées, demeuraient suspendus, immobiles, sous la transparence du zénith.

Raboliot respirait lentement, la chair pénétrée d'un bien-être végétal, si absolu qu'il ne sentait plus son corps. Il ne vivait que d'une pensée sporadique, d'images éparpillées à fleur de rêve comme des îlots sur un lac. C'était le cinquième soir qu'il revenait ainsi au seuil de la grande plaine, qu'il attendait la nuit pour regagner la masure de Bouchebrand. Et, comme les autres soirs, devant l'espace familier, des souvenirs le traversèrent, des visions de naguère aujourd'hui sans rudesse qu'il regardait glisser aux rives de son être, molles, lentes, à peine mélancoliques.

C'était pourtant à lui que ces choses étaient arrivées. C'était lui qui avait, d'un coup de crosse, étendu Bourrel à ses pieds, qui avait tiré dans la nuit, fracassant le genou de Piveteau. Était-ce possible ? Il y aurait bientôt trois mois...

Il se rappelait la montée suffocante de l'eau, glaçant son ventre à travers ses vêtements, enveloppant sa poitrine en sueur, submergeant ses épaules. Heureusement, elle n'avait pas gagné davantage ; ni lui, ni Sarcelotte, bien plus petits pourtant que Berlaisier, n'avaient eu besoin de nager. Ils avançaient doucement, frôlés d'herbes gluantes, en remuant le moins qu'ils pouvaient. Les balles, avec des froissements vifs, faisaient gicler le gravier du chemin... Trois mois, arrièze ! Trois mois qu'il avait fui, qu'il vivait dans les bois comme un loup ! Il avait traversé Tremble-vif, franchi loin en aval la vallée du Beuvron, poussé au nord vers la forêt de Chaon, vers Souvigny, Sennely, Marcilly. Il y avait partout des bois pour le cacher. Il changeait de bois chaque nuit, cherchant, pour s'y bauger le jour, les fossés broussailleux que les ronciers enjambent de leur voûte. Il y dormait des sommes écrasés et fiévreux, hachés de cauchemars, d'abois de chiens, de coups de revolvers, si las que ses réveils le laissaient immobile et prostré, toute sa force en son ouïe aux aguets, et sombrant de nouveau dans un sommeil plus noir que la mort.

Il se levait au coucher du soleil, et il chassait. Avec une patience de chat, il pouvait demeurer des heures couché à la gueule d'un terrier, le corps inerte comme une souche, mais la main suspendue, le bras bandé pour la détente, pour le rapt vertigineux ; il avait pris souvent, ainsi, des lapins au déboulé.

Il allumait du feu un peu avant la pique du jour, à l'heure où les champs sont déserts : un hérisson bouilli est tendre et savoureux autant qu'un poulet de grain. Il trimbalait, dans sa musette, un vieux pot ramassé près d'une ferme, une baguette aiguisée pour embrocher le lapin à rôtir ; petit à petit, il avait monté son ménage.

Mais quelquefois, inquiet, il n'osait allumer du feu : le bois était trop chétif ou trop clair, on aurait vu flotter la fumée sur le taillis ; ou bien le rond de cendres, les pierres noires du foyer auraient décelé son passage. Alors, il mangeait des bêtes crues. Ça lui avait été pénible, en commençant, mais il s'y était fait bien vite ; et pareillement au manque de pain et de sel dont il avait beaucoup souffert, les premiers jours. Il avait connu de rudes heures. Avec mars, des froids terribles étaient revenus du nord, des hargnes de grésil, des nuits de gel où les grands arbres craquaient du pied jusqu'à la cime, dans l'air limpide et bleu, sous les feux verdissants des étoiles. Ces nuits-là, il marchait, parcourait des lieues de pays. A force d'errer ainsi, toujours inclinant vers le nord, il était parvenu au bord d'une vallée plate et fertile, où les toits des maisons nombreuses, les bouquets d'acacias et de peupliers estompaient leurs taches rousses et mauves à travers un voile de buée fine, trempé d'une caressante lumière. On devinait au fond, derrière cette buée qui l'enveloppait, le cours d'une grande rivière, son lent voyage millénaire. Il était au seuil du Val de Loire.

Et, de ce jour, une nostalgie insidieuse s'était glissée dans tout son être, l'avait pénétré peu à peu. Il était retourné vers le sud, vers les pineraies et les genêtières, les taillis de bouleaux et de chênes où le gibier pullule et nourrit qui sait le prendre, où les fossés sous les broussailles offrent au fugitif, si par chance il n'a pas trop plu, de tièdes et ténébreuses retraites. L'air se faisait plus doux à mesure que son corps durcissait. Maintenant, il s'attardait parfois, prenait le temps de poser un collet aux passées des bouquins en rut. Mais il repartait devant lui, traversait d'autres bois, toujours appuyant vers le sud. Par Sennely, par Souvigny, il avait retrouvé la forêt de Chaon. C'était un pays tout semblable à celui où il était né, avec les mêmes mouvements du sol, les mêmes friches de breumailles et d'ajoncs, les mêmes champs sablonneux bordés de plaisses et de trognards, et toujours les rousseurs des taillis, les bleus vigoureux des pineraies. Il y avait longtemps déjà qu'il avait revu le premier étang.

Il continuait pourtant, descendait vers le creux du Beuvron. Il y glissait d'une coulée invincible, comme un ruisseau qui suit sa pente. Par l'étang Marcou, par Moulinfrou, par l'Épine, il avait gagné les fourrés du bois de Chamboux, n'en était plus sorti d'une semaine. Mais, quand venait le soir, il s'approchait de la lisière, sautait par-dessus les chemins, ne s'arrêtait qu'au bord de la rivière.

Elle filait, vive, sur un fond de sable blanc, s'alanguissait sur un fond noir de feuilles mortes, au pied des chênes dont les racines plongeaient dans l'eau.

De l'autre côté, toute proche, c'était la douceur des prairies, plus loin des chênes encore arrondissant leur cime, et ce chêne entre tous les autres, au bord du ruisseau de Bouchebrand, le même où le falot de Sarcelotte avait « trahi » les faisans endormis.

Raboliot regardait le chêne, la vallée du Bouchebrand, le bois de la Sauvagère. De grands élans le parcouraient alors, une houle puissante et secrète qui parfois débordait tout son corps : il la sentait sortir de lui, avec un tressaillement qui lui glaçait la peau.

Depuis trois mois, il n'avait vu des hommes que de loin, et pas un homme ne l'avait vu. Pas un regard, pas une parole. Il parlait tout seul en marchant, pour le soulagement qu'il avait à entendre le son de sa voix d'homme. Avec les effluves du printemps, des bouffées tièdes lui gonflaient la poitrine, lui amollissaient les jambes. Et, bien souvent, quand les soirs transparents attardaient leur lumière, ses yeux s'étaient mouillés, sans raison, comme au temps de ses quinze ans.

Il évoquait, derrière la Sauvagère, la maison de Firmin, le chenil grillagé, la selle onctueuse de savon où Tasie, robuste et rieuse, lessivait au bord de l'étang. Sa pensée, au-delà, remontait à Bouchebrand, se suspendait sur la masure de Flora. Il se rappelait leurs étreintes dans l'ombre, la nudité mince et brûlante qu'avaient connue ses mains avides, la fraîcheur des tresses noires, la soumission de la bouche entr'ouverte. Un soir qu'il était resté plus longtemps à la lisière du Chamboux, qu'il avait vu la nuit engrisailler la lande, l'enténébrer sous un ciel sans lune, il avait franchi le Beuvron, remonté le Bouchebrand et frappé à l'huis de Flora.

Cinq jours avaient passé depuis, jusqu'à ce crépuscule au bord de la grande plaine, jusqu'à cette rêverie nonchalante sous le ciel qui pâlissait. Il songeait maintenant à la Flora, la chair soulevée d'attente, si sûr de combler son désir que ce désir ne le tourmentait point. Il se sentait heureux. Il l'était. Si les deux compagnons, Berlaisier, Sarcelotte, avaient voulu comme lui rester libres, ils n'auraient eu qu'à y mettre le prix, qu'à s'enfuir comme lui, se bauger des mois comme lui, avec la même patience courageuse... Il savait à présent qu'ils étaient en prison. Les policiers les avaient reconnus dès le lendemain de la rixe, Berlaisier à la plaie saignante qu'une crosse de revolver lui avait faite sur le crâne, Sarcelotte à son parler nasillard. En quelques mots, la Flora lui avait appris tout ce qu'il voulait savoir.

La nuit de chasse à la lanterne, ils avaient eu huit hommes contre eux. Le guet-apens avait été décidé, combiné au Bois-Sabot, dans le bureau du comte de Remilleret. Raboliot avait vu les visages sous la lampe; il se souvenait... Les Saint-Hubert étaient montés un soir dans le tramway, feignant de se cacher, juste assez pour laisser croire à leur départ. Descendus à la gare de Chaon, ils avaient regagné, à pied, le Bois-Sabot, s'étaient gîtés dans une mansarde sous le toit, et n'en avaient plus bougé, attendant l'heure.

C'était Souris qui avait donné le signal. Sur une parole de cette drôline, huit hommes étaient partis dans la nuit, avec leurs revolvers et leurs fusils : Lépinglard et Piveteau, trois gendarmes de la brigade, deux gardes du Bois-Sabot, et Firmin Tournefier. Le soir où Raboliot, en quittant Sarcelotte, était monté à Bouchebrand, elle les avait prévenus que ce serait pour le lendemain. Pendant que les bracos chassaient dans la plaine du Beuvron, toute l'équipe attendait, massée dans les fourrés de Bouchebrand. Les lanterniers, descendant de Chantefin, étaient entrés dans le fournil pour y recharger leur lanterne. Raboliot, alors, avait parlé. Une fois de plus, devant Souris, il avait eu la langue trop longue. Ah! pour sûr, il se souvenait! Tous les mots qu'il avait dits, il s'entendait encore les prononcer : « Si des fois il fallait s'ensauver, on passerait le canal sur le pont de Malvaux... » Le berlaud! Il avait dit ça! Et la drôline avait disparu. Ils la croyaient rentrée dans la maison, et elle filait déjà sous les bouleaux qui bordent l'étang, vers les gendarmes et les gardes. Et toute la bande se hâtait en silence vers la grande allée de Malvaux, y arrivait avant les lanterniers, se dédoublait alors, Piveteau, Tournefier et Bourrel montant vers le pailler de Buzidan d'où ils domineraient la plaine, les cinq autres courant au pont de Malvaux, pour l'affût. Ç'avait été du beau travail !

Toutes ces nouvelles, Flora les lui avait données d'un coup. Elle les tenait de la drôline elle-même. La nuit dernière, Raboliot avait vu Souris. Elle lui avait redit toute l'histoire, sans un manque.

« Pour qui travaillais-tu ? lui avait-il demandé. Pour Lépinglard ? Pour Bourrel ? » Elle avait répondu : « Pour personne. » Et lui : « Tu m'en voulais donc, à moi qu'étais gentil pour toi, qui ne t'avais jamais cherché misère ? » Alors Souris, avec un regard presque tendre : « Ah ! c'est ben vrai. V'étiez gentil... » Il y avait de quoi tomber fou. Il l'avait prise par les poignets comme il lui arrivait naguère, l'avait secouée rudement, malgré lui : « Alors, pourquoi as-tu fait ça ? Pourquoi m'as-tu conduit, un soir, vers les persiennes du Bois-Sabot ? Pourquoi m'as-tu montré la bande, si tu voulais me vendre après ? Qu'est-ce qui te poussait, petite carne ? » Elle s'était mise à trembler, baissant la tête, prête aux larmes : « J'sais-t-y ! J'sais-t-y !... » C'était de terreur qu'elle pleurait : c'était l'angoisse des coups qui la faisait trembler. On l'avait trop battue. Tous ces coups qu'elle avait reçus, ils lui avaient tanné le cœur, à force. Il fallait plaindre ce bout de monde, trop durci pour son âge, déjà incapable d'aimer : on a un père qui est en prison, une mère qui est une traînée ; il n'est plus qu'à tomber sous la trique d'un Volat...

Raboliot l'avait lâchée, toute sa colère sans force depuis qu'il lui semblait comprendre : « Ça t'amusait, faut croire, de nous pister à bout, de nous faire prendre ? Dis, Souris, ça t'amusait ? » Les yeux de la drôline s'étaient mis à briller, et elle avait dit « oui », contente.

Raboliot, tout ce jour, avait beaucoup songé à elle. Ce soir, il y songeait encore, et presque avec tendresse, un peu comme à une petite sœur pitoyable et farouche. C'était bien moins sorcier qu'il l'avait cru d'abord. Pourquoi penser à des choses troubles, à une jalousie obscure, de petite fille trop avertie, révoltée, attirée en même temps ? Il avait bonne figure, à se voir dans cet aria ! Cette Souris, elle vivait pour la chasse, pour la joie de suivre une trace, d'être la plus futée, la plus « maline ». Et elle jouait le jeu pour le jeu ; elle n'allait rien chercher au-delà. Si le jeu s'était trouvé féroce, elle ne l'avait point voulu : elle n'était qu'un chasseur, un petit animal livré à son instinct, moins sensible de cœur qu'une fouine.

Raboliot, toujours couché au seuil de la plaine, avait glissé profond dans sa rêverie. Son cerveau s'engourdissait lentement, une torpeur le prenait qui était presque du sommeil. Quelques images encore se soulevèrent, des pensées vagues qui lui échappaient à demi. Il vit Bourrel qui se relevait, titubant, qui regagnait le bourg en s'appuyant sur les autres gendarmes : du coup de crosse, il avait eu pour huit jours de lit. Son crâne était guéri ; mais sa rancune, probable qu'elle ne l'était point... « Ils ont battu tous les taillis pendant un mois, avec des chiens... Ils sont venus encore, le mois suivant... Les voilà fatigués ; les temps se font moins durs. On voit des pointes jaunes aux genêts... Et ça ira de mieux en mieux... Comme il fait doux ce soir ! Je suis à l'aise... La nuit tombée, bientôt, la Flora va m'ouvrir sa porte. »

Des cris aigres, térébrants, retentissaient sur la tête du braco, des claquements d'ailes qui tournaient en rond. Il se souleva sur un coude, avec humeur : « Ces caillasses ! Ce qu'elles sont agouantes [1] ! » Les pies l'avaient éveillé tout à fait. Elles étaient deux qui se battaient, volant à la cime d'un chêne, avec des feintes, des crochets, des plongeons vertigineux, des montées brusques en jet d'eau, liées l'une à l'autre

1. Insupportables.

par un fil invisible, et toujours ces cris aigres, ce jacassement furieux et ridicule.

« Ah ! Les voilà parties ! » Un caprice les avait entraînées côte à côte. Le silence du soir reflua. Les paysans, là-bas, avaient disparu ; Raboliot distinguait encore, à peine, les cahots de la charrette qui montait vers Buzidan.

Il allait se lever, quand une tache sombre glissa sur le taillis, deux ailes étendues, immobiles. L'oiseau descendit obliquement, vint se poser à quelques pas de l'homme, sur le tronc d'un bouleau tors. C'était une buse des bois. Debout, elle sommait la bosse rugueuse de l'arbre, les serres implantées dans l'écorce. Elle se dressait de toute sa taille, elle était étrangement hautaine. Son corps ne bougeait point ; sa tête seule, par intervalles, se tournait à demi, épiait l'étendue des champs avec une anxiété à la fois sournoise et fière où ne s'apercevait nulle crainte. Elle restait là, dédaigneuse et patiente, à l'affût des perdreaux couplés.

Raboliot, toujours allongé, coula sans bruit sur la pente du talus, en arrière. Il s'accroupit au bas, se souleva doucement, cherchant dans sa poche un caillou : il en avait toujours une provision. Il en choisit un au toucher, rond, un peu aplati, qui adhérait exactement à la courbure de son index. Son bras tournoya raide, le projectile fendit l'air avec un ronflement léger. Il entendit, un petit spasme au cœur, le bruit mat du caillou qui par chance atteignait la buse. Les grandes ailes de l'oiseau s'étaient entr'ouvertes au choc, comme si un souffle les eût soulevées. Lentement, presque avec majesté, tout son corps s'inclina, s'inclina davantage, s'affaissa au pied du bouleau. Raboliot arriva comme déjà elle « finissait », les yeux mi-clos, les ailes raidies d'une contraction dernière. Il ramassa l'oiseau, un bel oiseau brun de plumage, taché de blanc. Du sang coulait à la pointe du bec ; les serres noires et brillantes se repliaient, inertes, au bout des pattes vernies de jaune.

Sans hâte, la musette pleine, le braconnier revint s'asseoir sur le talus. Maintenant la nuit était proche. Les deux nuages ronds de tout à l'heure s'étaient largement épandus, étalaient dans le ciel un voile plat, d'une nuance grise et bleutée pareille à celle du givre qu'on voit aux grosses prunes de monsieur. Et ils montaient toujours vers le zénith pâli, peut-être bleu, peut-être vert, d'une profondeur vertigineuse et pure. Une éclaircie les séparait encore, un lac de topaze atténuée dont un lambeau luisait sur les champs assombris, à la surface de l'étang de Chanteloup.

Raboliot regarda s'allumer les étoiles. C'était depuis longtemps nuit pleine quand Flora lui ouvrit sa porte, à Bouchebrand.

2

Il y venait de plus en plus souvent, à la noirté. Le jour, il demeurait au bois de la Sauvagère. Il n'avait plus jamais franchi le Beuvron vers le nord, il ne pouvait plus s'éloigner.

Était-ce Bouchebrand qui l'attirait, l'odeur humaine de la salle basse, et les bras de Flora, son étreinte ? Les premières nuits, peut-être. Mais il avait très vite épuisé son plaisir. Le dégoût qu'il avait senti dès la minute où la Flora s'était offerte, il l'avait retrouvé en retrouvant cette femme, après sa longue errance sauvage.

C'était une garce. Il suffisait qu'un homme la regardât pour qu'elle se couchât sur le dos. Depuis un mois, des bauchetons travaillaient dans une pineraie de maritimes, à la Patte d'Oie. Ils savaient tous le chemin de Bouchebrand, et la peau de Flora n'avait plus de secrets pour eux. Raboliot n'était pas jaloux, mais il était saoul d'elle, même aux instants où il la serrait contre lui, gémissante, ses yeux révulsant leurs prunelles, réduits à deux minces lignes bleuâtres entre les franges de cils noirs. Il avait l'assouvissance hargneuse. La servilité de Flora, ses yeux de chienne, de femelle toujours consentante, le jetaient à des colères qu'il réprimait de moins en moins : « Salope ! Salope ! » Il la mordait, la meurtrissait exprès : alors elle recommençait à gémir, gonflant sa gorge, si bien qu'il ne savait si c'était d'avoir mal ou de jouir. Mais lui, quand il l'avait lâchée, une rage le reprenait bientôt de la serrer, de la meurtrir encore, d'épuiser dans ses bras il ne savait quelle souffrance ou quelle soif. Il était comme une bête en folie, plus pauvre et malheureux qu'une bête.

Il regrettait Souris, ses yeux indéchiffrables, sa dure maigreur de petite rebelle, et tous les souvenirs que lui eût rendus sa présence. C'étaient pourtant de mauvais souvenirs ; mais il saignait de leur arrachement, comme d'un lambeau de son passé. Plus il allait, plus il revivait en arrière. Il aurait bien voulu que quelqu'un l'y aidât. Souris partie, gagée sur ses instances dans une locature de Clémont, à trois bonnes lieues, il n'avait plus personne pour l'aider.

Il souffrait, ne trouvait d'apaisement que le jour, dans les bois. Les bouleaux de la Sauvagère, ses taillis de chênes pressés calmaient un peu la brûlure de son mal, le pansaient de leur fraîcheur nouvelle, de leur jeunesse retrouvée. Aux branches des bouleaux, les feuilles multipliaient leurs piécettes translucides, d'un vert tout doré de soleil. Dorées aussi étaient les feuilles des chênes, et dorées les crosses des fougères, feutrées d'un duvet délicat, si vite épanouies que l'œil suivait leur déroulement, et déjà, une à une, l'éploiement de leurs palmes, qui se joignaient, qui se touchaient, enfin étalaient sous les pins une nappe unie de clarté verte, suspendue au-dessus du sol comme en automne, le soir, la brume sur les prairies.

Les troncs des pins sylvestres étaient roses ; on

voyait leur sang sous l'écorce. Et par les genêtières c'était un flamboiement, une gloire lumineuse confondant les grappes fleuries, dont l'odeur chaude-amère flottait au loin comme un pollen.

Le printemps s'avançait, déjà s'inclinait vers l'été. Des crépuscules ambrés planaient longtemps sur la campagne. Et quelquefois, quand le ciel était pur, une pâleur tiède, toute la nuit, glissait sous l'horizon du nord, joignait lentement le soir à l'aube.

Raboliot chassait toujours, car il fallait manger, colletait, furetait, posait des trébuchets. Les bois maintenant feuillus assourdissaient les bruits. Les lignes pures de la terre hivernale s'épaississaient de touffeurs bleues; les plans s'étaient tout à coup rapprochés, l'espace comblé. Le ciel lui-même touchait l'horizon comme une main.

C'était sur Raboliot un contact plus étroit des choses, un enveloppement plus intime. Mieux caché par les feuilles drues, il se gardait moins anxieusement. Mieux nourri, maintenant que les girolles orangées, les boules de neige et les champignons roses poussaient par bandes sous les pins ou dans les clairières herbues, il lui arrivait de flâner, de suivre ses pas au hasard. Cela le surprenait et le désemparait : à mesure que le souci de sa provende relâchait sa terrible étreinte, qu'il se sentait mieux assuré de vivre, son découragement augmentait. Une inquiétude puissante et vague, une sensation de vide l'accompagnaient où qu'il marchât, l'entouraient d'un pénible vertige. Même s'il allait sans se presser, écoutant contre ses cuisses le sifflement des fougères entr'ouvertes, il avait l'impression de fuir, à moins peut-être qu'il ne cherchât : il ne savait, et cette incertitude avait quelque chose d'affreux.

Quand son angoisse se faisait trop poignante, il s'arrêtait, s'asseyait n'importe où; et, tenant ses jambes embrassées, le menton posé sur ses genoux, il se pliait sur sa souffrance et tâchait de voir clair en lui-même : « Qu'est-ce que j'ai? Qu'est-ce qui m'arrive? Voilà que tout vient à mon allégeance, que chaque racoin des bois me cache, que les cèpes vont pousser sous ma main. Et j'ai un toit, une maison si je veux... Est-ce que j'ai crainte des fois ? Est-ce que j'ai senti Bourrel ? »

Il éprouva une stupeur, prononçant mentalement ce nom, à s'apercevoir tout à coup qu'il regrettait Bourrel comme il avait regretté Souris, que la présence de Bourrel, que sa méchanceté lui manquaient : « Allons ! Il n'y a plus de doute à cette heure : me voilà sûrement fou perdu. »

La chasse même ne l'intéressait plus qu'à peine. S'il lui arrivait à présent de trahir un lapin au taillis, assis sur son derrière et tirant vers son nez, à deux mains, une pousse neuve qu'il grignotait, son cœur ne battait pas plus fort, il ne se rasait plus soudain, comme un renard ou un chat à l'affût. Il continuait d'aller son lourd pas d'homme, ne regardant même pas la queue blanche qui fuyait au galop.

Tout ce qui entrait dans ses yeux, tous les visages des choses familières, et qu'il aimait, continûment accroissaient sa souffrance. Il se disait : « C'est des affaires à ne point comprendre : plus ça me plaît, et plus ça me fait peine. »

Les soirs le trouvaient amolli, l'entraînaient dans leur flux comme une feuille sur un étang. Il y avait un moment, chaque soir, où la clarté solaire dormait étale sous les branches. Et venait un autre moment où elle semblait se retirer, s'incliner vers la plaine comme une marée descendante. Il la suivait, il flottait avec elle. Aveugle, il flottait d'arbre en arbre ; il se laissait porter, endormi.

Il s'éveillait toujours à la lisière, devant la plaine. Il regardait éperdument l'ondulation des seigles mûrs, si hauts maintenant qu'ils lui cachaient le miroir clair du Chanteloup, semblaient frôler de leurs premiers épis les pins bleus debout sur l'horizon.

Bientôt, on allait moissonner : les faucheuses mécaniques allaient cliqueter au loin dans la campagne. Et ce serait, longtemps avant l'automne, un premier dépouillement de la terre, les lentes vagues

il avait maintenant l'habitude. Il re-
les mêmes élans profonds qui parcou-
r, montaient vers ses épaules, et débor-
e en lui glaçant la peau. Ce n'était plus
e ardeur continue, douloureuse, qui ne
oint de trêve. Il regardait la route, sa
cre rose qui montait, descendait, filait
rs le canal, passait le pont et gagnait sa
corps pesait contre la terre, s'alourdis-
s'il eût été de plomb. Son ventre et sa
laient à la jonchée des feuilles anciennes,
t leur empreinte dans la moiteur molle du
restait là, rivé au sol par sa vie même, et sa
ant le tirait violemment ailleurs, le tortu-
e d'un écartèlement.

suis marié, pareil aux autres... Et moi
eu des enfants. » Il appelait, doucement
avec la crainte d'entendre la palpitation de
uettant avec un tremblement l'éclosion pro-
des mots : « Sandrine... Sandrine... » Ce
t auprès de lui, ces autres noms qui l'entou-
ui le touchaient, respiraient avec lui dans
e : « Edmond... Léonard... Sylvie... » Sa voix
de l'un à l'autre nom. Il épiait le contour des
, les découvrait, chacune, comme le modelé
age : « Ah ! Sandrine ! »
vait cette route, la même, de caillou en caillou
t vers sa maison, par chacun de ses grains de
nie à sa maison, là-bas. Tout droit ! Tout droit !
rait qu'à courir sans rien voir, qu'à se laisser
sur la route, avec elle, jusqu'à rejoindre sa
n, retrouver enfin toute sa vie, telle qu'elle
tissée depuis les jours de son enfance, depuis
uvagère et les prés du Beuvron, les taillis, les
gs, les pineraies, le pays merveilleux de ses
ses, jusqu'à Sandrine qui était sa femme et ces
petits qu'il avait...
Pourquoi, mon gars ? Qu'est-ce qu'on t'a fait ? » Il
voyait comme à travers une vitre, si transparente !
mince figure de Sandrine, un peu pâle, sa nuque

des terrains réapparues sous les chaumes ras. Après
que les genêts auraient perdu leurs fleurs, les grandes digitales fleuriraient, aligneraient le long des
haies, dans l'ombre humide des fossés, leurs thyrses
de clochettes écarlates. Les *gants de bargères* ! La
vieille Montaine disait, quand il était petit : « Ne les
cueille pas, ça empoisonne le cœur. » Il les cueillait
quand même avec les autres drôles, il s'en coiffait le
bout des doigts ; ou bien, les frappant sur sa paume,
faisait claquer leurs fleurs une à une.

Et les bruyères aussi seraient fleuries : d'abord, sur
les chemins des bois, les petites breuvèzes pourpres,
et bientôt après, par les friches, les hautes touffes de
la breumaille rose. Cela ferait des étangs roses,
tendres, légers, au bord des genêtières éteintes. Le
soir, ils rayonneraient d'un éclat chaud, d'une
lumière profonde et secrète, comme les nuages sur le
couchant ; ils exhaleraient longtemps, sous le ciel
crépusculaire, toute la lumière qu'ils auraient bue
pendant le jour.

Et les bouleaux, un matin de brouillard fondant,
se montreraient chevelus d'or pâle. Les peupliers au
bord de la Sauldre laisseraient glisser leurs feuilles
sur les prés, sur l'eau rapide, blanche et glacée
comme le ciel. Il y aurait à l'entour de leurs cimes
des croassements rauques et voilés, des vols cir-
culaires de corbeaux. Les fumées traîneraient bas
sur les toits des maisons ; on respirerait, dans les jardins, leur aigre odeur...

Tout cela, et tant d'autres images devant les seigles
de la plaine ! Le vent tombait, ne creusait plus à travers les épis ces frissons vifs dont l'œil suivait au loin
la course. Deux seuls épis, par intervalles, se frôlaient furtivement l'un l'autre, avec un froissement si
délié qu'il semblait chuchoter des paroles. Raboliot
n'était plus que ce froissement de deux épis ; il
l'accueillait, il le reconnaissait dans tout son être.
C'était ici seulement que deux épis se frôlaient l'un
l'autre avec cette grâce sèche, un peu raide. Ils
n'étaient pas bien lourds, vrais épis de Sologne ;

entre les tiges clairsemées, on distinguait des flaques de renoncules...

Depuis toujours il écoutait ce chuchotement. Et cela s'amplifiait en lui, évoquait tour à tour la rumeur des pineraies inclinées par le vent, le clapotis des vaguelettes contre la chaussée des étangs, le grondement d'un œillard ouvert. La Sauvagere, Bouchebrand, les étangs et les arbres, tout était là, à sa place de toujours, et les vairons dans le ruisseau, et les grenouilles dans les joncs. Bête par bête, brin d'herbe par brin d'herbe, depuis sa toute petite enfance il avait appris ce pays. Avec plus de richesse tyrannique, les images le submergeaient. A mesure que déclinait le jour, sa songerie se faisait plus grave, plus recueillie : il commençait à sentir battre son cœur.

Il avait couru dans les prés, parmi les flouves et les phléoles tremblantes ; il faisait des balles de coucous ; aux places mouillées, c'était tout blanc de cardamines ; sur les pentes sèches, c'était tout rouge d'oseille sauvage. Sous les chênes du Beuvron, il avait trempé ses culottes, il avait pêché en *chavant*, les bras plongés sous les racines visqueuses ; braconnier d'eau et pêcheur de grenouilles avant de tendre son premier collet. Arriéze ! Comment n'aurait-il pas tendu ? C'était son père qui lui avait appris, son père encore qui, pour la première fois, l'avait emmené à la lanterne, une nuit qu'un équipier s'était trouvé malade et qu'il n'avait personne pour secouer le grelot.

Il avait quatorze ans, peut-être. Il était bouère, près d'ici justement, à la ferme de Chantefin. Valets, charretiers, fermiers, des braconniers tertous ; comme les humains, les chiens à vaches braconnaient. Quand on est tout le jour aux champs, peut-on ne voir que son troupeau ? S'il n'y avait tant d'autres bêtes, on ne songerait pas à *le faire* : c'étaient les bêtes qui avaient commencé.

« Voilà ma vie, songeait Raboliot. D'un bout à l'autre, j'ai fait pareil aux autres. J'ai grandi, je suis

parti soldat. Et
revenu, et je m
j'étais en âge...
Même pendant l
permission chez
on a pourtant tou
qu'avant, une bon
au bois, d'abattre l
de chasser pareil a
lant, j'ai eu, pareil a

Il en avait eu trois.
soir, à la même heur
soleil, il la suivait av
peu plus, la lumière d
vers la route de l'Aube

La première fois qu'i
comme un éblouisseme
pierreuse, et, sentant s
solide, regardant devant
suivit à découvert, sortit

Un tintinnabulement
aperçut une carriole d'ép
noire goudronnée, dont le
Buzidan. Il recula lentemen
rentra dans le taillis.

Le lendemain, ce furent les
chant du bouère qui les me
brusques du chien. Et, le soi
ment furtif sur la route, un g
poussière le firent se sauver t
pressée et le cœur en suspens.
blotti, il vit passer la bicyclette,
son guidon, un jeune gars qui
jambes, content de déployer sa f

Et plusieurs fois ce fut de mêm
marchand, un fardier balançant d
la camionnette automobile du bo
sorti du bois, il avait devant lui un
plaine nue, deux ou trois kil
d'atteindre le canal et ses bouleaux

dans le fossé
trouvait en lui
raient sa chai
daient son êt
bientôt qu'un
lui laissait p
chaussée d'o
d'un trait ve
maison. So
sait comme
poitrine col
enfonçaien
terreau. Il
vie cepend
rait comm

« Je me
aussi, j'ai
d'abord,
sa voix, g
digieuse
nom étai
raient,
l'air tiè
montait
syllabes
d'un vi

Il y a
courar
silex u
Il n'au
couri
maiso
s'étai
la Sa
étan
chas
troi

«
les
La

ployante, ses yeux trop souvent tristes, il les voyait. Et vous voilà aussi, les drôles ? La tête ronde de l'Edmond, ses mollets larges, les prunelles noires du Léonard, sa finesse éveillée, les bérets bleus, les cartables jetés sur une chaise, il les voyait ; et encore les menittes de Sylvie, ses frêles doigts tendus qui crochaient à même sa moustache. On ne croit pas que ça existe si fort, ce petit monde. On vit au milieu de lui, sans presque le voir, tant c'est simple. Et puis, un soir, au bout d'une trop longue solitude, on retrouve ses enfants un à un, le vrai regard de leurs yeux vivants, la vérité de leurs petites personnes : et c'est quand on les a perdus.

La maison est au bord de la route, une vieille bâtisse à pans de bois en diagonale, entre lesquels les briques superposent leurs tranches rouges, roses, violettes. Contre la maie de merisier, l'horloge dans sa gaine hausse son cadran fleuri ; son balancier, derrière une vitre ronde, passe et repasse comme un soleil dans l'ombre. Quand Raboliot sortait de la maison, il ne regardait pas les choses. Pourtant, comme il a dû les voir !... S'il sortait à présent, il tournerait le dos au canal, il irait vers l'Aubette et le jardin du père Touraille. Les bambous, les aveliniers, les coudriers devaient clore les allées de leurs frondaisons serrées, les saponaires, les gaillardes, les pieds-d'alouette mêler leurs fleurs aux rives des plates-bandes, les lippes de côs d'Inde laisser pendre leurs grenouilles pourprées. « C'est moi, popa ! C'est Raboliot ! » Il entrerait, baigné une seconde, au passage, par le rayonnement chaud de la façade, dans un vrombissement d'abeilles. Il respirerait l'odeur familière, l'odeur des bêtes et des pots à colle, mêlée à celle des pipes que fumait le bonhomme. Voilà les grands hérons sur la table, les chavoches rangées au bord de la commode, le baromètre, le bal chez Coubaillon !... Dans les boîtes de carton, Raboliot triait les yeux de verre. Le vieux contait l'histoire du diamant bleu des serpents. Et Norine était là, tricotant près du petit fourneau, hochant la tête et disant : « C'est ben vrai. »

La route, dehors, descendait vers le bourg. Raboliot suivrait encore la route. Il ferait un soleil de
midi. Il passerait sur la place, au pied de l'église
encapuchonnée d'ardoises, dans l'ombre du vieux
marronnier. Et il dirait bonjour aux gens : « Alors,
gars, ça va comme tu veux ? — Ça va ben, gars ! Ça va
toujours ! » Toutes les boutiques se toucheraient, à
leur place. Chez le marchand de bicyclettes, les lanternes brilleraient derrière la devanture ; à la porte
du bureau de tabac, des journaux pendraient à des
ficelles, contre des gaules de bambou en faisceau. Et
l'on verrait du seuil de cette autre maison, couler la
Sauldre. « Te voilà, petit ? » La vieille Montaine
n'aurait pas bougé de sa chambre. L'image de la bergère serait toujours au mur, le crucifix, le rameau de
buis sec. Il répondrait depuis la porte : « Moman... Je
suis venu vous embrasser. »

Alors, comme tout serait facile ! Et quels coups de
cognée au pied des grands pins maritimes, quels
copeaux, plus larges que la main ! Il aurait caché son
fusil, pas bien loin... Qui est-ce qui se plaindrait, le
soir, quand il allongerait sur la table, devant Sandrine et les petits, un grand bouquin aux yeux déjà
ternis ? « C'est un lieuve ! Puisque je vous l'avais promis ! » Il serait Raboliot toujours, baucheton et
braco de Sologne. Il rentrerait chez lui le soir, sa
journée faite, avec la monnaie dans sa poche et le
gibier dans sa musette. Et si la lune, brillant dans la
nuit avancée, venait toucher la porte vitrée du jardin,
qui est-ce qui l'empêcherait de se lever doucement
du lit, de siffler Aïcha et de partir avec elle au grillage ?

Les hommes s'en vont, c'est l'habitude. Ils sont
toute la journée dehors, et quelquefois encore à la
noirté. Qu'est-ce que ça fait, puisque leur maison les
attend, puisqu'elle est toujours à sa place ?... Tout
était resté comme toujours, de pas en pas au long de
la route et des rues, à partir de cette lisière de bois
où Raboliot se tenait couché.

Il y avait toujours cette plaine où s'élançait la

route, si vaste, si nue, infranchissable. Dès le seuil de la plaine, il y avait les yeux de tout le monde, toutes ces oreilles tendues aux bruits, et toutes ces langues qui vont parlant : « Vous savez, le gars Raboliot, on l'a vu... » Et Bourrel entendrait, et il se mettrait en campagne.

Dès le seuil de la plaine, Bourrel se tenait aux aguets. Contre l'élan qui soulevait Raboliot, Bourrel bloquait son vouloir et sa force, ses rancunes, son uniforme, ses tribunaux et sa prison. Comme autrefois, mais avec une netteté plus brutale, de soir en soir plus simple et plus terrible, le braco se heurtait à l'image de Bourrel.

« Va, Raboliot ! » C'était ainsi qu'il se parlait, naguère. Maintenant, ça n'était plus la peine : tout son cœur bondissait vers là-bas. Il se voyait au-delà de la plaine, du canal à sa maison, de sa maison à l'Aubette et au bourg, faisant les pas qu'il avait mesurés, chaque pas le situant à sa place, parmi les hommes et les heures de leur vie. Sandrine faisait des ménages, Touraille empaillait des oiseaux, Montaine priait et Norine tricotait ; même l'Edmond, même le Léonard allaient à la petite école. Et tous les autres allaient, venaient, à leur place, le boulanger cuisant la nuit, roulant le jour ses pains dans sa camionnette, Trochut servant à boire le jour, et recevant la nuit les chasseurs de lapins dans son arrière-boutique. Tout se tenait, battait un rythme doux, sans heurt, ainsi qu'un mouvement d'horloge entraîné par ses poids de fonte. C'était, en vérité, comme un prodige éternellement nouveau, une humble fête qu'il regardait de loin, chassé d'elle, et qui ne l'accueillerait plus.

« Qu'est-ce qu'on t'a fait ? » Tout avait commencé chez Trochut, avec ces coups lancés dans la porte. La porte avait claqué, grande ouverte ; et Raboliot avait filé, bousculant Bourrel au passage. A chaque étape de son exil, c'était Bourrel qu'il retrouvait. Depuis l'alerte de l'auberge, il reconstruisait toute sa vie, l'expliquait à sa propre pensée avec une logique de plus en plus simpliste et roide : il avait continué d'être ce qu'il était, sans se charger d'un acte malhonnête, sans se risquer à une crapulerie, par exemple voler des faisans en parquet... Puisque toute cette misère s'était abattue sur ses reins, il fallait bien que quelqu'un l'eût jetée.

Une voix lui avait dit : « Va-t'en ! » Dure et musclée sous le dolman, l'épaule de Bourrel le poussait, le chassait : « Va-t'en de ta maison, va te cacher ailleurs. Chez Touraille ? Pauvre innocent !... De cette maison aussi, va-t'en Je te rejette au bois, vers Bouchebrand, la Sauvagère, avec un coup de botte à ta chienne. Tu l'aimais, la petite noire ? C'est bien pour ça que je l'ai tuée. Même de cette compagnie fidèle, de cette tiédeur à ton côté, va-t'en ! Et je te chasse des bois enfin, au-delà du Beuvron, plus loin, toujours plus loin de ton pays, jusqu'au seuil de cette grande vallée inconnue... »

Arriéze ! Raboliot s'était arrêté là. Il était revenu et revenu encore, jusqu'au Beuvron, jusqu'à la plaine, à toucher la route de l'Aubette. Il sautait debout sur la route, torturé du désir d'avancer. Il songeait avec véhémence : « Ah ! qu'il me voie, et que je le voie ! Ça ne peut plus durer comme ça ! Puisque c'est entre lui et moi, qu'on se retrouve, et qu'on en finisse un bon coup ! » Volat qui était en prison, Tancogne vieillissant et malade, Souris gagée au loin, les Saint-Hubert toujours en route, ils n'étaient que des comparses, de vagues alliés dont Bourrel s'était servi. La volonté, c'était Bourrel. Le responsable, l'ennemi, c'était Bourrel.

Raboliot maigrissait, ravagé par l'idée fixe. Ses yeux brillaient d'une fièvre un peu hagarde ; un cerne les creusait, brun sombre, accentuant leur fixité. Souvent il courait par les bois, poussait jusqu'aux prés de la Sauvagère, derrière la maison de Firmin. Il rôdait alentour, regardant de loin, dans le chenil, la tache jaune que faisait Dévorant allongé devant sa niche ; le vieux Pillon, d'un gris de cendre, tournait sans hâte au bout de sa chaîne. Le braco se glissait à travers des genêts serrés, suivait, entre leurs touffes plus hautes que lui, de petits sentiers qui sinuaient. Il reconnaissait par terre, les empreintes cloutées qu'avaient marquées dans le terreau les semelles de Tournefier. Il touchait, au bout du jardin, le grillage de la clôture. Parmi les salades et les choux, des pouillards déjà gros trottaient autour d'une mère poule.

La première fois que Dévorant l'avait flairé, ç'avait été un tel charivari, les trois chiens aboyant à pleine gueule, qu'il avait aussitôt filé. Il était revenu pourtant. Il revenait chaque jour, avec l'espoir que Firmin le verrait. Maintenant, il voulait voir Firmin; il se raccrochait à cette pensée, se soutenait de cette conviction : « Le faut! Le faut! » A la pique du jour, quand Tournefier sortait de sa maison, Raboliot était là, caché dans la genêtière contre la clôture du jardin. Le garde emmenait toujours Dévorant. Sur le seuil de la porte, il allumait sa cigarette, et regardait autour de lui, la mine préoccupée. Raboliot comprenait pourquoi Tournefier regardait ainsi : il devait l'avoir deviné, il devait le savoir tout proche. Alors il se méfiait, soucieux d'éviter la rencontre.

Comment faire, malheureux? Firmin avait raison. Pareille rencontre devant chez lui, ça n'était vraiment pas possible : il fallait avoir la tête perdue pour s'obstiner dans cette folie. Raboliot s'obstinait, plus audacieux à se montrer. Il se disait : « Je ficherai une boulette au grand chien. Une fois qu'il sera crevé, Tournefier avec Pillon tout seul, je marcherai carrément sur lui... A moins que je m'amène une nuit, une nuit bien noire, secouée de vent, et que j'aille toquer à sa porte. Mais il demandera "qui est là". Et alors? Que je réponde, que je me taise, c'est trop certain qu'il ne m'ouvrira pas.. Peut-être, aussi, que je pourrais l'attendre sortir, la nuit toujours, quand il part en tournée. Mais il ne va point seul la nuit : c'est un garde de Tremblevif, c'est un garde du Bois-Sabot, toujours quelqu'un qui l'accompagne à l'habitude... Ah! bon Dieu, qu'est-ce que je vas faire? »

Il passait à présent par des crises d'accablement glacé, qui le tenaient des heures assis au pied d'un arbre, les yeux vides, ou vautré contre terre à plat ventre, sans un mouvement et semblable à un mort. Cela durait jusqu'à ce que la fièvre lui brûlât de nouveau toute la chair, lui emplît le cerveau d'un grondement rouge d'incendie. Alors il se dressait, comme un dormeur sursaute dans un cauchemar, et il disait tout haut : « Quoi, quoi, Bourrel ? Je lui ai bien déjà cassé la gueule ! » Et il repartait par les bois, de la route de l'Aubette au logis de la Sauvagère.

Tournefier l'avait vu, il en avait la certitude. Et bien d'autres que Tournefier, sans doute. Le bruit de son retour devait courir d'une ferme à l'autre ; les bauchetons qui passaient à Bouchebrand devaient l'avoir répandu par le bourg. Et tant mieux donc ! C'était quelque chose d'arrivé, un pas avancé quelque part, vers des événements inconnus, mais un pas, déjà un espoir d'évasion, à tout risque et à tout prix ! Tournefier pouvait avertir Bourrel, s'il le voulait. Qu'il l'avertît du moins tout de suite, que cet enfer ne durât plus !

Les jours passaient ; Raboliot se calmait un peu. Le sentiment s'imposait à lui que Tournefier ne dirait rien, puisqu'il n'avait rien dit encore. Et le désir de rencontrer le garde le posséda de nouveau tout entier, aussi fort, mais plus raisonnable et lucide. Il réfléchit, chercha, et ne tarda pas à trouver.

Un matin, à pointe d'aube, il découvrit en lisière d'un fourré une charogne étalée dans l'herbe. Elle était aplatie de telle sorte qu'il vit bien au premier regard qu'un fauve de forte taille s'était roulé sur elle. Il s'approcha, déchiffra les abords. Le drame s'y inscrivait en traits violents : autour de la charogne, la terre avait été dénudée, labourée profond par des griffes, bouleversée par des soubresauts forcenés. Un taillat[1] de chêne, à côté, montrait des traces de morsures, toute l'écorce arrachée jusqu'à deux pieds

1. Petit arbre de taillis.

du sol, l'aubier haché par les sillons des dents, déchiqueté, entamé jusqu'au cœur. C'était à ce taillat que Tournefier avait fixé son piège : Raboliot retrouva tout de suite la marque en bracelet qu'avait creusée le fil de fer. Firmin n'avait pas bien choisi, l'arbuste était trop gros déjà, trop résistant. Au lieu de céder souplement à chaque effort de la bête captive, il avait tenu raide, il avait aidé le fauve. Et, bandant tous ses muscles, bondissant de droite et de gauche, tordant le fil de fer d'attache, le fauve avait fini par le rompre, s'était sauvé, traînant le piège.

Raboliot suivit la trace. C'était facile : l'engin pesant avait couché les herbes, éraflé les taillats au passage. Cruellement empêtré, le fugitif avait cherché les éclaircies. Il devait perdre pas mal de sang ; des gouttes rouges, encore fraîches, tachaient les feuilles mortes. Cent mètres, cent cinquante mètres, Raboliot fit le pied. Une admiration lui venait pour l'énergie de l'animal, peu à peu une pitié obscure. Un renard, sûrement, un adulte. Fallait-il qu'il voulût vivre, qu'il eût la vie chevillée creux ! La trace s'alourdissait, les gouttes rouges se faisaient plus serrées, disparaissaient dans un fossé, sous les ronces. Raboliot franchit le fossé, examina le sol, ne découvrit plus rien. Alors, il sortit son couteau, trancha un gourdin de bois vert, lourd de sève, dont il écarta les ronces, pas à pas.

Le renard était dans le fossé, étendu sur le flanc, les côtes soulevées d'un halètement précipité : un mâle de l'an passé, magnifique, gros de corps et de poil brillant. Le piège l'avait saisi par-derrière, refermant ses mâchoires sur la patte gauche, un peu audessous du jarret. Un os brisé perçait la chair, aigu et blanc, mais les tendons avaient résisté. Dans l'aube presque froide, le sang répandu sous la bête, la sueur qui trempait sa fourrure exhalaient une fumée légère. Lorsqu'elle vit l'homme, elle rasa les oreilles, trop épuisée pour faire front : un hérissement courut dans les poils de son cou, un rictus découvrit ses crocs, éclatants sous les babines noirâtres. Raboliot, d'un coup de gourdin sur le crâne, l'assomma. Et il s'assit près d'elle, au fond du fossé broussailleux.

Le hasard l'avait bien servi. L'endroit était secret, sauvage, loin des allées, des sentiers d'agrainage. En soulevant un peu la tête, il découvrait à travers le taillis la piste qu'il avait suivie. Quand Tournefier viendrait, la suivant à son tour, Raboliot le verrait d'assez loin, choisirait son moment pour se lever tout à coup devant lui.

Il n'attendit pas longtemps. Le bruit d'un pas d'homme lui parvint avec l'odeur d'une cigarette. Tournefier avançait sans méfiance; il chantonnait, tout doux, entre ses dents.

— Tiens ton chien, Firmin! Empêche-le!
— Couche, Dévorant!

D'instinct, le garde avait raidi la laisse, arrêtant l'élan du molosse. Raboliot se tenait tout droit, debout au milieu du fossé. Il dit d'une voix absente, avec des lèvres qui tremblaient :

— Le renard est là-dedans... C'est une rude bête...
Et tout à coup, dans un grand cri :

— Écoute, Firmin... Ah! reste un peu!

Tournefier, à un arbre, attacha Dévorant. Le cri de Raboliot, l'accent dont il l'avait poussé l'avaient ému jusqu'aux entrailles. Il le regarda, si changé, hâve et maigri, la face mangée de poils. Et il lui dit avec douceur :

— Mon Raboliot, qu'est-ce que t'as fait?

Raboliot sortit du fossé et demeura sur le bord, sans bouger. Il regardait lui aussi Tournefier, avec des yeux immenses, pleins d'une stupeur de découverte. Ses lèvres continuaient de trembler. Il balbutiait, presque tout bas :

— C'est toi! C'est ben toi!... Arriéze, est-ce que c'est Dieu possible?

Plus bas encore, d'une voix si écrasée d'angoisse que Tournefier la distinguait à peine, il demanda :

— Et Sandrine? Et les drôles? Et tous ceux-là... comment qu'ils vont?

— Ils vont bien, dit Tournefier.

Il ne dit que ces mots, et vit tout aussitôt la poitrine du braco se soulever fortement sous ses hardes, une rougeur lui monter au visage... Brusquement, Raboliot sanglota.

Il sanglotait à grands sanglots qui lui secouaient les épaules au passage, qui jaillissaient de lui longuement, et revenaient toujours, l'un, puis l'autre, réguliers et profonds, ébranlaient tout son corps comme les coups d'une cognée un arbre.

— Mon gars !... Mon gars !...

Tournefier était près de lui, qui venait de s'asseoir sur la pente du fossé, les coudes sur ses genoux et le front dans ses mains, et sanglotait toujours, brisé, le dos fléchi, toute sa force coulant avec ces longs sanglots. Le garde, de son bras, avait ceint les épaules misérables. Il ne trouvait plus rien à dire, bouleversé par ces secousses violentes dont il sentait contre lui la montée, qui renaissaient sans trêve, avec la même terrible véhémence. Il songeait : « Voilà une pitié... Une chose pareille... Le pauvre gars, il a dû en voir !... » Jamais il n'aurait cru qu'un homme pût pleurer de telle sorte.

Et Raboliot, enfin, se prit à parler : des mots sans suite, qui passaient à travers ses sanglots :

— J'en ai vu ! Ah ! j'en ai vu !... Comprends, Firmin : t'es le premier... Depuis des mois, je n'avais personne... C'est bien toi qu'es là, pour de bon... Et tu vas t'en aller, je ne t'empêcherai pas ; faut pas qu'on te voye avec moi, je ne veux pas te faire du tort, à toi... Mais reste encore, encore un peu... Ah ! mon Firmin, si tu savais !

Il soupira, reprit avec une grande douceur :

— Ils vont bien... Ils sont toujours dans la maison... Ainsi... Et moman ? Et Touraille ?... Cause-moi d'eux, Firmin, dis-moi tout... Voilà des mois que je ne durais plus !

Et Tournefier lui dit ce qu'il savait, presque tout : « Chez Raboliot, à l'Aubette, chez Montaine, il n'y avait quasi rien de changé. Les santés n'étaient point mauvaises. Personne n'était bien gai, c'était vrai.

Mais depuis le coup de falot, depuis... le malheur, tout s'était arrangé pour les autres bien mieux qu'on aurait pu le croire. *On* avait plaint Sandrine. *On* avait bien compris qu'elle n'était pas fautive dans ce qui était arrivé. Des gens l'avaient aidée : elle avait retrouvé des ménages, chez M. Bergeron, chez le docteur ; et la maison marchait, comme elle pouvait, pardi ! mais elle marchait. »

Raboliot l'écoutait, immobile. Ses mains, ayant abandonné son visage, pendaient maintenant entre ses genoux ; il fixait sans les voir des feuilles de ronce devant ses yeux, les épaules parcourues encore de grands soupirs entrecoupés. Parfois, la voix toujours humble et docile, il approuvait d'un mot les paroles de Tournefier : « Ainsi !... Elle n'était pas fautive, sûr que non... On l'avait plainte... Dieu merci, le monde n'était pas tous méchants. »

Tournefier s'arrêta, incertain. Il s'écarta un peu de Raboliot, le vit calmé, presque paisible. Alors il demanda :

— Et toi, mon gars, qu'est-ce que tu vas faire ?

Raboliot le regarda, souleva ses deux mains, les laissa retomber mollement :

— Est-ce que je sais, Firmin ?

Il était à présent pareil à un enfant. Il se confiait à cet homme vigoureux :

— Dis-le-moi, je t'obéirai.

Le garde détourna les yeux, parla très vite, avec une gêne grandissante :

— Faut t'en aller, faut quitter le pays. Ça n'est pas pour moi que je le dis : me voilà près de toi, à t'écouter, preuve que je ne te veux point de mal... C'est pour tout le monde que je le dis, pour ceux de là-bas, et pour toi aussi, Raboliot. Te laisser voir comme tous ces jours, c'était déjà une mauvaise chose... C'est comme tes passages à Bouchebrand. Là encore, tu n'as pas eu raison : tout le monde était au courant, même ceux-là qui n'auraient pas dû le savoir. Je ne peux pas t'expliquer mieux... Tu t'es sauvé, il le fallait. Et il a bien fallu aussi que les autres s'arrangent sans toi. Ils se sont arrangés, tu vois. Et tout va comme ça peut, doucement. Mais si tu reviens t'en mêler, tout va se détraquer encore... Tu dois comprendre : dans le fond, tu es un bon gars. Plus tard, qui peut savoir ?... C'est trop près, Raboliot, trop à vif ; c'est comme un feu qui couve encore... Laisse-lui le temps de s'éteindre, va-t'en... A force de passer, peut-être que les jours endormiront le mal qui est fait.

Raboliot inclinait la tête, fixant toujours d'un regard vide les feuilles de ronce devant lui. Sans bouger, toujours de la même voix docile, mais où tremblait à présent une prière :

— Je m'en irai, Firmin, je m'en irai... Mais faut que je les voye, avant.

— Qu'est-ce que tu dis ? s'écria Tournefier.

Raboliot répéta :

— Je veux les voir... Après comme après, n'est-ce pas ? Je m'en irai, je te promets... Seulement, je veux les voir avant. Sandrine, les drôles, je veux les voir.

Il sembla s'éveiller, ses yeux brillèrent, il eut sur le visage une espèce de sourire immobile. Tournefier, devant cette face d'illuminé, sentait la vanité de tous les mots qu'il pourrait dire, et dans le même instant une colère lui venait, une révolte de brave homme contre son impuissance. Il prononça, presque rudement :

— Voilà encore une pauvre parole ! Tu veux, tu veux... Est-ce que tu es seul à vouloir ? Est-ce que tu as le droit de commander ? Et s'ils ne veulent pas, eux ? S'ils sont toujours montés contre toi ?

— Oh ! je sais bien, murmura humblement Raboliot : elle doit être montée, c'est sûr. Si je l'avais mieux écoutée... Mais faut quand même que je la voye, Firmin, et les trois petits avec elle. Je ne leur dirai rien, sois tranquille ; je ne me montrerai même pas. De loin, comme ça, je les verrai passer...

Il parlait sur un ton monotone, les regards de nouveau perdus, avec la mine d'un homme qui rêve :

— Tu leur dirais de venir, un dimanche. Tasie

serait contente de les voir. Et ils viendraient... Vous sortiriez dans le jardin... Moi j'aurais attendu, caché dans la genêtière. Et je resterais là, sans bouger. Je les regarderais tous les quatre. Sandrine causerait avec Tasie, je l'entendrais ; et peut-être qu'elle viendrait à sourire... Les drôles, eusses, ils courraient, les deux garçons, et même Sylvie qui doit déjà trotter toute seule.. Tu n'oublieras pas, dis, Firmin : tu lui diras surtout qu'elle amène Sylvie avec elle.

Il soupira longuement. Sa voix se fit plus basse et plus rauque :

— Et puis après je m'en irai. Je te promets de m'en aller, de me cacher pour eux, pour vous tous... Non, ne dis rien, c'est pas la peine. Personne, personne ne pourrait avoir le cœur de me refuser ! Causes-en à Tasie : tu verras qu'elle dira comme moi. Qu'elle aille trouver Sandrine, qu'elle lui demande de venir un dimanche. Et sa réponse, je l'attendrai : tu me porteras sa réponse, Firmin.

— Et le pouvoir ? dit Tournefier. C'est bien trop déjà, Raboliot, de t'avoir rencontré cette fois. Le mal que j'en pourrais avoir...

— C'est vrai, dit Raboliot. Je suis comme un maudit.

Il réfléchit quelques instants, regarda le fossé à ses pieds, et soudain :

— Voilà ma dernière parole, écoute : ici, tu vois, dans le fossé, sous les ronces, je vais creuser un trou, avec des pierres sur le côté pour que le sable ne coule pas. C'est là que tu mettras la lettre.

Il descendit, fouilla la terre avec ses mains. Et il disait, tout en creusant :

— Tu te rappelleras bien l'endroit, pas vrai ?... Compte tes pas depuis le pied de châtaignier... Je remettrai les ronces par-dessus, personne ne pourra rien y voir... Je passerai tous les jours au matin, rien qu'une fois, vers les sept heures. Bouchebrand ? On ne m'y verra plus : voilà deux grandes semaines que je n'y suis allé ; j'en ai dégoût... Tout le reste du temps, je serai loin, par Tremblevif, ou dans les taillis du Chamboux... Tous les matins, Firmin, rappelle-toi : sur les sept heures...

Tournefier, debout hors du fossé, le regardait fouir la terre de ses ongles, le cœur serré.

3

Le matin où Raboliot trouva la lettre, il ne l'ouvrit pas tout de suite. Il traversa dans la largeur le bois de la Sauvagère, et gagna la route de l'Aubette avec l'enveloppe dans sa main.

C'était un matin de juillet, ruisselant à l'infini d'une lumière splendide et sèche. Le soleil déjà haut avait brûlé toute la rosée ; l'espace n'était qu'un flamboiement limpide, sans une trace de brume, sans un nuage.

Quand Raboliot toucha presque la route, qu'il put la voir s'allonger sur la plaine, il déchira l'enveloppe et déplia la feuille. C'était une feuille quadrillée de lignes bleues, comme on en trouve dans l'éventaire des colporteurs ou dans les toutes petites épiceries de campagne. L'écriture n'était point de Tasie ; elle était de Sandrine elle-même.

« Je bénis Dieu, écrivait Sandrine, que Tasie soit venue à la maison. Je ne sais pas où tu recevras ma lettre, et j'aime autant ne pas le savoir, parce que je n'irais sûrement pas. C'est pour te dire que je ne te connais plus. Ce que j'ai souffert par ta faute, c'est une chose abominable. En remontant depuis le commencement, j'ai pu pleurer, te supplier, rien n'y faisait : fallait que tu y retournes quand même. Et je voyais bien que ce serait à ta perdition et à la nôtre, mais j'avais beau le voir et te le dire, rien n'y faisait. A force de se manger les sangs, il vient une heure où on en a assez. Papa aussi te l'a bien répété : on y engage un doigt, et tout le bonhomme y passe. Et c'est ce qui est arrivé, et nous avec. Heureusement que tout le monde n'est pas comme toi et que nous avons pu nous en sortir. C'est comme après ton procès au collet, au lieu de payer l'amende ou encore de te livrer pour faire la peine que tu avais méritée, monsieur fait l'orgueilleux et refuse de se livrer, ça fait bien auprès des filles. Il y a des hommes qui se livrent, un coup qu'ils ont eu le malheur d'être pris, avec des entrailles de père. Mais toi, tes enfants, tu t'en fiches, l'Assistance peut bien s'occuper d'eux, et leur mère pareil, tu t'en fiches, pauvre Sandrine! Ce que j'ai pu souffrir et pleurer jour et nuit! La belle avance! Et tu te caches de moi et tu y retournes encore, avec des hommes qui sont en prison. Et quand tu es pris encore, au lieu d'accepter ton sort, tu ne veux toujours pas, glorieux, et tu tires sur des hommes, et tu n'as même pas peur d'assommer à moitié avec ta crosse un homme bien estimable qui faisait son devoir, lui au moins. Tout le monde n'est pas si mauvais qu'on le croit, je m'en suis aperçue, et on se trompe sur le compte des gens. Je me suis bien trompée sur toi aussi, avec toutes tes belles paroles que tu voudrais bien ne plus le faire, enjôleur, je ne me doutais pas que c'était des menteries. Mais maintenant je l'ai bien vu, pour mon malheur. Dire que j'ai tremblé pour toi! Tu t'es sauvé, et je te voyais au loin à pâtir de la faim, de la froid, sans maison. Et pendant ce temps-là, tu revenais traîner par ici. Et moi je me débrouillais comme je pouvais, je m'en tirais à m'user tout le corps, à travailler pour gagner mon pain et celui des enfants, les anges! Mais toi, tu revenais faire tes coups dans le pays, et tant pis si le mépris des gens vient retomber encore sur ta famille! Aussi, tu peux retourner à Bouchebrand, c'est bien la femme qu'il te faut, une traînée, une femme de mauvais gars, ça va ensemble avec un assassin, autant dire. Tu en avais assez de nous, faut croire, pour chercher une autre famille à ta convenance. Milorioux en prison, Volat en prison, de jolis gars, et bientôt à ton tour comme ton père. La

208

pauvre vieille, elle est à plaindre! Son mari d'abord, et son garçon qui finira pareil! Ah! Raboliot, si tu étais resté à la guerre, je pense que ça aurait mieux valu. C'est triste d'en arriver à dire des choses pareilles, mais sûrement que ça aurait mieux valu. Et papa le dit bien aussi. Voilà que je t'en ai marqué long, mais c'est plus fort que moi, fallait que je te dise tout ce que j'avais sur le cœur, surtout depuis que tu es revenu à Bouchebrand. Si tu as encore un peu de cœur, il faut nous laisser en paix. Je n'ai pas trop de force pour les enfants, les pauvres petits anges, orphelins de leur père à présent! Laisse-nous, Raboliot, je ne suis pas déjà si vaillante. A bien fallu se passer de toi, et Dieu aidant, on y a réussi. Que Sa volonté soit faite! Pour toi, je pense que ça t'est bien égal, tu l'as prouvé, tu as voulu ton mal, mauvais gars. Je t'embrasse bien quand même, ça sera la dernière fois, par pitié pour nous! C'est malheureux quand même d'en arriver à dire que je te voudrais comme mort... Enfin!

« Celle qui n'aura pas trop de toutes les heures de sa vie pour regretter de t'avoir connu. »

Raboliot avait lu d'une traite. Ses doigts, qui tout à l'heure tremblaient, avaient cessé tout à coup de trembler. C'était inconcevable à tel point, cette lettre, qu'il n'éprouvait même pas de colère. Une lettre de Sandrine, ça? Toutes ces phrases monstrueusement injustes, c'était Sandrine qui les avait écrites, chez eux, au coin de la table massive, près d'une bougie dont la flamme dansait?

Rien que cette lueur dans la salle obscure, et tout autour l'ombre vivante où battait la grande horloge, où respiraient les drôles endormis... Sandrine avait écrit la lettre, puisqu'au travers des lignes Raboliot l'avait reconnue : mais une Sandrine changée, contrainte, comme si quelqu'un lui eût tenu la main. Et elle se débattait, oubliant par instants la leçon qu'on lui avait apprise, avec de pauvres mots qui venaient de son cœur, qui résonnaient comme sa vraie voix.

Elle était bien ajustée, cette lettre, par chacune de ses lignes le poussant à l'écart, l'abaissant, le rejetant. Elle n'affirmait rien qu'il pût nier. Tout le mal qu'elle lui reprochait, il l'avait fait : il avait tiré sur des hommes, au pont de Malvaux ; même pour les saletés de Bouchebrand, la lettre disait la vérité. Regarde ton portrait, Raboliot ! Cet homme-là, ce vilain gars, c'est toi : mauvais père, bourreau des tiens, une honte, une malédiction pour les braves gens de ta famille... C'était vrai. La vérité s'inscrivait aux pages de la lettre, comme un reflet dans un miroir qu'on eût tendu devant sa face. Une belle image à montrer au monde ! Essayez, et demandez aux gens qui passent : « Ce vaurien, cette crapule, qui c'est ? » Tous répondront : « C'est Raboliot. »

Oui bien, c'est Raboliot. Raboliot qui s'avance sur la route de l'Aubette, et marche par la plaine devant les yeux de tout le monde. On fauche les seigles par la plaine ; un peu partout, il y a des hommes dans les champs. Sur la pente qui s'incline vers l'étang de Buzidan, toute l'équipe de la ferme moissonne. Raboliot va. C'est grand jour à présent. Le soleil darde des rayons éclatants, rejaillit sur la route, en poussière d'or qui longuement ondule. Raboliot marche dans ce flamboiement. Sa silhouette y détache tous ses gestes, noire et déliée, ajoutant ses pas à ses pas. A la bonde de l'étang, le fermier Boissinot est sorti des petits saules, portant un seau où il avait mis des bouteilles à fraîchir. Il a fait un pas en arrière comme pour se cacher sous les branches. Raboliot l'a bien vu, mais il est passé devant lui sans même avoir tourné la tête.

Et il a vu, sur les Communaux, d'autres faucheurs qui travaillaient. Au pont du canal, il a dû s'écarter un peu, pour laisser place à la camionnette du boulanger. Dans le virage qui suit le pont, à la descente, la camionnette a pris plus large que de coutume, et ses deux roues de gauche ont laissé un sillage dans l'herbe de l'accotement. Si Raboliot s'était retourné, il aurait remarqué qu'elle s'arrêtait un peu plus loin, et que le boulanger se penchait au-dehors, bientôt rejoint par les faucheurs des Communaux.

Au premier coude, après le canal, sa maison lui est apparue, juste dans la seconde où il s'attendait à la voir. Il lui aurait semblé y rentrer comme à l'ordinaire, n'eût été l'heure inhabituelle. C'était tout simplement comme s'il eût oublié quelque chose, et qu'il fût revenu du travail pour réparer l'oubli qu'il avait fait, pour remettre les choses en ordre. A dix mètres de sa maison, une volée de poussière a couru sur la route dans un ronflement de moteur. Il a songé vaguement : « Le boulanger n'a pas été long par là. » Et il a fait ses derniers pas, il a poussé la porte de chez lui.

4

Elle était devenue toute blanche, les yeux rivés au visage de l'homme et serrant sa poitrine à deux mains. Elle était trop bouleversée pour prononcer une seule parole. Ce fut lui qui dit en arrivant :

— Te voilà... Te voilà, Sandrine.

Il avait refermé la porte et s'était avancé un peu, sans toutefois aller jusqu'à elle. Elle devait ravauder, assise sur une chaise basse près de la porte du jardin. Quand Raboliot était entré, elle s'était levée d'un sursaut, et n'avait plus bougé, toute droite; mais il sentait en elle une détresse panique, à la fois un élan vers lui et un désir violent de le fuir, de s'échapper en se cachant les yeux.

— N'aie pas peur, lui dit-il. Je ne suis pas venu pour commander... Je suis venu pour que tu me redises ce que tu m'as marqué là-dedans — et il montrait la lettre dans sa main — pour être sûr, pour que ce soit bien toi qui me chasses...

Elle ne répondait toujours pas. Dans les rectangles

de soleil qui des fenêtres tombaient sur le carreau, on voyait danser des poussières et s'allumer des vols de mouches. Et il y eut, à travers le silence, l'éclat d'une petite voix jasante, un cri de gaîté fraîche qui traversa Raboliot tout entier.

Il n'avait pas vu la drôline en entrant. Elle était liée au *tourniquet*. Une attache de chiffon, nouée sous ses aisselles, la maintenait à la perche pivotante qui, des solives, joignait le carrelage. Et Sylvie tournait tout autour, abandonnant son petit corps, les jambes gourdes, une cuiller de bois dans la main.

— Elle a bien profité, dit Raboliot.

Il se raidit contre la force qui le jetait vers elle, s'appuya des deux paumes, solidement, à la table. Il était juste en face de la porte vitrée, la lumière du jardin éclairait en plein son visage, ses joues creuses et velues, ses yeux brillants qui regardaient Sandrine.

Un long moment son émotion le suffoqua, trop poignante. Il avait vu, au pied du tourniquet, un rond d'usure dans les carreaux, la trace de tous les pas qu'avaient creusée là les deux autres, quand ils commençaient à marcher.

— Ils sont en classe ? demanda-t-il.

Sandrine fit signe que oui. Il murmura :

— C'est bon. Je les attendrai revenir...

Et il ajouta, la voix âpre :

— ... A moins que tu ne voules pas, Sandrine.

Alors, Sandrine tendit les bras et elle se mit presque à crier :

— Pardon ! Pardon ! Je ne pouvais pas croire que tu avais tant pâti ! Comme te voilà ! On ne se figure pas... Tu étais si loin, sans rien dire, comme si tu avais voulu, le premier, qu'on t'oublie. Et tous les autres étaient là, toujours à me parler contre toi, à m'expliquer le mal que tu nous avais fait : « Vous avez eu de la patience ! Il y en a, à votre place... Mais vous ne voyez donc pas l'homme que c'est, toujours à son plaisir ou à son vice, et tout le reste ne lui est de rien ? » Ils me redisaient toutes mes peines, et de chacune c'est toi qui étais cause. Ah! Raboliot, c'est pourtant vrai! Comment ne les aurais-je pas crus, puisque c'est vrai? Et te voilà. Et je ne sais déjà plus. Mon Dieu! Mon Dieu! Pourquoi n'es-tu pas resté loin? De moi, de nous, que vas-tu faire? Mon Dieu, faut-il! Que je suis malheureuse!

Elle pleurait, debout, et continuait de tendre les mains, pour l'implorer peut-être, ou pour le repousser loin d'elle, avec toute la souffrance qu'il apportait. Lui, cependant, la regardait, et son cœur était plein d'une commisération infinie, d'une tendresse pitoyable qui sourdait de toutes ses fibres, qui l'inondait à large flot. Sandrine! Sandrine! C'était bien elle, toujours faible et docile, toujours prête à plier sous une voix plus rude que la sienne, sous une volonté plus hardie. La pauvre proie, sans autre défense que ses larmes. Hélas! Sur le désir ou sur la haine d'un homme, que peuvent les larmes de Sandrine?

Comme tout à l'heure, avec plus d'âpreté, il se raidit contre lui-même, contre la joie qui le soulevait. Plus tard, bientôt, quelle récompense! Mais il fallait accomplir la tâche. Et c'était à présent que la tâche commençait. Il demeura debout contre la table, pesant des mains sur le bois massif :

— J'ai bien compris, Sandrine, on t'avait montée contre moi. Toute ta colère des premiers jours, on s'en est servi contre moi. Tu n'étais pas grand-chose, va! C'était moi qui comptais, moi qu'on voulait toucher, abattre à travers toi! Et quand tu m'écrivais la lettre, tu ne t'en es même pas aperçue, il y avait quelqu'un derrière ton dos.

Elle tressaillit. Raboliot continua :

— Quand Tasie est venue te voir, tu n'en as parlé à personne?

— A popa, avoua-t-elle.

— Je m'en doutais... Et à qui encore? Il faut bien tout me dire, Sandrine. Après le coup du pont de Malvaux, *on* a dû se montrer ici, pour une enquête, ou pour me guetter déjà. On a dû te parler... revenir... C'est-i' vrai?

Il répondit lui-même, après un court silence :

— C'est vrai.

Et il se mit à brûler et transir, serrant ses dents pour les empêcher de claquer.

Voilà... Il avançait tout droit, sur une route dure. Depuis la lisière des bois, sur la route de l'Aubette au soleil, il avançait dans une implacable lumière, sans rien voir que cet aride flamboiement. S'il avait vu des faucheurs dans les seigles, et Boissinot sur le bord de l'étang, c'était ailleurs, en dehors de sa route. Et même Sylvie, et même Sandrine, quelque chose le séparait d'elles encore, comme un voile de soleil onduleux, une zone d'air vibrant qui le brûlait et le glaçait ensemble.

Devant ses yeux, la forme de Sandrine reculait. Elle parlait et criait, elle répétait : « Pardon, Raboliot ! Est-ce que je pouvais me douter ? » Elle se tordait les bras, l'adjurant de ne plus être là, de se sauver, de se cacher, par pitié ! On devait l'avoir vu, en plein jour ; tout le monde au bourg devait le savoir chez lui, et eux aussi, Jésus, les gendarmes ! Et ils allaient venir, et *il* allait venir, sûrement, sûrement ! « Ah ! va-t'en, Raboliot ! Tu reviendras, cette nuit, quand tu voudras, mais à cette heure, va-t'en, va-t'en ! »

Elle se sentait devenir folle, devant lui qui pesait de ses paumes sur la table, sans bouger, le visage extraordinairement calme, presque rêveur.

Et, soudain, elle se tut. Et des épaules jusqu'au bout des doigts, les bras de Raboliot frémirent. Distinctement, sur le sable de l'aire, on avait entendu le roulement d'une bicyclette. Raboliot lâcha la table, disant très vite, d'une voix qui maintenant commandait :

— C'est à toi de partir, Sandrine ! Emmène-la vite... Allez chez Touraille toutes les deux !

Le guidon de la bicyclette tinta dehors, heurtant le mur. Ils détachaient ensemble la drôline, et leurs doigts brûlants se mêlaient.

— N'aie pas peur... N'aie pas peur, répétait Raboliot.

Vers la porte vitrée du jardin, il la poussait, tenant Sylvie serrée contre elle.

— Vite! Vite! Allez-vous-en!

Quand la porte s'ouvrit derrière eux, il se pencha davantage sur Sandrine, il écarta les bras pour lui cacher l'homme qui entrait. Et il la poussait toujours, et ses yeux l'éloignaient avec une douceur impérieuse.

Elles furent dehors. Il vit Sandrine courir dans le jardin, passer la haie pour rejoindre la route. Elles disparurent, et il se retourna lentement.

Bourrel était à la place même qu'il avait quittée tout à l'heure, contre la table. La lumière du jardin tombait droit sur son âpre visage. Ses traits étaient semblables au souvenir qu'avait d'eux Raboliot, semblables à ce point qu'il en était presque effrayé. Bourrel le regardait avec un ricanement de joie; ce ricanement aussi, Raboliot l'avait attendu, exactement tel qu'il était.

— Tu viens pour m'arrêter? dit-il. Le boulanger t'a prévenu, au pays... Alors, tu as sauté sur ton vélo, pour être ici plus vite, pour y arriver le premier... Boussu et Dagouret te suivent à pied, je pense?

— Justement, dit Bourrel.

Raboliot avait reculé de quelques pas, jusqu'à toucher des reins le fourneau. Il saisit à deux mains, derrière lui, la galerie où pendaient le tisonnier et le soufflet, la serra de toutes ses forces.

— Je t'attendais, dit-il.

— Moi aussi, dit Bourrel.

Il ricanait toujours. Raboliot pouvait voir les ondes de sa joie, brèves et puissantes, courir de sa poitrine à sa face. Le même tremblement secouait les bras du braconnier. De toute sa volonté, il tâchait de le réprimer, crispant ses doigts sur la barre de fonte, derrière lui. Et Bourrel, tout à coup, laissa jaillir sa joie :

— Moi aussi, je t'attendais. Et j'étais bien tranquille, je savais que tu reviendrais. Compte à deux, toi et moi! Quand tu as filé sur Chaon, quand tu t'es ensauvé au diable, l'idée qu'on te chaufferait par là, que ce serait peut-être un autre qui t'arrêterait, cette idée-là m'aurait rendu malade... Mais je restais tranquille, au fond. Je me disais : « Le pays le tient trop... Quand il aura traîné son las, il reviendra, ça sera plus fort que lui. Et alors, on verra bien ! » Et tu es revenu, parbleu ! Tu devais me sentir, c'était comme si je t'avais rappelé.

Le corps tendu, le buste un peu penché, il avançait, comme malgré lui, sur Raboliot : un pas, et puis un pas, attiré vers cet homme qui le regardait sans bouger.

— Ton retour, je l'ai su tout de suite. Tu l'as bien dit : les gens causent... Et je suis passé à Bouchebrand. Tu n'y venais déjà plus guère, toujours la nuit, changeant tes heures. Tu te méfiais, tu es malin. Et des bois tout autour, vers le canal, vers la Sauvagère et Chanteloup. Encore courir ? Encore te pister là-dedans ? Crapule, tu connais les bois mieux que moi ! Je n'étais pas de force, tu m'aurais échappé encore. Et je voulais, tu entends, je voulais ne pas te rater !... Alors quoi, j'ai pris tout mon temps. Il y avait trois mois que j'y pensais, que je préparais ça, heure par heure autant dire. Ta maison, ta femme, tes mioches... Je m'étais dit : « Voilà mon affaire » ; comme ça d'abord, un peu en l'air. Mais l'idée était bonne, je n'ai pas été long à m'en apercevoir : le tout est de savoir causer. Et j'allais, un peu plus content tous les jours, parce que plus j'allais, plus je voyais que mon idée était fameuse : « Mais il aime sa femme, ce Raboliot ! Mais il aime ses drôles, ce sale gars ! Tiens, tiens... » Et j'ai été sûr de t'avoir.

Il respira, la moustache allumée d'un rire. Et il fit encore un pas :

— Tu reviendrais chez toi, c'était forcé. Mais quand ? La nuit toujours, de mèche avec Sandrine, aidé par elle en bon amour ? Elles sont'core plus malines que nous, les femmes, surtout quand l'amour les tient. Ce qu'il fallait, c'était la monter contre toi, s'arranger pour qu'elle te rejette, que tu le saches n'importe comment! Il y a une Justice, bon Dieu! Tout le monde m'a aidé, les uns de leur bon gré, d'autres sans se rendre compte : le vieux Touraille, fatigué de tes manières glorieuses, les voisines, les gens du bourg, tout le monde! Et toi-même avec tes voyages à Bouchebrand, et ta femme qui était jalouse, ta mère aussi, cochon, désespérée de ta repentance! Quel coup de joie, quand j'ai appris que la Tasie était venue! Ah! je te connaissais bien! Que l'on te dise : « Va-t'en », c'était assez pour que tu reviennes; et que ce soit ta femme qui te le dise, assez pour que tu accoures, tout droit, sans rien voir, fou perdu. Et te voilà, et moi aussi... Ah! bon Dieu, ça y est tout de même!

Il était à présent à deux pas de Raboliot. Et Raboliot le regardait, la bouche un peu entr'ouverte, les yeux stupides : cet homme-là... Bourrel... Et ce rire devant lui, et ces paroles qui résonnaient encore... Il s'était bien douté de tout cela, mais que Bourrel le lui criât ainsi, c'était une chose si formidable qu'il en demeurait hébété. Sa lèvre inférieure grelottait, ses dents cliquetaient doucement par intervalles irréguliers.

Et Bourrel fit encore un pas en mettant la main à sa poche. Raboliot le regardait toujours, et se penchait maintenant un peu, et se tendait lui aussi vers Bourrel.

— T'as fait ça... dit-il sourdement.

Et aussitôt, la voix plus haute :

— T'as fait ça!

Et sa voix s'enfla tout à coup. Ses mains, glissant sur la tringle de fonte, cherchèrent en tâtonnant, sentirent le balancement du tisonnier, le décrochèrent avec une adresse silencieuse. Et cependant, il s'entendait crier, d'une voix tonnante qui bondissait hors de lui-même :

— T'as fait ça! T'as fait ça! T'as fait ça!

Il vit distinctement l'expression de terreur qui défigura Bourrel. Il le vit reculer, portant des doigts fébriles à l'étui de son revolver, buter du dos contre la table, et s'abattre en arrière tout d'un coup, les reins ployés, cassé en deux.

Le bec du tisonnier, forgé, aplati au marteau, aigu et long comme une lame de couteau, avait plongé tout entier dans l'orbite. Un spasme secoua les jambes de Bourrel, un autre encore. Son corps tourna doucement sur le côté, s'appesantit du buste sur la table, ne bougea plus, les jambes pendantes et fléchies à demi. Alors seulement, Raboliot vit le sang : il coulait vite, s'épandait en flaque sous le cadavre, et du bord de la table tombait sur le carrelage avec un bruit continu de fontaine.

Il regarda, sans plus lever les yeux, le point où le filet de sang atteignait les carreaux de brique, coulant sans trêve, élargissant par terre une autre flaque. Il se disait, le cerveau vide : « Que c'est long ! Que c'est long ! Est-ce que ça va couler toujours ? » Et il guettait, derrière son dos, le bruit que ferait la porte en s'ouvrant.

Quand Boussu et Dagouret entrèrent, il poussa un grand soupir, et de lui-même leur tendit les poignets.

COMMENTAIRES

par

Francine Danin

Repères chronologiques

1890. Le 29 novembre, Maurice Genevoix naît à Decize (Nièvre). Son père, Gabriel Genevoix, fils et petit-fils de pharmaciens parisiens, avait épousé Camille Balichon, originaire de Châteauneuf-sur-Loire (Loiret).

1891. Gabriel Genevoix s'installe à Châteauneuf-sur-Loire où il va, pendant quelques mois, diriger l'entreprise d'épicerie en gros de ses beaux-parents, « le Magasin ». Puis il acquiert une charge d'agent d'affaires à Châteauneuf où il demeurera jusqu'à sa mort en 1928.

1893. Maurice Genevoix entre à « l'Asile », l'école maternelle. Après l'Asile, ce sera la communale : « L'école, reflet elle-même de la bourgade (...) nous intégrait à un petit monde infiniment divers et chaleureux. Il y avait tout à la fois confrontation, opposition, brassage, au demeurant mutuel enrichissement. » *(Jeux de glaces.)*

L'enfance de Maurice Genevoix se déroule entre « le Magasin », la Loire, la rue Saint-Nicolas, les « petits sentiers », les vignobles de Châteauneuf.

1901. Maurice Genevoix entre comme interne au lycée d'Orléans. « Gamin insupportable et excellent élève », il partage ses jours entre la lecture de London, Kipling, Daudet, Balzac, le dessin, la danse, l'art dramatique et la pêche aux ablettes, non sans se livrer à quelques escapades frondeuses en ville avec un camarade, à l'occasion déguisés en marquis et marquise.

En classe de seconde, son professeur de lettres est

Émile Moselly qui recevra le prix Goncourt en 1907 pour *Terres lorraines.*

1903. Camille Genevoix meurt. « Comment oublier jamais la révolte qui se levait en moi, inséparable du déchirement qui me faisait panteler tout entier. Cette révolte ne s'est jamais calmée. » *(Jeux de glaces.)*

1908. Maurice Genevoix entre en Lettres supérieures au lycée Lakanal. Il est reçu au concours d'entrée à l'École normale supérieure de la rue d'Ulm en 1911. Après une année de service militaire à Bordeaux et au bataillon de Joinville, il entre à « Ulm ». Ernest Lavisse est alors directeur de l'École ; il préfacera le premier livre de Genevoix, *Sous Verdun.* C'est aussi le début d'une longue amitié avec Paul Dupuy, le secrétaire général de l'École.

1914. « Cacique » de sa promotion, Genevoix présente son diplôme d'études supérieures sur « Le réalisme dans les romans de Maupassant ». Il formait alors le projet de passer l'agrégation en 1915 et de mener une carrière d'enseignement à l'étranger. Mais le 2 août, la mobilisation générale est décrétée ; Genevoix rejoint le 106ᵉ régiment d'infanterie.

1915. Présent à la bataille de la Marne, à la marche sur Verdun, il est aux Éparges de février à avril 1915. Le 25 avril, il est atteint de trois balles. Après sept mois de soins, il est réformé.
   Au cours de cette première année de guerre, Genevoix a vu disparaître Casamayor, son camarade normalien, Porchon et Benoist ses amis orléanais. Un « nouveau devoir » s'impose à lui : témoigner.

1916. Paul Dupuy lit les carnets de guerre que Genevoix a rédigés au front. Par son intermédiaire, l'éditeur Hachette propose de publier un livre que Genevoix écrit en quelques semaines, à partir de ces carnets : c'est *Sous Verdun,* qui paraît en mai 1916, copieusement censuré. Viendront ensuite *Nuits de guerre* en 1917, *Au seuil des guitounes* en 1918, *La Boue* en 1921 et *Les Éparges* en 1923. Ces cinq tomes de récits de guerre seront regroupés sous le titre *Ceux de 14.*

1922. Parallèlement à son œuvre de guerre, Genevoix s'essaie au genre romanesque. *Rémi des Rauches* (1922) reçut un bon accueil du public et de la critique. Il fut également distingué par la Fondation

Blumenthal dont le jury comprenait alors Henri de Régnier, Valéry, Proust et Gide. Ce dernier se déclara « rassuré » par *Rémi des Rauches* : les récits de guerre de Genevoix lui paraissaient ressortir à une catégorie littéraire « qui est hors de la littérature. »

1925. Genevoix reçoit le prix Goncourt pour *Raboliot* paru chez Grasset. (Grasset avait pris le risque d'un procès avec Flammarion à qui Genevoix était lié par contrat ; une inimitié entre les frères Fisher, directeurs littéraires de Flammarion et Rosny aîné, président du jury Goncourt, avait déjà écarté Genevoix du prix par deux fois.)

La contrepartie de cette récompense et du succès du roman, c'est l'étiquette d'écrivain régionaliste sous laquelle Genevoix restera longtemps classé, en dépit de la variété de son œuvre.

1927. Genevoix s'installe au bord de la Loire, à Saint-Denis-de-l'Hôtel, dans une maison paysanne, les Vernelles. À la mort de Gabriel Genevoix, en 1928, Angèle qui était au service de la famille depuis 1898, vient aux Vernelles. C'est là que Genevoix accueillera ses amis : Jean Guéhenno, André Billy, Max Jacob, Vlaminck.

Au cours des dix années suivantes, Genevoix se consacre tout entier à la littérature. De *La Boîte à pêche* (1926) à *Marcheloup* (1934), de *La Maison du Mesnil* (1929) à *La Dernière Harde* (1938), de *Rroû* (1931) à *Forêt voisine* (1933), il crée un univers romanesque particulier dans lequel les passions humaines et les forces naturelles jouent jeu égal devant la vie et la mort. D'un roman à l'autre, on observe la récurrence des thèmes qui lui sont chers : l'exigence de liberté, le défi à soi-même, la fidélité à sa nature, à ses convictions, à ses passions dans des luttes où chaque héros, humain ou animal, se hausse au faîte de lui-même. Un climat poétique s'installe également au fil des œuvres, un lyrisme qui chante l'univers, les forces de la vie, la Nature-mère.

1939. Genevoix quitte les Vernelles et part au Canada pour plusieurs mois. Il vient de perdre Yvonne Montrosier qu'il avait épousée en 1937.

De son séjour au Canada, il tire matière à deux

romans : *La Framboise et Belle Humeur* (1942), *Eva Charlebois* (1944) et un journal de voyage : *Canada*.

1940. De retour en France, Genevoix quitte la zone occupée. Il vit, de 1940 à 1943, dans un village du causse aveyronnais. C'est là qu'il rédige en partie *Sanglar* (1946), roman historique qui relate la résistance, au XVIe siècle, des Réformés aveyronnais.

1943. Maurice Genevoix épouse Suzanne Neyrolles, veuve et mère d'une petite Françoise. Tous trois partent aux Vernelles où naîtra Sylvie, le 17 mai 1944.

1946. Maurice Genevoix est élu à l'Académie française. Il reprend la route pour l'Afrique, les États-Unis, la Scandinavie, le Mexique, la Grèce, en ambassadeur de la culture française, donnant des conférences, rédigeant des essais, des récits de voyage ou des romans comme *Fatou Cissé* (1954), histoire d'une servante noire sénégalaise, figure parmi d'autres de la Mère. À partir des années 1950, il se fait également « critique d'art non patenté » de quelque cinquante peintres et sculpteurs : Caillard, Chapelain-Midy, Couty, Dunoyer de Segonzac, Foujita, de La Patellière, Soulas, Belmondo, Vlaminck...

1958. Il est élu secrétaire perpétuel de l'Académie française et le reste jusqu'en 1974, date à laquelle il démissionne. Il raconte dans *La Perpétuité* (1974) les plaisirs et les déceptions de sa charge : l'élection de Montherlant, de Julien Green, de Paul Morand, le refus de Julien Gracq et d'André Malraux de se porter candidats. Son action au secrétariat perpétuel a permis de doter « décemment » les lauréats des prix de l'Académie française. Surtout, il a voulu ouvrir cette grande institution au monde des lettres, en faire un lieu d'échanges dans l'intérêt de la langue et de la création littéraire françaises. Il suscite et organise des rencontres entre les jeunes écrivains, les éditeurs, les critiques littéraires. Il participe à de nombreuses émissions de radio et de télévision et le public découvre alors en ce secrétaire perpétuel un conteur malicieux et grave, qui tient son auditoire sous le charme pendant des heures.

1969. Genevoix publie *Tendre Bestiaire* et *Bestiaire enchanté*, auxquels viendra s'ajouter, en 1971, *Bestiaire sans oubli*. Ces bestiaires en prose sont le pendant poétique de *La Mort de près* (1972) et *Un jour* (1976). Dans ces œuvres, Genevoix prend ses distances : face à l'arrogance d'une civilisation de consommation qui abêtit, asservit, détruit, il parle de la vie et de la mort d'un arbre, de l'amour des êtres, du sacré universel. Tel le cerf de *La Forêt perdue*, il livre à ses lecteurs, dans ses dernières œuvres, son « chant du monde ». Après *Lorelei* (1978), souvenir de sa découverte de l'Allemagne alors qu'il était adolescent, Maurice Genevoix publie *Trente Mille Jours* (1980).

1980. Le 8 septembre, Maurice Genevoix s'éteint, en Espagne où il passait des vacances.

Un contexte : la Sologne en 1925

Les paysages de Sologne

Dans *Jeux de glaces*, Genevoix précise la place que tient la Sologne dans l'écriture de *Raboliot* : « Lorsque j'ai décidé, à l'été 1924, de consacrer mon prochain livre à la Sologne (c'est à peu près ainsi que j'aurais parlé alors), je m'embarquai dans le tortillard routier (...). Je "changeai" à Tigy, arrivai vers le soir, après trois bonnes heures de trajet, à quarante kilomètres de mon point de départ, à Brinon. C'est au cœur de la Sologne. Je pris quartier au cœur de ce cœur, dans une maison de garde isolée parmi des bouleaux frémissants, sur le bord d'un étang secret. Les chevêches gémissaient la nuit ; de temps en temps, dans un grand fracas d'eau claquée, une carpe sautait à la lune. » Aussi, le milieu solognot est-il présent à chaque page de *Raboliot*. Le cadre est précisément fixé, « entre Sauldre et Beuvron », c'est-à-dire entre Brinon-sur-Sauldre et Lamotte-Beuvron, même si la géographie romanesque déplace quelques lieux-dits plus à l'est qu'ils ne se trouvent en réalité. Les toponymes authentiques ne manquent pas : les Sauvagères, Tremblevif, autre nom de Saint-Viâtre Malvau, Bois-Sabot, Cerdon, Framel, tous ces hameaux et villages existent. Si nous n'avons pas trouvé de Buzidan ou Bouchebrand, ce sont des créations très vraisemblables.

Le pays de Raboliot comporte toutes les variantes des paysages de Sologne ; de part et d'autre du canal de la Sauldre qui relie Blancafort à Lamotte-Beuvron, on rencontre des landes, des étangs, des prés, des cultures de céréales (du sarrasin et du seigle pour l'essentiel au début du xxᵉ siècle), des bois et des pineraies, distribués selon la nature géologique et la configuration du sol en buttes, petites vallées et plaines.

La géographie imaginaire de *Raboliot* est si précise et convergente qu'il est possible d'en dresser une carte. Deux axes parallèles, le Beuvron au nord et le canal au sud, délimitent le cadre de l'action. À l'est, autour de la butte de Bois-Sabot, les domaines du comte de Remilleret, avec le château, les fermes, la maison du garde Tournefier et, plus à l'écart vers l'ouest, la métairie de Bouchebrand, puis les étangs : la Sauvagère, Malvau. Cette vaste propriété est traversée, du nord au sud, par la « grande allée » de sable comme on en voit encore de nombreuses en Sologne. L'autre butte, à l'ouest de la grande allée, c'est Buzidan qui domine une plaine relativement fertile. Mis à part ces deux régions agricoles, quelques champs communaux près du village, de l'Aubette, des prés « ras et spongieux », des landes, toutes terres pauvres dont les produits suffisent rarement aux paysans qui les exploitent. Il est à noter que le « pays de Raboliot » reproduit en partie et en réduction la géographie de la Sologne du Cher : les terres giboyeuses et riches, la Sauvagère, Bouchebrand, Buzidan, se situent à l'est et au nord de l'Aubette, comme la « bonne Sologne » aux sables limoneux et bien drainés se trouve à l'est de la région de Brinon, zone de sables humides sur couche d'argile.

Le braconnage

Cette activité est directement liée à la géographie physique et humaine de la Sologne. Les bois, taillis, halliers et plaisses sont des gîtes de choix pour le gibier dont la consommation et la vente constituent un revenu d'appoint pour les « bauchetons », « bouères » et autres ouvriers agricoles miséreux. Les auberges de la région et d'Orléans achètent volontiers ce gibier ; certains régisseurs ferment les yeux sur le braconnage dont ils tirent parfois eux-mêmes quelque profit. Un véritable réseau de recel et de distribution est organisé avec la complicité d'un aubergiste ici, d'un fermier ailleurs (pp. 59 à 60).

Le braconnage du gibier est souvent associé à la chasse aux « puants » (blaireaux et renards surtout) et pour deux raisons au moins : les propriétaires apprécient qu'on débarrasse leurs terres de ces « nuisibles » et les braconniers vendent les peaux à bon prix. D'ailleurs, la chasse aux « puants » est souvent l'alibi ou l'excuse des braconniers appréhendés par les gardes. On comprend donc cette remarque de Raboliot : « Valets, charretiers, fermiers, des braconniers tertous... » (p. 192).

La répression du braconnage n'en est pas moins sévère. Sans doute, Boussu et Dagouret s'étonnent-ils un peu de l'acharnement que met Bourrel à poursuivre Raboliot : « L'obstination de leur camarade les stupéfiait, les scandalisait un peu. Qu'avait-il besoin de tant chercher, de foncer à hue et à dia quand il y avait le procès dressé par Tournefier, un bon procès de flagrant délit ? Raboliot serait salé d'une amende, au tarif : il n'en méritait pas davantage » (p. 69). C'est que la répression du braconnage est surtout l'affaire des gardes-chasses comme Tournefier, des Saint-Hubert, plus rarement des gendarmes qui préfèrent trouver un *modus vivendi* avec la population.

Jusqu'en 1924, le « Saint-Hubert Club de France », association privée, engageait des gardes essentiellement affectés à la lutte contre le braconnage. À cette date, un corps de gardes-chasses est créé et rattaché à l'administration des Eaux et Forêts. Les méthodes des nouveaux Saint-Hubert devinrent alors plus « réglementaires » que celle de Lépinglard qui se déguise en « traînier » pour prendre Volat sur le fait.

La réunion organisée par le comte de Remilleret (*Raboliot*, troisième partie, chapitre 3) montre clairement à Raboliot, qui n'en avait pas conscience, « l'union sacrée » de tous ceux qui veulent ou doivent mettre au pas un braconnier trop téméraire : autour du comte, le régisseur, les gardes privés du comte, les Saint-Hubert et les gendarmes qui, comme Dagouret et Bourrel, sont des officiers de police judiciaire, auxiliaires du procureur de la République. Raboliot saisit d'autant mieux la menace que son propre père est mort en prison des suites « d'un coup de talon qu'un homme de Saint-Hubert lui avait donné dans le ventre ». Ces gens-là sont haïs par les Solognots, non sans quelques raisons... Toutefois les peines prononcées par les tribunaux se limitent généralement à des amendes : deux cents francs pour Raboliot qui a été « salé » (environ deux mois de salaire d'un ouvrier agricole).

Les techniques de braconnage sont multiples. On peut distinguer, d'une part les techniques « artisanales », celles de Raboliot et de Touraille par exemple, d'autre part la chasse de nuit à la lanterne et au fusil, chasse à laquelle se livrent Raboliot, Berlaisier et Sarcelotte ; enfin la technique utilisée par Volat, le panneau ou filet, méthode plus dangereuse et très rarement employée mais exigeant moins d'adresse et permettant de capturer une quantité plus importante de gibier. Ce procédé à visée mercantile indigne Raboliot : « Voilà cinq ans que le Volat braconne sur vous, pas seulement au petit collet comme nous tous, mais au panneau, monsieur, au filet ! Il en a deux chez lui, un de cent mètres, et un autre qu'il vient de finir à travailler dans son guernier, et qui en a ben cent cinquante. »

Au XIXe siècle, le braconnage au fusil, de nuit et de jour, est pratiqué dans 64 p. 100 des cas, les collets, furets, gluaux et autres pièges sont employés dans les autres cas (source *Le Journal de la Sologne*, n° 43 de décembre 1983). Pour finir, voici les souvenirs du braconnier Touraille, tels qu'il les raconte à son gendre dans *Raboliot* (édition originale, Paris, Grasset, 1925) : « Pour les gluaux, j'étais le roi, je peux le dire sans me vanter. (...) Je choisissais ma place au bois dans une clairière, près d'un petit arbre isolé. Il fallait émonder l'arbre, ne lui laisser que les maîtresses branches. On y faisait des entailles très légères, à fleur d'écorce, juste de quoi y pincer les gluaux. Moi, je savais : je prenais la deuxième écorce des houx et je la mettais pourrir dans le fumier ; une fois pourrie, je la faisais bouillir dans un pot, je la lavais à l'eau courante pour la débarrasser des saletés, tant et tant qu'à la fin, il ne restait que la glu pure. J'enduisais donc, avec des petites ramilles de genêt, et ça faisait des gluaux « estra ». Tu me vois d'ici, au pied de mon arbre, dans ma cabane : même pas un cul-de-loup enterré, rien qu'une petite hutte dressée avec des branches « foillues ». J'appelais à la pipée, tantôt en craillant comme un geai, tantôt en sifflant comme un merle. Je n'avais pas besoin d'appeau : rien que ma bouche et c'était ça ! Fallait voir les oiseaux rappliquer pas seulement les geais et les merles, mais avec eux les pies, les grives, les étourneaux. Ça claquait des ailes sur la tête, ça faisait un train de tous les diables ! Et mon arbre ! Il en était couvert ! Et je te tombe sur les gluaux, et je me colle les plumes, et je me fiche par terre en gigotant ! Quel beau tableau, garçon, quelle récolte ! Tu comprends bien qu'elles ne tenaient guère, mes ramilles de genêt : un rien engagées dans la fente. Au premier battement d'ailes, au premier coup de patte pour se dépendre de la glu, paf ! en bas ! Ça me dégringolait sur la tête des fois. »

C'est au cours de la pêche d'étang (pp. 12 à 26) et dans les deux scènes d'auberge (pp. 27 à 34 et 91 à 98) que Genevoix tisse le canevas des relations sociales dans un village de Sologne en 1925.

La propriété foncière joue un rôle capital. En effet, les sympathies et les inimitiés se distribuent d'abord en fonction du lien qu'entretiennent les protagonistes avec les propriétaires et la propriété.

Le comte de Remilleret et son régisseur Tancogne sont « naturellement » solidaires puisqu'ils trouvent un intérêt personnel commun dans l'exploitation de la propriété. Autour de cette propriété, au sens juridique et agricole, on trouve des domestiques, des fermiers, des métayers, des gardes-chasses dont la fonction est de garantir cette propriété moyennant salaire. Proches de Raboliot sur le plan social, ils n'en sont pas moins ses adversaires et la naïveté de Raboliot est de croire que son cousin Tournefier, les fermiers Boissinot, Boutonnet et Malaterre sont ses alliés ou qu'ils observent à son égard une bienveillante neutralité : être au service du comte signifie combattre tous ceux qui attentent à la propriété. Ce droit-là passe, pour eux, avant « l'instinct de la chasse, le besoin de chasser selon le temps et la saison, d'obéir aux conseils éternels qui vous viennent de la terre et des nuages... », et avant les sentiments qui les lient à Raboliot. Tournefier ne se fait pas faute de le rappeler à Raboliot :

« Il était rouge, Tournefier. Il parlait d'une voix essoufflée, pressante, avec toujours ses regards tourmentés.

— Je ne devrais pas te le dire, allons... C'est un coup à perdre ma place... Si des fois on nous avait vus... »

C'est aussi la défense de la propriété, garantie par le droit, qui fait du maire et des gendarmes des adversaires « objectifs » de Raboliot. Nous avons dit quel rôle jouent les gendarmes dans la répression du braconnage. Les paysans solognots n'attendent donc aucun appui de ces serviteurs de l'ordre ; tout au plus apprécie-t-on la modération d'un Dagouret, la bonhomie d'un Boussu. Bourrel, lui, « était un homme qui ne pouvait pas avoir tort, qui ne pouvait pas céder ». « Je suis gendarme, tu entends ! J'ai les tribunaux derrière moi, peut-être ; avec la prison à la clef... la prison, tu entends, crapule ! »

Si M. Bergeron, le maire, vient perquisitionner chez Raboliot, en vertu de ses fonctions, il propose à Sandrine

« des ménages » lorsqu'elle doit subvenir seule aux besoins du foyer. C'est pour le maire une manière habile de venir en aide à une femme dans la détresse sans cautionner pour autant les délits du mari. Plus subtilement, il se concilie ainsi tous les électeurs, braconniers, fermiers et propriétaires.

Trochut entretient d'autres relations de clientèle avec la population. Il n'a aucun intérêt à trahir Raboliot, bien au contraire : les fermiers, bouères et autres métayers sont les habitués de son auberge et ses pourvoyeurs de gibier. Mais il est faible et devant la hargne de Bourrel, il lâche un nom : Raboliot. Cependant, ni Raboliot ni ses amis ne lui en tiennent rigueur : pour tenir commerce, il doit se soumettre aux représentants de la loi : « Raboliot lui tapa sur le ventre : il ne lui en voulait plus à Trochut. C'était un homme qui faisait son métier. »

En bas de l'échelle sociale, nous trouvons les « tâcherons », ouvriers agricoles payés à la tâche tels Raboliot, Berlaisier, Sarcelotte. Embauchés pour les pêches d'étang, les moissons, ils ont des revenus précaires, ce qui explique, comme nous l'avons vu, qu'ils braconnent.

Comme toute société, le village a ses marginaux : Volat, Flora et Delphine. Volat est un « étranger, un traînier sans pays », « on ignorait d'où il venait ». C'est une raison suffisante pour que le village se méfie de lui. De plus, c'est un homme sans principes moraux : « Quand Milorioux, l'ancien braconnier de Tancogne, s'était fait condamner (...), on l'avait vu s'installer à sa place ; il avait pris la maison et la femme. » Enfin, braconnier « ombrageux et jaloux », il « détruisait froidement, pour la monnaie et rien que pour elle », ce qui l'exclut du compagnonnage des autres braconniers qui ne voient en lui que la créature de Tancogne, un braconnier-traître.

Pourtant, Raboliot comprendra que dans cette trahison, Volat était la dupe, un métayer-braconnier que l'on a envoyé, lui aussi, en prison quand il a cessé d'être utile : « Raboliot, debout derrière les persiennes closes, se sentait exclu roidement, rejeté dans la nuit mauvaise, la même nuit où Malcourtois s'était perdu. (...) Il lui semblait rejoindre Malcourtois, pressentir entre eux deux il ne savait quelle solidarité misérable. »

Flora n'a aucun statut social : concubine et fille-mère, elle est rejetée par le village. Elle semble attachée à Bouchebrand, telle une serve à la glèbe, elle change de compagnon au gré des contrats de métayage décidés par Tancogne : « C'était une métairie tombée, des friches sales, des bâtiments qui menaçaient ruine ; le gars qui aurait pris la suite aurait fait un mauvais marché. Tout le monde le savait. En attendant que vînt un amateur, la Flora restait à Bouchebrand : cela pouvait durer longtemps. » Volat, comme les autres hommes, Raboliot compris, ne voit en elle qu'un objet de plaisir. Certes, Flora semble « bonne fille » : « Elle riait de toutes ses dents, ondulait de l'échine à la façon d'une chatte qu'on caresse. Elle trinqua avec les deux hommes et vida bravement son verre. » Il n'en reste pas moins significatif qu'elle est le seul être humain qui accueille le Raboliot-hors-la-loi, rejeté par les siens. « La servilité de Flora, ses yeux de chienne, de femelle toujours consentante, le jetaient à des colères qu'il réprimait de moins en moins. » Cette répugnance de Raboliot à assumer une sorte d'ivresse sexuelle (« Il était saoul d'elle ») exprime son refus de la marginalité sociale : Flora, la paria, ravive en Raboliot son regret de Sandrine, des enfants, de la famille. Flora, c'est la « femelle » : mauvaise mère, ménagère sale et parcsseuse buvant et riant avec les hommes, plus vile encore que la prostituée, puisqu'elle se livre à tous non par vénalité mais par plaisir... !

Aussi n'est-il pas surprenant que le personnage clef du roman, celui qui va faire basculer l'intrigue, soit issu de ce milieu trouble : Delphine, marginale parmi les marginaux, n'a aucun statut, aucun intérêt, aucune place dans une famille. Elle est « disponible » pour toutes les haines, toutes les trahisons : « On l'avait trop battue. Tous ces coups qu'elle avait reçus, ils lui avaient tanné le cœur, à force. Il fallait plaindre ce bout de monde, trop durci pour son âge, déjà incapable d'aimer. » Bête des bois, comme Raboliot, « elle vivait pour la chasse, pour la joie de suivre une trace, d'être la plus futée, la plus "maline". Elle jouait le jeu pour le jeu ; elle n'allait rien chercher au-delà. »

Le roman : récit et poésie

La construction dramatique

Le roman est construit en quatre parties qui développent les phases habituelles d'une narration : exposition, nœud de l'intrigue, dénouement.

La première partie est donc une exposition : un lieu, la Sologne, une époque, l'automne, des personnages : ils sont nommés et surnommés, situés socialement, ils font l'objet d'un portrait physique et psychologique ; une première trame de conflits est tissée : Volat et Bourrel se heurtent à l'ironie et à l'agileté de Raboliot.

La deuxième partie met en place de multiples nœuds dramatiques : des passions, des intérêts, des sentiments s'entrelacent et s'opposent. Au cœur de ces conflits latents apparaît un personnage clef, absent de la première partie, Delphine dite Souris, personnage insaisissable, « une petite forme sombre, une fumée silencieuse », enfermée dans ses haines. Progressivement l'inquiétude et le malaise semblent alors gagner tous les personnages et menacer les équilibres sociaux et affectifs. « L'association » de Tancogne et de Volat est mise en péril par Raboliot : « Et voici que, pour la première fois, quelqu'un était venu tendre chez eux, faire un grillage chez eux, à leur nez et à leur barbe ! Malcourtois, de révolte et de rage, se sentait les entrailles crispées. » Bourrel, ce Beauceron têtu bute contre une « conjuration spontanée, goguenarde, méfiante [qui] le bloquait de tous côtés ». L'enquête entêtée du gendarme suscite à son tour un trouble jusqu'alors ignoré de Raboliot : « Ces événements dépassaient l'entendement de Raboliot. (...) Il pressentait jusqu'en cette rencontre, en cette présence de Tournefier et de Tancogne dans le fossé de la Sauvagère, de louches dessous, d'inexplicables machinations. (...) Volat ? Bourrel ? L'image des deux hommes l'obsédait. » Cette obsession gagne le foyer de Raboliot : « Une stupeur de catastrophe, l'angoisse d'un destin mauvais continuaient d'oppresser la maison. Ni Sandrine, ni les enfants n'osaient plus ouvrir la bouche. » La complicité affectueuse de Touraille et de Norine, les bourrades admiratives de ses compagnons ne suffisent plus à rasséréner Raboliot : « (...) il se guindait un peu plus chaque jour à l'image de ce héros factice, (...) il en était déjà le prisonnier. » Les mises en garde de Tournefier font craquer cette carapace : « Il lui semblait que s'en allaient de lui, une à une, les guenilles éclatantes qu'il exhibait aux yeux des gens, qu'il était nu, chétif et malheureux. » Après la mort d'Aïcha, l'angoisse fait place au dénuement de la solitude, à un troublant face à face avec soi-même : « Il y a dans chaque homme un être qui se cache, que personne ne peut découvrir, pas même l'homme qui le cache en soi. Raboliot, à de certaines heures avait l'angoisse et la crainte de lui-même. » Ainsi, cette deuxième partie tend-elle à la fois à brouiller l'intrigue et à dépouiller les personnages de leurs habitudes, de leur image coutumière et rassurante.

C'est alors qu'un élément dramatique nouveau suspend cette descente au bout de soi-même : la rencontre de Delphine éclaire tout d'un jour nouveau, permet à Raboliot d'identifier ses adversaires, de dissiper son angoisse et de redevenir le maître du jeu, comme au début du roman.

Tous les conflits retenus vont éclater dans **la troisième partie** et c'est Raboliot qui déchaîne lui-même les haines et les vengeances. En dénonçant Volat, il n'a pas conscience de défier le comte dans son autorité et de menacer les intérêts de Tancogne. La conjuration de ces deux hommes va trouver le renfort de la haine personnelle de Bourrel et un allié inattendu, Souris, qui ne voit dans cette chasse à l'homme qu'un nouveau jeu dans lequel elle se réserve la part du « malin ». Alors que la deuxième partie tendait vers l'intériorisation de l'angoisse et vers la solitude, la troisième commence par un duel verbal entre le comte et Raboliot et se termine en bataille rangée, camp contre camp, braconniers contre propriétaires et défenseurs du droit. Dans le même temps, Raboliot bafoue tous les interdits. Lui, simple manant appréhendé pour braconnage, il ose revendiquer devant « monsieur le comte » la justice et dicter leur devoir aux Saint-Hubert : arrêter Volat. Il refuse obstinément de céder aux supplices de sa femme, de se soumettre aux conseils de son beau-père, d'exaucer les prières de sa mère : le poids de l'affection et de l'amour est bien faible, comparé à l'attrait d'un « beau coup », à ce défi au bon sens et à la prudence : « Qu'il n'y ait plus rien, que ma perte et que mon plaisir ! » Le débat intérieur de Raboliot, un moment différé, réapparaît, au cœur de l'action cette fois, dans l'ivresse et la folie d'une nuit au falot presque fantastique : « C'était une belle équipe, homogène, harmonieuse, un chasseur à six bras dont les têtes pensaient d'accord. (...) Il voyait près de lui les silhouettes noires de ses camarades, une mare de lumière vive qui se déplaçait sans cesse, traversée d'herbes secouées par le vent, peuplée de bêtes : et ses yeux la suivaient, devant eux le canon du fusil toujours pointé dans la lumière, ici, puis là, une seconde immobile, et lâchant sa volée de plombs. Il ne voyait rien d'autre, attentif uniquement à tuer, le plus possible et le plus vite possible. » L'irréversible est alors commis : Raboliot a fui après avoir blessé Bourrel et Piveteau. Tous les éléments dramatiques sont en place pour que s'accomplisse le dénouement.

« D'y retourner, c'est mon destin », disait Raboliot, à la fin de la troisième partie. **La quatrième partie** de *Raboliot* semble, en effet, l'accomplissement d'un destin. Le braconnier va ressentir à l'extrême les forces qui s'agitent en lui et parfois le dépassent. Ce « raboliot », « lapereau sauvage, bête des bois », éprouve dans sa chair les souffrances du gibier traqué : « Il changeait de bois chaque nuit, cherchant, pour s'y bauger le jour, les fossés broussailleux que les ronciers enjambent de leur voûte. Il y dormait des sommes écrasés et fiévreux, hachés de cauchemars, d'abois de chiens, de coups de revolvers (...) (p. 180). Comme une bête aussi, il cède à l'appel du plaisir : « Mais lui, quand il avait lâché [Flora], une rage le reprenait bientôt de la serrer, de la meurtrir encore, d'épuiser dans ses bras il ne savait quelle souffrance ou quelle soif. Il était comme une bête en folie, plus pauvre et malheureux qu'une bête » (p. 188). Il était nécessaire que Raboliot s'enfonçât dans son « animalité », qu'il en connût les souffrances et les ivresses pour qu'émerge à sa conscience son destin d'homme. Ce destin lui apparaît d'abord confus dans « une nostalgie insidieuse ». Puis ce sont des souvenirs, les conseils de la vieille Montaine, ce pays qu'il avait appris « depuis sa petite enfance », des images, une songerie : « Il commençait à sentir battre son cœur. » Ce qui revient clairement à sa conscience, c'est sa ressemblance aux « autres » : « Voilà ma vie, songeait Raboliot. D'un bout à l'autre j'ai fait pareil aux autres » (p. 192), puis : « Je me suis marié, pareil aux autres... Et moi aussi j'ai eu des enfants » (p. 194). Il appréhende mieux dans ses rêveries nostalgiques sa triple nature, son triple destin : « Il serait Raboliot toujours, baucheton et braco de Sologne. » Un homme, un métier, une passion, rien qui le condamne somme toute à la chute, à l'exclusion. « Il se voyait au-delà de la plaine, du canal à sa maison, de sa maison à l'Aubette et au bourg, faisant les pas qu'il avait mesurés, chaque pas le situant à sa place, parmi les hommes et les heures de leur vie. »

Revenu à l'humanité, attiré vers les hommes, le village, la famille, en dépit de l'image de Bourrel qui l'obsède, il reste à Raboliot à effectuer ce retour à la vie, à retrouver sa place. Le dernier chapitre de la quatrième partie, symétrique du dernier chapitre de la deuxième partie joue un rôle exactement inverse. Alors que dans la deuxième partie

Raboliot sombrait dans l'angoisse, la rencontre de Souris lui redonnait l'avantage et lui permettait d'élucider le trouble qui le menait « à sa perdition ». Dans la quatrième partie, Raboliot accède progressivement à la clarté de sa vérité d'homme, jusqu'à ce que Sandrine formule sa vérité de paria : « Cet homme-là, ce vilain gars, c'est toi : mauvais père, bourreau des tiens, une honte, une malédiction pour les braves gens de sa famille... C'était vrai », reconnaît Raboliot (p. 210). Il doit affronter cette vérité-là aussi et il se dirige vers l'Aubette : « C'était tout simplement comme s'il eût oublié quelque chose, et qu'il fût revenu du travail pour réparer l'oubli qu'il avait fait, pour remettre les choses en ordre » (p. 211). Le dénouement tient tout entier dans le dernier chapitre. La belle simplicité des êtres et des choses disparaît dès la première page du dernier chapitre : « (...) il sentait en elle une détresse panique, à la fois un élan vers lui et un désir violent de le fuir (...). » Raboliot va trouver dans les aveux de Sandrine, dans la révélation du harcèlement haineux de Bourrel, une joie impulsive comparable à celle qui provoqua la confession de Delphine : « Par intervalles, une secousse de joie retenue le parcourait et il murmurait à bouche close : "Bien... Bien... Ça va bien, mon garçon." Quand Delphine eut enfin achevé, il eut envie de la soulever vers lui, d'embrasser son étroit visage à travers ses cheveux mêlés » (p. 111).

« Lui, cependant, la regardait, et son cœur était plein d'une commisération infinie, d'une tendresse pitoyable qui sourdait de toutes ses fibres, qui l'inondait à large flot. (...) Il se raidit contre lui-même, contre la joie qui le soulevait » (p. 213).

Mais, alors que Delphine disparaissait après ses confidences comme une « fumée silencieuse » sous les yeux d'un Raboliot rêveur, Sandrine et Sylvie restent devant lui et « quelque chose le séparait d'elles encore, comme un voile de soleil onduleux, une zone d'air vibrant qui le brûlait et le glaçait ensemble. »

Pour continuer la comparaison, remarquons que Raboliot s'était porté au-devant du comte au début de la troisième partie mais que Bourrel a été le premier à sauter sur son vélo pour arriver plus vite. Raboliot comprend alors qu'il a toujours pressenti et fui ce duel du plaisir et de la haine incarnée en Bourrel : « Ce ricanement aussi, Raboliot l'avait attendu, exactement tel qu'il était. » La haine quasiment paranoïaque de Bourrel, voilà aussi ce que Raboliot avait voulu ne pas voir : lui l'insensé, le « fou perdu », la bête des bois est un être psychologiquement normal, étranger à toute névrose obsessionnelle. « Il s'était bien douté de tout cela, mais que Bourrel le lui criât ainsi, c'était une chose si formidable qu'il en demeura hébété. » Aussi, pour assumer cette agression destructrice et dépasser son hébétude, Raboliot se réfugie dans un autre lui-même, processus schizophrénique bien connu des criminologues : « (...) il s'entendait crier », « Il vit distinctement l'expression de terreur qui défigura Bourrel. Il le vit reculer (...). » Ainsi s'accomplit le destin quand les deux hommes se sont enfin connus.

Le temps dans Raboliot

Le récit s'étend sur environ neuf mois : la pêche d'étang a lieu en « octobre finissant » et Raboliot revient chez lui un jour de juillet. La première partie qui dure trois jours et occupe un bon quart du roman relate trois séquences de braconnage en octobre. Après l'ellipse du mois de novembre, « des jours passèrent », l'action se noue en décembre ; l'initiative en revient à Bourrel et à Raboliot, chacun dans son camp, Delphine trahissant au cours d'une « nuit de lune brouillée ». La deuxième et la troisième partie s'enchaînent : un « soleil neuf de nouvel an » éclaire symboliquement cette matinée d'une nouvelle ère où un braconnier s'en vient « causer deux mots » au châtelain. C'est ensuite au plus froid de l'hiver que Volat est arrêté, que Raboliot surprend par les persiennes du château ce « bloc d'ennemis », un soir de vent froid, « large et puissant » ; c'est toujours en hiver qu'il se terre chez lui devant le « fourneau qui est froid ». La chasse à la lanterne, avec Berlaisier et Sarcelotte, a lieu au retour des ramiers, après une période plus clémente, vers la fin février vraisemblablement. Au plus profond de sa détresse errante, Raboliot souffre des gelées de mars. Puis le printemps coïncide avec la « nostalgie insidieuse » qui ramène le braconnier au pays ; enfin sa souffrance, comme une sève puissante, le pousse toujours près de sa maison jusqu'à ce jour de juillet, « ruisselant à l'infini d'une lumière splendide et sèche », où il rentre chez lui.

On voit donc comment Genevoix donne à son récit le rythme des saisons : avec l'automne commencent la chasse et le braconnage, c'est aussi « l'ouverture du roman » ; au fil des semaines d'hiver les bonnes prises se font plus rares, les occasions plus tentantes, la compétition plus vive entre chasseurs et braconniers, c'est la saison des conflits, des froids calculs. Les cinq mois qui séparent la fuite de Raboliot de son duel avec Bourrel sont nécessaires à la lente maturation du désir et de l'amour des hommes chez l'un, de la haine chez l'autre. Lorsque Raboliot découvre Bourrel chez lui, près de la table, Genevoix écrit : « La lumière du jardin tombait droit sur son âpre visage. » Nul doute que cette lumière d'été joue son rôle dans l'éclatement du conflit et le dénouement.

D'autre part, on remarquera que chaque épisode est situé à une heure précise de la journée. Ainsi, le braconnage est-il une activité essentiellement nocturne. Les ennemis de Raboliot sont, eux, des êtres diurnes. C'est un jour d'automne que se rencontrent braconniers, fermiers, gardes, régisseur et propriétaire à la pêche d'étang : les inimitiés sont ainsi mises en « lumière ». Raboliot sait qu'il peut rencontrer le comte de Remilleret lors de sa promenade matinale, « une habitude à laquelle il tenait, féru d'hygiène, soucieux de se tenir en forme ». De même, Lépinglard, le Saint-Hubert, choisit de surprendre Volat un « matin de janvier ». Les visites que Bourrel et M. Bergeron effectuent au domicile de Raboliot ont toujours lieu de jour — c'est la loi — et généralement le matin. On pourrait affirmer que le matin est l'heure de la loi et de la propriété, à l'opposé du soir et de la nuit qui sont celles des délits de braconnage. Tournefier, déchiré entre deux camps, est un personnage qui apparaît dans le roman tantôt le soir, tantôt le matin. On notera également que Souris trahit Raboliot une fois le jour, l'autre fois la nuit : elle confirme ainsi la vacuité de ses préférences.

Quant aux gens du village, les fermiers, « ils sont toute la journée dehors, et quelquefois encore à la noirté ». Touraille, Sandrine, Montaine peuvent s'attacher à veiller à la lumière d'une lampe mais, la nuit tombée, ils disparaissent de l'univers romanesque.

L'action bascule vraiment quand l'initiative est prise par le comte qui réunit les gardes et les gendarmes à la nuit tombée, à l'heure du braconnage. Inversement, le dénouement a lieu quand le braconnier-hors-la-loi se présente en plein jour, après une absence qui équivaut à une longue nuit.

Raboliot, *un roman à plusieurs voix*

Le texte de *Raboliot* est toujours étroitement lié à celui qui parle et l'on peut distinguer quatre paroles : celle du paysan solognot, celle des personnages romanesques en général, celle du narrateur-porte-parole de Raboliot et celle du narrateur-romancier-poète, cette dernière parole se glissant souvent en filigrane dans les trois précédentes.

À titre d'exemple de la parole du Solognot, on pourra se reporter au récit que fait Touraille de la légende du diamant bleu (p. 82) et le comparer à ce passage de *Traditions et usages en Sologne* de Légier [1] qui figure dans les notes bibliographiques de Maurice Genevoix :

« Tous les ans, au 13 mai, les couleuvres, les serpents et les anvots de la Sologne se réunissent en un seul monceau tous entassés ensemble de manière que leur masse fait un volume plus gros qu'un poinçon (tonneau). Quand ils sont ainsi rassemblés sur les bords d'un étang situé entre Ardon et Jouy, ils travaillent ensemble à la formation d'un gros diamant. Chacun de ces animaux dégorge une espèce de liqueur très brillante qu'il a sous la langue. Les deux plus habiles, ou reconnus tels parmi eux, reçoivent cette liqueur qui se congèle. Ils la pétrissent et, la besogne faite, chaque animal se traîne sur le diamant, qu'il polit par le frottement de son corps et se retire dans l'étang. Le dernier d'entre eux le jette dans l'eau, où il reste jusqu'à ce que, en pêchant, quelqu'un le trouve.

La précaution de le jeter dans l'eau a pour objet d'empêcher qu'il ne soit ramassé par un geai qui le porterait dans son nid et s'en servirait à nuancer les couleurs de ses ailes. Voilà même la raison pourquoi les geais ont des ailes si belles. Si on cherchait bien, on en trouverait sûrement dans les anciens nids des geais, car ce n'est qu'avec ce diamant que le premier de ces oiseaux a pu s'embellir, et sa postérité a hérité de cette magnificence due, comme on le voit, dans le principe, à la sagesse des serpents. »

La confrontation de ces deux textes fait apparaître les traits particuliers de la littérature orale solognote. On relèvera d'abord les expressions qui ressortissent au registre parlé solognot : « au 13 de mai », « les coleuvres », « l'iau », l'étang employé au féminin, des tournures syntaxiques

1. Légier : *Traditions et usages de la Sologne*, Mémoires de l'Académie celtique, tome 2, 1809 (pp. 204 *sq.*).

telles que « quasi celle de Bouchebrand » ou « ils prennent cette bave à mesure ». On remarquera également une rhétorique du conteur, de Sologne et d'ailleurs, propre à fixer l'attention de l'auditoire et à éveiller son imagination. Plusieurs figures répondent à cet objectif : l'énumération « les coleuvres, les anvots, les aspics, tous les serpents de Sologne », les redoublements : « une étang des bois, une étang noire et sauvage », les synonymies : « les plus malins, les plus subtils » ou encore : « la pétrissent, la roulent, la façonnent », les redondances enfin : « ils s'entortillent les uns autour des autres. »

Il reste que chaque conteur a son propre registre, ses tics de langage et Touraille n'y fait pas exception : « Oui-da », « garçon », « quasi » sont des termes qu'il affectionne.

On pourrait ranger dans ces « paroles de Solognots » le récit de la perquisition effectuée par Bourrel au domicile de Raboliot (pp. 96 à 97).

Les personnages ont évidemment chacun leur langue, conforme à leur statut social, à leur psychologie. On pourra apprécier cette cohérence langagière dans les dialogues entre Tancogne et Volat (pp. 61 à 65) et entre Raboliot et le comte de Remilleret (pp. 116 à 120). Ainsi, Tancogne est-il généralement respectueux de la syntaxe dans ses interrogations ; il ne se permet que quelques « m'est avis » et « drôline » alors que Volat, le plus rustre de tous les personnages, accumule les « charogne », « teigne ». De même, à la question du comte : « Mais où voulez-vous en venir ? », Raboliot répond : « Je ne veux en venir à ren (...) à ren en tout. »

Dans la narration proprement dite, on pourra distinguer la parole du narrateur de celle de Raboliot. En effet, le point de vue du narrateur change au fil des pages et la narration devient insensiblement un monologue intérieur. Lorsque Raboliot rencontre Delphine pour la première fois (p. 109), le récit glisse de la narration « extérieure » : « il comprenait déjà presque tout » à un point de vue plus proche : « une pitié lui venait au cœur devant ce dérisoire ennemi, ce bout de fillette maigrichonne, mouillée de pluie sous ses guenilles. » La pensée est celle de Raboliot, mais le texte est encore celui du narrateur : le terme « dérisoire », la tournure : « mouillée de pluie sous ses guenilles » n'appartiennent pas à la langue de Raboliot. La troisième phrase enfin, et celles qui suivent, peuvent être considérées comme un monologue intérieur :

« Arriéze ! il s'était élancé à pleine force, les dents serrées, les poings tendus : et il avait rencontré ça ! » Le vocabulaire « Arriéze », « ça »), la parataxe marquée par les deux points sont propres au registre de Raboliot.

Ce mode de narration « interne » à peu près absent dans la première partie du roman constitue presque l'essentiel des derniers chapitres. Ainsi Genevoix renforce-t-il l'identification au héros par une parole qui se fait imperceptiblement confession. La dernière phrase du roman, lue en trois temps, traduit aussi la longue respiration, le « grand soupir » de Raboliot et l'acceptation « sur le souffle » de son destin.

La quatrième voix qui se fait entendre dans le roman est celle du romancier-poète. Elle se manifeste très précisément dans les descriptions qui ont une valeur dramatique et métaphorique.

Ainsi, le premier paragraphe est une métaphore du roman. Il présente un événement nouveau : « depuis la veille », l'ouverture de l'œillard modifie en profondeur l'équilibre des eaux stagnantes de l'étang. Le lecteur apprend rapidement que, dans cette paisible région de Sologne, un gendarme est « arrivé au pays depuis peu », qu'il a une « expression complexe, intense, presque agressive » qui a bouleversé Raboliot : « toutes sortes de puissances troubles fermentaient dans ses artères (...), se soulevaient, en lui, contre cet homme. »

Si le tourbillon de l'eau semble régulier et comme immobile, il n'en est pas moins une puissante machine destructrice qui aspire « quelque feuille morte, quelque brindille de jonc » d'un « attrait invincible » ; de même Raboliot dira plusieurs fois — à travers les propos du narrateur — « ce besoin de chasse nocturne qui vous empoignait tout à coup (...). Du ciel familier, des terres natales, des appels mystérieux vous arrivent » (p. 35). La lutte de Raboliot contre Bourrel est d'abord sourde, puis elle accélère son mouvement et engloutit le héros « en chute vertigineuse ». Les propos de Bourrel à la fin du roman sont comme un écho du « tourbillon tranquille et fort » : « Mais je restais tranquille, au fond. Je me disais : "Le pays le tient trop... Quand il aura traîné son las, il reviendra, ça sera plus fort que lui. Et alors, on verra bien !" Et tu es revenu parbleu ! Tu devais me sentir, c'était comme si je t'avais rappelé. »

Une thématique cosmique

Le lecteur trouve dans les descriptions des paysages des « indices » dont l'objet n'est pas d'expliquer les personnages ou leurs comportements par le milieu où ils vivent, mais de tenir lieu de « signes » dramatiques. Le jeu de la lumière et des arbres est souvent symbolique. Telle marche « légère » par une nuit d'or sera sereine et sans danger : « De corne en coin, ils traversèrent une pineraie de maritimes. Des coupes anciennes n'avaient laissé là que de beaux arbres espacés, entre lesquels jouait la lumière et flottait un air libre, baigné d'arômes » (p. 46). Inversement juste avant le coup de feu de Bourrel sur la chienne Aïcha, les bouleaux avertissent de l'imminence d'un danger : « Les bouleaux étaient très serrés : ils se haussaient d'un jet vertical, jaillissaient comme des fusées grêles vers la lumière d'un ciel blafard », et quelques lignes plus loin : « Un vertige léger balançait les bouleaux trop pâles, toutes ces écorces plus blanches que des linges » (p. 101).

Le narrateur est ici poète : il déchiffre les messages de la nature que les personnages ne voient pas ; il prophétise le bonheur ou le malheur parce qu'il est à la fois parmi les hommes de son roman et au-delà de leurs passions, dans un univers poétique et cosmique, à la manière d'un autre personnage de Genevoix, Fernand d'Aubel, dans *Un jour* [1] : « Même si cet univers est fini, il est dans les limites de l'espace et du temps, inépuisable. Et la conscience que j'ai de lui, que m'en donne mon corps vivant m'immortalise à son image. "Je ne suis pas délimité entre mon chapeau et mes souliers", disait le vieux Whitman. "Je suis dans l'univers entier et je suis dans tous les temps." »

On ne saurait donc s'étonner de trouver, dans la majeure partie des comparaisons et des métaphores, l'association des quatre éléments, des trois règnes, de la nature et de la civilisation. À titre d'exemple, citons parmi tant d'autres figures :

« Et le soleil sourdait de tout l'espace. »

« C'était une belle nuit au perché, baignée d'une clarté diffuse. »

« Il découvrit la plaine laiteuse, trempée de lune mouillée. »

---

1. Maurice Genevoix : *Un jour*, Paris, Seuil, 1976, p. 203.

« L'espace n'était qu'un flamboiement limpide. »

« Les pousses vertes, sous la clarté horizontale, blondoyaient à l'infini. Ce ruissellement d'émeraude dorée se mêlait au rythme des glèbes. »

« L'aube avait laissé aux branches des aiguilles de sapin, aux mailles des clôtures grillagées, de fines arabesques de givre. »

Cette fusion des règnes et des éléments n'a pas seulement une fonction esthétique ; elle développe tout au long du roman, à la manière de multiples variations, le motif central : l'appel de la nature auquel le braconnier répond, l'union mystérieuse de l'homme, de la terre et de la bête dans la chasse : « Du ciel familier, des terres natales, des appels mystérieux vous arrivent, des voix secrètes et connues, mille présences persuasives qui vous tirent comme avec des mains, hors du lit.

« (...) le vent qui passe à la cime des pineraies, c'est une grande voix autoritaire à laquelle il est vain de vouloir désobéir » (p. 35).

Le personnage de Raboliot :
du roman au mythe

Raboliot a-t-il un modèle ?

Nous savons que Maurice Genevoix a séjourné en Sologne en 1924, avant d'écrire *Raboliot*. Dans *Jeux de glaces*, le romancier donne quelques clefs aux amateurs de critique biographique, clefs pour les lieux, clefs pour les personnages : « De même pour les personnages : le garde Tournefier s'appelait Trumeau, Touraille s'appelait Beaufils et Pierre Fouques dit Raboliot, s'appelait Depardieu dit Carré. Tout cela *devrait* (souligné par l'auteur) être exact, si je ne m'y perdais moi-même [1]. »

La clausule a son importance et très tôt Maurice Genevoix avait fait cette mise au point. Pourtant, des Solognots ont prétendu qu'il avait « copié son sujet » sur Depardieu, ce qui n'a pas manqué de susciter des malentendus parmi ces lecteurs peu familiarisés avec les fantaisies de la fiction

---

1. *Jeux de glaces*, in *Œuvres complètes*, Genève, Édito Service, 1973, tome 22, p. 132.

littéraire... Quoi qu'il en soit, il est exact que Genevoix a rencontré des Solognots qui l'ont inspiré. En ce qui concerne Touraille, par exemple, on peut lire dans une note manuscrite de 1924 : « Déjeuner, le mercredi 22 octobre, chez le père Beaufils, entre sa femme et lui ; on a cassé deux œufs pour allonger l'omelette ; du lapin réchauffé, avec une sauce épaissie de farine, corsée d'oignons », et plus loin : « Le travail, à cette époque de l'année, commence à donner. Les oiseaux se multiplient dans tous les coins de la "belle chambre". C'est la chambre-musée où B. range les pièces achevées. »

Suivent plusieurs feuillets de notes sur les animaux empaillés par Beaufils, les techniques de taxidermie et de décoration dont on retrouve l'écho dans la description de l'atelier de Touraille.

Cependant, Genevoix a maintes fois raconté et écrit qu'il n'a pas rencontré Carré-Depardieu, le « modèle » de Raboliot. Le fameux braconnier de Brinon posa un « lapin » au jeune romancier ! Dans *Trente Mille Jours* [1], Genevoix raconte pourquoi ce rendez-vous manqué l'a finalement servi :

« "I's'aura méfié", dit l'aubergiste en matière d'adieu.

« Sans aucun doute : Solognot et braco, sa méfiance à la fin devait à coup sûr l'emporter sur sa gloriole fanfaronne. Mais comment, et si vite, le comprendre et m'y résigner ? Déçu ? Ce n'est pas assez dire ; accablé, désarçonné, obsédé. Heureusement obsédé. Car, désormais incapable d'échapper à l'envoûtement de ce personnage inconnu, déjà mythique, mon imagination et ma mémoire ensemble se sont mises à voleter alentour. Stendhal me l'eût dit à l'oreille : "Voilà que tu cristallises. C'est bon signe." Dix, vingt personnages, en effet, bien réels ceux-là, tous connus de moi, et que j'eusse pu croire oubliés, tous rencontrés au cours de mon enfance, au temps où, petit porte-carnier, je suivais mon père et mes oncles dans les labours et les friches de Nevers, ont repris vie au fond de moi. »

En 1969, Maurice Croze, alors journaliste à *La Nouvelle République du Centre-Ouest*, publia deux interviews de témoins : l'une de Félix Radé, un ami de Depardieu et l'autre de Juliette Chanuet que Depardieu avait épousée en second mariage en 1925. On relève dans la première des mots qui sortent tout droit du roman et, inversement, une

1. *Trente Mille Jours*, Paris, Seuil 1980, p. 202.

anecdote dont on devine quelle transposition littéraire Genevoix peut en avoir fait, s'il en a été informé. Dans la seconde, on remarque l'imprécision de la chronologie et la « sédimentation » des souvenirs. En voici deux extraits [1] :

(M. Félix Radé :) « Il était futé, c'était un vrai renard. Je me rappelle un jour d'élection, à la mairie les gendarmes l'attendaient. Dès qu'il s'en est aperçu, il a sauté par la fenêtre, et pour le rattraper... C'était un vrai lapin. Un autre jour, près de Souvigny dans les marais, il a réussi à « enliser » les gardes de Saint-Hubert et les gendarmes qui essayaient de le cerner. Puis, quand il les a vus pataugeant dans la vase il les a appelés, leur demandant s'ils avaient besoin d'aide. Il arrivait même à mystifier les gardes et les gendarmes car il connaissait la Sologne mieux que personne. (...) Ah! Dieu sait s'il en a fait et aussi s'il a eu « ben de la misère ». Il ne faisait de mal à personne, il prenait le gibier où il était et, pour lui, ce gibier qui courait et volait dans toute la Sologne était à tout le monde. (...) Pour Depardieu, braconner n'était pas voler... c'était autre chose, car ce gibier était à celui qui savait le comprendre pour le capturer. »

(Mme Juliette Chanuet répond à la question du journaliste qui lui demande si elle et son mari ont eu la visite de Maurice Genevoix :)

« Oui, je me souviens, c'était un monsieur très bien. Il parlait pas beaucoup, il écoutait. Il était venu nous voir au Vivier où nous habitions à cette époque. Et puis, un jour, on m'a fait voir son livre où on parle de Raboliot. Il y a beaucoup de choses qui ne sont pas vraies. Tenez, par exemple, mon Alphonse n'aurait jamais tiré sur un gendarme. »

Ce qui persiste, dans la mémoire de ces deux témoins comme dans de nombreux autres témoignages de Solognots, c'est la superposition têtue de Raboliot et de Carré-Depardieu. Il y a là un fait sociologique qui peut trouver une explication à la fois dans la réception du roman et dans le mythe qui s'est créé autour du personnage.

1. *La Nouvelle République du Centre-Ouest,* 18 décembre 1969.

En 1925, *Raboliot* est couronné par le prix Goncourt. Cette récompense reflète à la fois le goût du public et de la critique dans ce premier quart du XXe siècle, et un courant de création littéraire qui produit des « romans de la nature », des « romans champêtres ».

Ainsi, le prix Femina couronne Marguerite Audoux pour *Marie-Claire* en 1910, le jury Goncourt récompense Emile Moselly pour *Terres lorraines* en 1907, Louis Pergaud pour *De Goupil à Margot* en 1910, Ernest Pérochon pour *Nène* en 1920. C'est l'époque où Colette peint sa Bourgogne natale dans *Claudine à l'école* (1900), *La Naissance du jour* (1928) et surtout *Sido* (1929). L'édition française de *Maria Chapdelaine* de Louis Hémon date de 1921 ; Ramuz publie *La Grande Peur dans la montagne* en 1926, Henri Pourrat rédige sa geste auvergnate, *Gaspard des montagnes,* de 1922 à 1931 et *Roux le bandit* du Cévenol André Chamson date de 1925.

Raboliot rencontre donc un large public et la Sologne trouve en Genevoix son poète qui devient « romancier régionaliste ». Genevoix ne récuse pas totalement l'étiquette — en ce qui concerne ses premiers romans. Mais il en élargit le sens : « On est toujours, à quelque titre, régionaliste. Je l'ai été, je le suis encore et Dieu merci. C'est nourrir ce que j'ai écrit, ce que j'écris, d'une réalité vivante, d'une substance chaude et charnelle, de tout ce qui m'a fait ce que je suis et non un autre, jusque dans ma façon de vivre et de participer, de me mêler aux hommes et de leur ressembler » *(Jeux de glaces)* [1].

« Régionalisme, réalisme, naturalisme, symbolisme, animisme, unanimisme, je ne récuse rien. Pourquoi ? Tout est bon, tout est légitime si le mot est docile, le ton juste, la phrase exacte ; et si le mot, le ton, la phrase sont, enfin et surtout, les nôtres » *(Trente Mille Jours)* [2].

Pendant quelques décennies, Raboliot est donc perçu comme un roman régionaliste et connaît un relatif « purgatoire » jusqu'à sa réédition dans la collection du Livre de Poche. Le roman qui n'avait été tiré qu'à 33 000 exemplaires entre 1935 et 1965 chez Grasset, a été diffusé à 550 000 exemplaires environ en Livre de Poche, entre 1960

1. *Jeux de glaces, op. cit.,* p. 130.
2. *Trente Mille Jours, op. cit.,* p. 209.

et 1985, ce qui constitue un très bon chiffre. (À titre de comparaison, *Claudine à l'école* a été tiré à 470 000 exemplaires et *Regain* de Jean Giono à un million d'exemplaires.)

Toutefois, l'édition populaire n'explique pas tout : *Trente Mille Jours*, paru en 1980, a été tiré, dans l'édition originale, au Seuil, à 800 000 exemplaires. Il faut donc avancer une autre hypothèse : *Raboliot* serait resté un « succès en puissance », un titre connu mais assez peu lu jusqu'à ce que son auteur se fasse mieux connaître du grand public par la radio et la télévision, à une époque où précisément les campagnes ont eu à souffrir de l'expansion industrielle. Genevoix — écologiste avant l'heure, en quelque sorte — aurait alors séduit de nouveaux lecteurs qui se retrouvent dans les valeurs qui avaient toujours nourri ses romans : « Reflets encore, échos que je voudrais fidèles du roman que j'ai toujours souhaité d'écrire, et que je n'écrirai jamais : celui d'un jour entre les jours, pareil à hier, à demain, où passeraient l'amour et la mort, la guerre entre les créatures, le dévouement et l'amitié, la tempête et l'embellie, étrange "histoire de fous", peut-être, qui nous emporte sur l'infime planète où nous sommes, mais où la beauté des choses n'est ce qu'elle est que si elle est divine, sous un ciel dont l'immensité soulève vers ses plages de lumière l'invincible espérance des hommes » *(Jeux de glaces)* [1].

Dans le même temps, la chaîne de télévision Antenne 2 donna une adaptation de *Raboliot* par Jean-Marie Coldefy, ce qui a pu susciter des lectures.

Ainsi, une nouvelle curiosité s'est-elle manifestée pour ce roman dont le personnage-titre était devenu le héros de la Sologne sans qu'on sût toujours quelle histoire il racontait ni comment il la racontait.

Le mythe

Cette seconde célébrité de *Raboliot* s'est accompagnée d'une appropriation du personnage par le public, qui en a fait un mythe moderne. En allant vite, disons que Raboliot est un révolté doublé d'un écologiste !

1. *Jeux de glaces, op. cit.,* p. 146.

C'est à partir des années 1960 que l'on voit apparaître sous la plume de journalistes, de critiques, une image simplifiée du personnage dont on gomme la complexité psychologique pour ne retenir que la révolte contre la société, en détachant des phrases comme celle-ci de leur contexte romanesque :

« Et si quelques hommes, plus riches, accaparent le droit à la chasse, s'ils défendent leur droit avec l'appui des lois, des gardes qu'ils paient et qu'ils arment, des gendarmes en uniforme, des policiers habiles à se grimer, est-ce qu'il n'est pas d'autres lois plus anciennes, qu'on chercherait en vain dans les codes, mais que les gars de Sologne connaissent bien puisqu'ils les sentent vivre en eux dès que le poil leur pousse sous le nez, dès qu'ils éprouvent la chaleur de leur sang ? » (p. 21).

Cette révolte s'exprime dans le fameux « braconner n'est pas voler... on est ce qu'on est, mais faut la justice », que répète Raboliot à qui veut l'entendre.

Ce Raboliot-là devient une sorte de Jacquou le Croquant, porte-parole d'une paysannerie inquiète de son avenir. On lit ainsi dans le *Journal de la Sologne* de juillet 1982 : « Raboliot le vengeur des humbles, le porteur des revanches de ceux qui n'ont rien, Raboliot le révolté simulant la soumission pour mieux mystifier le pouvoir, (...) propriétaire de la Sologne parce qu'il la connaît mieux que personne, (...) Raboliot la victime, victime d'une autre Sologne, (...) de la Sologne de ceux qui se l'approprient avec ses forêts, ses animaux, ses hommes au nom de la loi, de la loi de l'argent, de la loi du plus fort. »

Cette lecture de *Raboliot* fait donc du braconnier le contestataire de la propriété et du profit. Ce qu'elle passe nécessairement sous silence c'est l'attachement de Raboliot à sa société, sa famille : Raboliot, nous l'avons vu n'est pas un marginal. Raymond Las Vergnas le souligne très justement : « Raboliot, le solitaire par excellence, n'en a pas moins une femme et des enfants. C'est là la faiblesse qui, en fin de compte, le perdra. (...) En ce sens, pour indépendant que soit le héros de Genevoix à l'égard de tout ce qui pourrait lui imposer une démission de son instinct vital, il n'est ni un ermite, ni un ascète. Il est lié psychologiquement à ses semblables. Par-delà la cellule familiale, il adhère au hameau, au village, voire au bourg [1]. »

1. R. Las Vergnas, in « Préface » aux *Œuvres complètes* de Maurice Genevoix, Édition Diderot, 1972.

L'autre visage du mythe, c'est le Raboliot-écologiste. Entendons-nous bien : il ne s'agit pas d'un attendrissement facile sur la nature, sur les animaux et leurs mœurs, sur le « bon vieux temps ». Pour Paul Guimard [1], « Genevoix n'est pas de la famille de Cuvier ou de Buffon mais de la race de Walt Whitman, de Melville, d'Hemingway parfois, la race des faiseurs d'épopées qui prophétisent au monde l'asservissement du vivant à l'automatique, la mortelle victoire de l'industrie nouvelle sur la sagesse ancienne ».

À cet égard, nul doute que *Raboliot* est un roman prophétique : le braconnage est aujourd'hui quasiment remisé au magasin des accessoires et du folklore. La chasse en Sologne est passée dans l'ère industrielle, gérée, planifiée, motorisée... Où rencontrer encore ce braconnier libre et solitaire, éprouvant la chasse à la joie de son corps : « Il était content, pourvu qu'il pût offrir son visage à l'air vif, qu'il marchât en silence avec Aïcha près de lui, qu'il exerçât ensemble la finesse de ses sens aux aguets, son instinct de chasse et de ruse, qu'il accomplît précisément les actes qu'il accomplissait : la joie naissait, jaillissait d'elle-même » (pp. 48 et 49).

Ce qu'écrit Raymond Las Vergnas à propos des héros de Genevoix vaut particulièrement pour Raboliot : « Tous ces héros transportent leur terre natale comme une peau supplémentaire collant à leur épiderme, à tel point que les en dépouiller serait, semble-t-il, les assassiner, tellement ils étoufferaient faute de pouvoir respirer à travers les pores de ces forêts, de ces fleuves, de ces taillis, de ces ciels et de tout ce qui les peuple. À cet égard, l'œuvre a le caractère d'un avertissement pour notre temps. L'homme qui hante ces pages est celui que n'ont pas encore délité les prospectives tentaculaires ; celui qui se sent visé par l'avenir planificateur qui, progressivement, nous encercle [2]. »

Évidemment, ce sont là des significations *a posteriori* : toute œuvre appartient aux lecteurs dont les lectures différentes et successives construisent un sens, parfois un mythe autour de l'œuvre.

« Polar » du braconnage, épopée de la Sologne, mythologie paysanne, roman social, prophétie écologiste, toutes ces « lectures » de Raboliot, pour partielles qu'elles soient,

1. Paul Guimard, in « Préface aux *Œuvres* de Maurice Genevoix, Paris Livre Club Diderot, 1975.
2. Raymond Las Vergnas, *op. cit.*

n'en rendent pas moins compte de ces « retours d'ondes » et de cette « sympathie » entre un auteur et des lecteurs, dont parle Genevoix lui-même à la fin de *Jeux de glaces* : « Mais l'écrivain, s'il a eu le privilège de se sentir, comme par des retours d'ondes, rejoint et traversé par des courants de sympathie venus d'hommes qui l'écoutaient, ne pourra désormais l'oublier. Même si ce souvenir n'accède pas à sa conscience claire, il animera son effort solitaire d'une chaleur neuve, transmuée, néanmoins fraternelle, et qui prêtera comme un accent nouveau à ce qu'il écrira désormais [1]. »

Bibliographie sommaire

Œuvres de Maurice Genevoix

Ceux de 14, Paris, Flammarion, 1950, regroupant *Sous Verdun*, Paris, Flammarion, 1916 ; *Nuits de guerre*, Paris, Flammarion, 1917 ; *Au seuil des guitounes*, Paris, Flammarion, 1918 ; *La Boue*, Paris, Flammarion, 1921, et *Les Éparges*, Paris, Flammarion, 1923.

Rémi des Rauches, Paris, Flammarion, 1922.
Raboliot, Paris, Grasset, 1925.
La Boîte à pêche, Paris, Grasset, 1929.
Cyrille, Paris, Flammarion, 1926, réédité sous le titre *La Maison du Mesnil*, Paris, Le seuil, 1982.
Rroû, Paris, Flammarion, 1931.
Forêt voisine, Paris, Flammarion, 1933.
Marcheloup, un homme et sa vie, Paris, Plon, 1974, regroupant *Marcheloup*, Paris, Flammarion, 1934 ; *Tête baissée*, Paris, Flammarion, 1935, et *Bernard*, Paris, Flammarion, 1938.
La Dernière Harde, Paris, Flammarion, 1938.
Je verrai, si tu veux, les pays de la neige, Paris, Flammarion, 1980, regroupant *La Framboise et Belle Humeur*, Paris, Flammarion, 1942, et *Eva Charlebois*, Paris, Flammarion, 1944.
Sanglar, Paris, Flammarion, 1946, réédité sous le titre *La Motte rouge*, Paris, Le Seuil, 1979.

1. *Jeux de glaces, op. cit.*, p. 150.

Fatou Cissé, Paris, Flammarion, 1954.
Le Roman de renard, Paris, Plon, 1958.
Au cadran de mon clocher, Paris, Plon, 1960.
Jeux de glaces, Paris, Wesmael-Charlier, 1961.
La Loire, Agnès et les garçons, Paris, Plon, 1962.
Beau François, Paris, Plon, 1965.
La Forêt perdue, Paris, Plon, 1967.
Tendre Bestiaire, Paris, Plon, 1969.
Bestiaire enchanté, Paris, Plon, 1969.
Bestiaire sans oubli, Paris, Plon, 1971.
Un jour, Paris, Le Seuil, 1976.
Lorelei, Paris, Le Seuil, 1978.
Trente Mille Jours, Paris, Le Seuil, 1980.

Études sur Maurice Genevoix

Défendre la vie, choix et présentation de textes de Maurice Genevoix par Daniel Oster, Paris, Bruxelles, Montréal, Didier 1972 (collection « Les classiques illustrés par la civilisation française ») [*épuisé*].

Pages choisies, notice, biographie, notions littéraires et notes explicatives par Jean-Louis Bory, Paris, Hachette, 1964. (Classiques illustrés Vaubourdolle) [*épuisé*].

Une jeunesse éclatée : de la Vaux Marie aux Éparges — août 1914-août 1915 — Hommage à Maurice Genevoix, Comité national du souvenir de Verdun, Verdun, éditions du Mémorial, 1981.

L'Expression de la vie dans l'œuvre romanesque de Maurice Genevoix, par André Krieger, Université de Strasbourg, 1974.

Le Témoignage sur la guerre dans l'œuvre de Maurice Genevoix, par Marie-Françoise Berrendonner, Université de Grenoble III, 1983.

Hommage à Maurice Genevoix, catalogue d'exposition, Centre Charles-Péguy, Orléans, 1986.

TABLE

Composition réalisée par EURONUMÉRIQUE

IMPRIMÉ EN FRANCE PAR BRODARD ET TAUPIN
La Flèche (Sarthe).
N° d'imprimeur : 2271 – Dépôt légal Édit. 2979-05/2000
LIBRAIRIE GÉNÉRALE FRANÇAISE - 43, quai de Grenelle - 75015 Paris.
ISBN : 2 - 253 - 00922 - 9